FINNISH FOR FOREIGNERS I

by
Maija-Hellikki Aaltio
M.A.

Helsingissä Kustannusosakeyhtiö Otava

Tenth edition

ISBN 951-1-00397-6

Kustannusosakeyhtiö Otavan painolaitokset Keuruu 1978

Contents

To the Reader

The purpose of the present text-book of Finnish is two-fold.

Recognizing the fact that most of those who need to learn Finnish will have to speak it, its first and most important aim is to teach the learner *spoken Finnish.* Approximately two thirds of the forty lessons are mainly devoted to this purpose. The topics have been selected with special regard to practical situations facing every foreigner in Finland, advancing from bus-rides and shopping to the somewhat more sophisticated level of coffee parties and story-telling. The guiding principle in preparing the dialogues has been that each lesson, besides forming a step forward within the over-all plan, ought to have an immediate practical value of its own. This is especially important at the very beginning.

Secondly, this book also wants to serve those whose interest extends itself to *written Finnish,* the language of newspapers, periodicals, literature. Advancing logically from the main bulk of grammar shared by both the spoken and the written language, roughly speaking in the last third of the text material, the learner will be introduced to the most important structural features typical of written Finnish only. Without knowing these, particularly the different ways of eliminating various subordinate clauses, it would be practically impossible for him to understand a single Finnish newspaper article.

The aims of this book are reflected in the way the lessons have been built. Each lesson consists of five parts: (1) dialogue or narrative, (2) structural notes, (3) reader, (4) exercises, and (5) vocabulary.

(1) Due to the spoken-language approach of this book, most lessons are based on a *dialogue,* which is by far the most important part of the lesson. As it contains vocabulary and phrases typical of the situation and includes useful structural patterns, memorizing as many of the dialogues as possible is strongly recommended, especially in the beginning stages. To save time and to forestall errors for those studying Finnish without a teacher, all lessons but two include an idiomatic English translation. The English is also a useful help in checking how well the Finnish has been memorized and in looking ahead for phrases and words eventually needed;

(2) The presentation of the *structure* of Finnish proceeds from the frequent and/or easier to the rare and/or more difficult. The use of grammatical terminology characteristic of Finnish only has been reduced to a minimum. This book is not meant to be a complete grammar. It is concerned with the essentials rather than with all the details;

(3) The *reader* section is meant to give more practice in understanding written Finnish. It should not be translated word by word. The purpose of the unfamiliar words sometimes included is to lead the learner to correct guessing from the context or to the use of a dictionary, both of them useful arts in learning a language;

(4) The *exercises* are numerous but translations, in which the learner confronts all the difficulties at the same time, are few. There is a key to most of the exercises at the end of the book;

(5) The *vocabulary* section shows the inflection of the Finnish words and their English equivalents.

This textbook has grown out of the material prepared by the author at the request of the U.S. Educational Foundation in Finland for the use of American Fulbright grantees. The methods used go back to her experience as an instructor and course developer at the Institute of Languages and Linguistics, School of Foreign Service, Georgetown University, Washington, D.C., and at the Army Language School, Monterey, California.

I am grateful to many people who have helped or encouraged me in writing this book. I want to thank Prof. Stanley Andersen, Fulbright professor in American Literature at Helsinki University in 1961–63, and Mr. Kingsley Hart, Chief Lecturer in English at Helsinki University, for reading the manuscript, correcting the English (for the remaining errors I am solely to blame), for finding idioms which would be acceptable for both the American and the British ear, and for offering many valuable suggestions. Mrs. Elsa Vuorinen, M.A., long-time instructor of Finnish for foreign students at Helsinki University, has also kindly taken time to read the manuscript and to give her opinion on a few important points. Above all, however, I am indebted to the dozens of American Fulbright grantees to Finland to whom I have had the pleasure of teaching Finnish; I should particularly like to thank Dr. Frederick Gehring and his wife Lois, Prof. Robert Gorrell, and the entire Fulbright group of 1961–62. Without their enthusiasm and suggestions and the never-failing encouragement of my husband this book would never have been written.

I have attempted to provide the learner with a textbook that might help disperse the false notion of Finnish as a language »too difficult to learn». It

is relatively easy to learn enough Finnish to get by in practical life
with all foreign languages – it only takes work, and particularly n
work, to learn Finnish really well. How far my attempt has been succ ,
remains for the reader to decide.

Kauniainen, Finland, December 1963.

Maija-Hellikki Aaltio

Preface to the Seventh Edition

This enlarged and thoroughly revised edition appears in two volumes. Book 1 contains twenty-five chapters, Book 2 fifteen chapters.

Though the basic structure of Book 1 remains the same as in previous editions, there have been numerous changes: new dialogues have been added and old ones modernized; the order of the chapters has been changed at times; a new section clarifying important points in the lesson has been added to each chapter; there are many new exercises, particularly drills; and the illustrations are new.

Finnish for Foreigners 1 Oral Drills, a series of tapes or cassettes for use in the language laboratory, and the corresponding booklet, come out simultaneously with this new edition. Also available on tape are all the dialogues as well as the pronunciation exercises contained in the first lessons.

I want to thank Mr. Kari Tolvanen, M.A., who kindly read the manuscript, for his critical remarks. My thanks are also due to Mrs. Diana Webster, M.A., from England, and to Mr. Robert K. Simpson, B.A., from the U.S., who checked the English of the manuscript. Where compromises proved necessary, the final choice was mine.

Kauniainen, August 1973.

M.-H. A.

Pronunciation

The Finnish language has eight vowel sounds and thirteen consonant sounds. Each (with the exception of one consonant) has its own symbol in writing.

Most sounds in Finnish may be short or long. The long sound has the same quality as the short one, being just prolonged. It is extremely important to distinguish clearly between long and short sounds, as difference in length also reflects difference in meaning.

The descriptions of sounds given below must necessarily be considered as rough approximations, and learning the pronunciation of Finnish by imitating a native speaker of the language is strongly recommended.

Vowels

Finnish vowels are in general more sharply and vigorously pronounced than English vowels.

		Short sound	Long sound
i	like i in *sit* (but raising the tongue higher)	*nimi* name	*niin* so; yes
e	like e in *set* (but raising the tongue higher)	*me* we	*menee* he goes
ä	like a in *hat* (but opening the mouth wider in all directions)	*sä* you, thou (colloq.)	*sää* weather
y	like German ü, French u (that is, like i but with rounded lips)	*syksy* autumn	*syy* reason, cause
ö	like German ö, French eu (that is, like e but with rounded lips)	*hölmö* fool	*Töölö* (district in Helsinki)
u	like u in *pull* (but with tightly pursed lips)	*uni* sleep	*uuni* oven
o	like o in *hot* (British pronunciation)	*jo* already	*joo* yes (colloq.)
a	like a in *father*	*ja* and	*Jaana* (girl's name)

The Finnish language has a large number of **diphthongs.** Each vowel in a diphthong is pronounced in the same way as when it is a single vowel.

Examples of the different diphthongs:

ei	*ei* no	*iu*	*viulu* violin
äi	*näin* like this	*eu*	*neula* needle
yi	*hyi* shame on you!	*ou*	*nousta* to get up
öi	*söi* he ate	*au*	*sauna* Finnish bath
ui	*ui* he swims		
oi	*voi* butter	*ie*	*mies* man
ai	*nainen* woman, lady	*yö*	*yö* night
		uo	*Suomi* Finland
äy	*(ei) näy* is not to be seen		
öy	*löydän* I find		

Consonants

The pronunciation of consonants is rather lax in Finnish compared to English. This is particularly true of the so-called stops *p, t,* and *k,* which are always unaspirated, as in French. This means that the slight puff of breath that follows the English sound is lacking in Finnish. A practical way of checking your pronunciation is to keep your hand in front of your mouth when pronouncing *p, t, k;* the less breath you feel on your hand, the better the stop sound is.

		Short sound	Long sound
p	like p in *spin* (the long sound as in *top‿part*)	*papu* bean	*pappi* clergyman
t	like t in *stop (at‿table)*; the Finnish sound is made by touching the upper teeth lightly with the tip of the tongue, *not* by pushing it vigorously against the gum ridge	*ota!* take!	*ottaa* he takes
k	like k in *skin (sick‿king)*	*kuka* who	*kukka* flower
d	like d in *do*	*sade* rain	
m	like m in *mix (room‿mate)*	*oma* own	*amme* tub
n	like n in *net (pen‿nib)*	*sana* word	*Sanna* (girl's name)
n (k)	like n in *think*	*kenkä* shoe	

ng	like ng in *singing* (*not* as in *finger*)		*kengät* the shoes
l	like the "clear" l pronounced initially in standard British English and in *William, million* by most Americans	*eli* he lived	*Elli* (girl's name)
r	(somewhat) like r in *brr* (as said when one is cold); it is slightly rolled. N.B. *Do not* let your r blur the sharp quality of the neighboring vowels.	*rouva* Mrs.	*herra* Mr.
s	like s in *sit (this city)* N.B. The Finnish *s* may sometimes sound to you like sh. There is, however, no sh sound in Finnish. Note also that there is no voiced s – like s in *rose* – in Finnish.	*viisi* five	*hissi* elevator, lift
h	like h in *hen* but somewhat stronger at the end of a syllable	*hän* he, she *ihme* wonder	
v	like v in *veal*	*vain* only	
j	like y in *yes*	*jos* if	

b, g, and *f* may occur in recent loan-words:
banaani banana, *geologia* geology, *filmi* film

Stress

The main stress is always on the first syllable. In compound words, which are very numerous, the first syllable of the second component carries a secondary stress.

káhvi coffee *kúppi* cup *káhvi/kùppi* coffee-cup

Orthography

Finnish spelling is phonetic. Each letter always stands for one and the same sound. An exception is *n,* which may also have the sound value of *ng* (before k and g). No silent letters exist.

Short sounds are always written with one letter, long sounds with two letters.

x and *z,* which may occur in recent loan-words or names, are pronounced *ks* and *ts,* respectively.

Another exception to the phonetic spelling of Finnish:

tule	come!	*tule mukaan!*	(pronounced	*tulem mukaan)*	come along!
sade	rain	*sade/päivä*	(pronounced	*sadep päivä)*	rainy day

The doubling of consonant which in standard Finnish pronunciation occurs between certain words (often ending in -e) and the next word is not indicated in writing.

Syllable division in Finnish

To be able to understand certain consonant changes which occur in the inflection of nouns and verbs, it is important to know how Finnish words are divided into syllables.

The dividing line between two syllables goes

– before one consonant:

ka-tu street, *Lii-sa, suo-ma-lai-nen* Finn;

– between two consonants:

kyl-lä yes, *A-me-rik-ka* America, *met-sä* forest, *haus-ka* nice;

– before the last of three consonants:

Rans-ka France, *kort-ti* card;

– between two vowels which do not form a diphthong (see p. 11):

lu-en I read, *mai-to-a* some milk, *ha-lu-ai-sin* I'd like to, *ra-di-o* radio.

A syllable ending in a vowel is called *open.*

A syllable ending in a consonant is called *closed.*

Kuva 1
2
4
5
6
7
9
10
11

1

A. Mikä tämä on?	A. What is this?
1. Se on Suomi.	1. It is Finland.
2. Se on radio.	2. It is a radio.
3. Se on televisio.	3. It is a television.
4. Se on auto.	4. It is a car.
5. Se on bussi.	5. It is a bus.
6. Se on talo.	6. It is a house.
7. Se on kauppa.	7. It is a shop.
8. Se on katu.	8. It is a street.
9. Se on mies.	9. It is a man.
10. Se on nainen.	10. It is a woman.
11. Se on pieni poika.	11. It is a little boy.
12. Se on kaunis tyttö.	12. It is a beautiful girl.
Mikä tuo on?	What is that?

B. Millainen tämä on?	B. What is this like?
1. Millainen poika on?	1. What is the boy like?
2. Hän on pieni.	2. He is small.
Mies on iso.	The man is big.
3. Millainen tyttö on?	3. What is the girl like?
4. Hän on nuori.	4. She is young.
Nainen on vanha.	The woman is old.
5. Millainen talo on?	5. What is the house like?
6. Se on vanha.	6. It is old.
Auto on uusi.	The car is new.
7. Onko se hyvä?	7. Is it a good one?
8. On.	8. Yes, it is.
9. Onko tämä hyvä radio?	9. Is this a good radio?
10. Ei (ole). Se on huono.	10. No, it is not. It is a bad one.

k, p, t **k**aunis **k**uva, **k**aunis **k**auppa
pieni **p**oika, **p**ieni kau**pp**a
tämä **t**alo, **t**uo **t**elevisio, **t**uo **t**y**tt**ö

s **s**e on kauni**s** televi**s**io, **s**e on uu**s**i bu**ss**i

Structural notes

1. Finnish alphabet

a (b) (c) d e (f) g h i j k l m n o p (q) r s t u v (w) (x) y (z) ä ö

The letters in parentheses do not occur in purely Finnish words.

w (=*kaksois-v*) occurs in a few names and is pronounced like v; in lists arranged alphabetically it is treated as a v.

å (the Swedish o) – between z and ä in the alphabet – occurs in a number of family and place names.

2. No article in Finnish

There is no article in Finnish. *talo,* for instance, means both ”a house” and ”the house”.

3. No grammatical gender in Finnish

There is no grammatical gender (masculine, feminine, or neuter) in Finnish. Even the pronoun *hän* means both ”he” and ”she”. *hän* is used of people only, *se* is used to refer to animals and inanimate objects.

In careless every-day speech *se* is often used to refer to people as well.

4. Basic form of noun

talo, mies, tyttö, and all the other nouns in this lesson appear in the non-inflected or basic form of the noun (**nominative singular**).

Reader

Mikä tämä on? Se on radio. Onko se uusi? Ei, se on vanha. Mikä tuo on? Se on televisio. Millainen se on? Se ei ole hyvä, se on huono. Millainen talo on? Se on pieni. Se ei ole iso talo. Onko auto uusi? On, se on uusi auto. Onko kuva kaunis? Ei ole. Mikä tuo on? Se on pieni kauppa. Millainen tämä poika on? Hän on nuori. Tyttö on pieni. Tuo mies on vanha. Hän on hyvä mies. Nainen on kaunis. Onko Suomi pieni? Onko se kaunis?

Exercises

1. Point at each picture and say aloud, *Mikä tämä on? Se on Suomi* etc. Continue until you can answer without any hesitation.

2. Go through the pictures once more, asking the question *millainen radio on*? etc. and answering your questions (*radio on vanha* etc.). Continue until your questions and answers come fluently.

3. Looking at the pictures, answer these questions, saying *on* or *ei ole*.

Onko auto hyvä?
Onko poika pieni?
Onko Suomi kaunis?
Onko radio uusi?
Onko televisio uusi?
Onko nainen kaunis?
Onko mies nuori?
Onko bussi iso?
Onko radio huono?
Onko talo vanha?

4. More questions. Model question and answer: *Onko poika vanha? – Ei ole, hän on nuori.*

Onko mies nuori?
Onko talo iso?
Onko radio uusi?
Onko auto hyvä?
Onko televisio vanha?
Onko bussi pieni?
Onko televisio huono?

5. Word review. Complete the sentences with suitable words.

...... tämä on? Se ...... Suomi. Onko tämä televisio uusi? ...... Talo .... iso, se on pieni. ...... tuo mies on? ...... on vanha. ...... tyttö nuori? On.

6. Learn the Finnish alphabet and spell your name and the following names in the Finnish way.

John, Jill, George, Liz, Max, Kay, Esther, Christopher, Smith, Brown, Whitney, Churchill, Mackenzie, Stephenson

Vocabulary

A

auto	car, automobile	poika	boy; son
bussi	bus	radio	radio, wireless
katu	street	se	it
kaunis	beautiful, pretty	Suomi	Finland
kauppa	shop, store	talo	house
kuva	picture	televisio ("tv")	television (set)
mies	man	tuo	that
mikä	what? which?	tyttö	girl
nainen	woman, lady	tämä (colloq. *tää*)	this
on (from *olla*)	is (from *to be*)		
pieni	small, little		

B

ei	no	-ko	interrog. suffix
ei ole	(no,) it is not	millainen?	what ...... like? what kind of?
huono	bad, poor		
hyvä	good	nuori	young
hän	he, she	uusi	new
iso	big, large	vanha	old

2

A. Hyvää päivää

1. Suomalainen. Hyvää päivää.
2. Amerikkalainen. Hyvää päivää.
3. S. Mitä kuuluu?
4. A. Kiitos, hyvää.
5. S. Te olette ulkomaalainen. Oletteko te amerikkalainen?
6. A. Olen. Minä olen amerikkalainen.
7. S. Puhutteko te suomea?
8. A. Puhun vähän.
9. S. Te puhutte oikein hyvin.
10. A. Kiitos. Puhutteko te englantia?
11. S. En (puhu). Minä puhun vain suomea ja ruotsia.
12. A. Näkemiin.
13. S. Näkemiin.

A. How do you do

1. A Finn. How do you do.
2. An American. How do you do.
3. F. How are you?
4. A. Fine, thank you.
5. F. You are a foreigner. Are you American?
6. A. Yes, I am. I am American.
7. F. Do you speak Finnish?
8. A. Yes, I speak a little.
9. F. You speak it very well.
10. A. Thank you. Do you speak English?
11. F. No, I don't. I only speak Finnish and Swedish.
12. A. Goodbye.
13. F. Goodbye.

NORJA
Ivalo
Rovaniemi
Tornio
Kemi
UOTSI
Oulu
Kajaani
NEUVOSTOLIITTO
POHJANLAHTI
Vaasa
Kuopio
Joensuu
Jyväskylä
Mikkeli
Imatra
Pori
Tampere
Lappeenranta
LAATOKKA
Lahti
Kouvola
Hämeenlinna
Kotka
Turku
Helsinki
Maarianhamina
Hanko
SUOMENLAHTI
0
100
200 km

B. Hei, Meg

1. Pekka Oksa. Hei! Minä olen Pekka Oksa. Kuka sinä olet?
2. Meg Smith. Minä olen Meg Smith.
3. P. Sinä olet ulkomaalainen. Oletko sinä englantilainen?
4. M. En (ole), minä olen kanadalainen.
5. P. Sinä puhut hyvin suomea.
6. M. Kiitos! Puhutko sinä englantia?
7. P. Kyllä, minä puhun englantia.

B. Hello, Meg

1. P. O. Hello! I am Pekka Oksa. Who are you?
2. M. S. I am Meg Smith.
3. P. You are a foreigner. Are you English?
4. M. No, I am not, I am Canadian.
5. P. You speak Finnish well.
6. M. Thank you! Do you speak English?
7. P. Yes, I speak English.

ä tämä päivä, näkemiin
ä–a vähän vanha, vain vähän, tämä amerikkalainen, tämä afrikkalainen, tämä aasialainen, tämä kaunis päivä
u puhun, puhutte, kuuluu, uusi
u–y puhun kyllä, kyllä puhun, puhut hyvin, hyvä kuva, hyvin uusi, kuuluuko hyvää? kyllä, hyvää kuuluu

Englanti – englanti – englantilainen
Suomi – suomi – suom**al**ainen
Ruotsi – ruotsi – ruots**al**ainen
Venäjä – venäjä – **venä**läinen
Helsinki – helsinkiläinen

EUROOPPA

0
500
1000 km
POHJOINEN JÄÄMERI
Pohjoinen napapiiri
NORJANMERI
Reykjavik
ISLANTI
AASIA
NORJA
RUOTSI
SUOMI
Oslo
Tukholma
Helsinki
ITÄMERI
NEUVOSTOLIITTO
Moskova
SKOTLANTI
POHJ.
IRLANTI
ATLANTTI
Dublin
IRLANTI
POHJANMERI
TANSKA
Kööpenhamina
ENGLANTI
WALES
Lontoo
Amsterdam
HOLLANTI
DDR
Berliini
ITÄ-
SAKSA
Varsova
PUOLA
Bryssel
BELGIA
BRD
Bonn
Praha
Pariisi
LÄNSI-
SAKSA
TŠEKKOSLOVAKIA
RANSKA
Wien
Bern
ITÄVALTA
Budapest
SVEITSI
UNKARI
ROMANIA
ARAL-
JÄRVI
KASPIANMERI
PORTUGALI
Lissabon
Madrid
ESPANJA
Belgrad
Bukarest
MUSTAMERI
JUGOSLAVIA
Sofia
Rooma
BULGARIA
ITALIA
Tirana
ALBA
NIA
Ankara
TURKKI
KREIKKA
Ateena
MALTA
Valetta
VÄLIMERI
Nikosia
KYPROS
AFRIKKA

Structural notes

1. Present tense of verb: 1st and 2nd person

(minä) ole/n	I am	*(te) ole/tte*	you are
(minä) puhu/n	I speak, I am speaking	*(te) puhu/tte*	you speak, you are speaking

minä, te are usually omitted in written Finnish, unless there is a special emphasis on the pronouns. In speech they are extensively used.

A short colloquial form of *minä* is *mä (mä puhun; mä oon = minä olen).*

All inflected forms of Finnish verbs and nouns consist, like those above, of two parts,

stem + ending

ole- | -n
ole- | -tte

The stem is the unchanging part that carries the meaning, whereas each form has a different ending of its own.

2. Formal and informal "you"

The pronoun *te* is used when speaking to many persons or, in formal speech, to one person.

(sinä) ole/t	you are (thou art)
(sinä) puhu/t	you speak, you are speaking

In informal speech – with relatives and friends, children and young people, and within various kinds of closed groups – one person is addressed with *sinä.* It is used much more commonly than "tu" in French or "du" in German. If you call somebody by first name, you will use *sinä;* if you use his title and family name, you will say *te.*

sinä (colloq. *sä*) is omitted in written Finnish like *minä* and *te.*

3. How to form questions

(a) *Mikä tämä on?*	What is this?

When a question begins with an interrogative word (e.g. *mikä*), the word-order resembles that of an ordinary statement (first subject, then predicate), in contrast to English where the word-order is reversed.

(b) *Olette/ko (te) amerikkalainen?*	Are you American?
On/ko Helsinki kaunis?	Is Helsinki beautiful?
Puhut/ko (sinä) suomea?	Do you speak Finnish?

When the question begins with a verb, the word-order is reversed, as in English, and the interrogative suffix *-ko* (or *-kö,* see lesson 4 note 2) is added to the verb.

It should be noted that Finnish questions do not show the rising intonation typical of many questions in English. The pitch of the voice in Finnish sentences normally goes down, even in questions.

Short colloquial forms: *olet(ko) sä, oot(ko) sä* ”oletko sinä”, *onk(o) se* , etc.

The suffix *-ko (-kö)* may also be added to words other than verbs if a special emphasis is wished; compare these three questions:

Olet/ko sinä Pekka Oksa?	Are you P.O.?
Sinä/kö olet Pekka Oksa?	Are **you** P.O.?
Pekka Oksa/ko sinä olet?	Are you **Pekka Oksa?**

4. How to answer ”yes” and ”no”

Oletteko japanilainen?	Are you Japanese?
a) *Olen (kyllä).*	a) Yes, I am.
Kyllä (olen).	
b) *En (ole).*	b) No, I am not.
Onko tämä hyvä auto?	Is this a good car?
a) *On (kyllä).*	a) Yes, it is.
Kyllä (on).	
b) *Ei (ole).*	b) No, it is not.

The most common way to give a short affirmative answer – see a) above – is to repeat the verb of the question. *kyllä* occurs less frequently alone;

however, it often combines with the verb to add some emphasis to the answer.

The negation "no" is *en* for the 1st pers. and *ei* for the 3rd pers. sing. – see b) above. The verb often combines with the negation: *en ole, en puhu/ei ole, ei puhu.*

In careless every-day speech *joo* or *juu* is often heard in affirmative answers: *Puhut(ko) sä ruotsia? – Joo.*

The complete present tense will be discussed in lesson 5 (affirmative) and lesson 12 (negative).

Reader

Päivää, mitä kuuluu? Kiitos, hyvää vain. Onko tämä amerikkalainen auto? Ei, se on Austin, englantilainen auto. Onko tuo mies suomalainen? On kyllä. Puhutteko te suomea? En puhu, minä puhun vain englantia, minä olen kanadalainen. Kyllä te puhutte vähän suomea, ja te puhutte hyvin. Kiitos. Oletteko te amerikkalainen? Olen kyllä. Tämä nainen on ruotsalainen. Matti on pieni suomalainen poika. Mikä tuo on? Tuoko? Se on televisio. Onko se hyvä televisio? On, oikein hyvä. Onko tämä talo uusi? Ei ole, se on hyvin vanha. Joan, sinä olet ulkomaalainen. Oletko sinä skotlantilainen? En, minä olen irlantilainen.

Exercises

1. Study the Finnish names of countries, continents, and capitals. Say aloud,
Tämä on Suomi. Minä olen suomalainen. Minä puhun suomea.
Repeat the same sentences using these names: Ruotsi, Norja, Englanti, Ranska, Saksa, Espanja, Puola, Japani.
2. Model sentences: *Tuo on Englanti. Minä en ole englantilainen. Minä en puhu englantia.*
Go on with these names: Kreikka, Turkki, Unkari, Romania, Islanti, Hollanti, Kiina, Intia.
3. Model: *Te olette australialainen. Te puhutte englantia.*
Go on with Skotlanti, Meksiko (espanja), Brasilia (portugali), Egypti (arabia), Israel (heprea), Itävalta (saksa), Neuvostoliitto (venäjä).
4. Model: *Minä olen suomalainen. – Olenko minä suomalainen?*

Sinä olet eurooppalainen.
Te olette afrikkalainen.
Sinä puhut englantia.
Tämä tyttö on helsinkiläinen.
Hän on aasialainen.
Te puhutte ranskaa.
Minä puhun hyvin suomea.
Tuo mies on ulkomaalainen.

5. Give ”yes” or ”no” answers to the following questions.

Onko Matti suomalainen poika?
Onko Liisa suomalainen tyttö?
Onko Fiat englantilainen auto?
Onko Peter Jones saksalainen?
Oletteko te sveitsiläinen?
Oletteko te amerikkalainen?
Oletko sinä pariisilainen?
Oletko sinä lontoolainen?
Puhutko sinä suomea?
Puhutteko te englantia?

6. Complete by adding the names of nationalities.

Jean-Pierre Duval on ...... Max Müller on ...... Ingrid Andersson on ...... Tom McAdam on ...... Ivan Ivanov on ...... Yoshiko Kasaya on ...... Adelina Menotti on ...... Juan Mendoza on ...... Lin Tsheng on ......

7. Word review.

...... päivää, mitä ......? Kiitos, ...
...... te suomalainen? En ole, olen ......
Peter, ... sinä hyvin ranskaa? En, minä ...... ranskaa ...... vähän.
Minä puhun englantia ...... vähän suomea.

Vocabulary

A

Amerikka	America
amerikkalainen	American
en	no, I ...... not, I don’t
hyvin	well; very
ja	and
kiitos	thank you, thanks
kuuluu:	
mitä kuuluu?	how are you? (”what’s the news”?)
minä (colloq. *mä)*	I
mitä? (from *mikä?*)	what?
näkemiin (from *nähdä* to see)	goodbye, so long, I’ll see you
oikein	right, correctly; very
puhua (puhun puhut puhutte)	to speak, talk
päivä	day
päivää = hyvää päivää	how do you do (”good day”)
Ruotsi	Sweden
suomalainen	Finn, Finnish
te	you
ulko/maalainen	foreigner
vain	only, just
vähän	(a) little

B

Englanti	England (often loosely also for Britain)
englantilainen	English (British)
hei	hello, cheerio, hi
kanadalainen	Canadian
kuka?	who?
kyllä	yes; also used as an emphasizing word
sinä	you, thou

3

Henkilötietoja ja numeroita — Personal information and numbers

A

1. Mikä teidän nimenne on?
2. Minun nimeni on James Brown.
3. Anteeksi, kuinka?
4. Etunimeni on James, J-a-m-e-s, sukunimeni Brown, B-r-o-w-n.
5. Kiitos, herra Brown. Mikä teidän puhelinnumeronne on?
6. Puhelinnumeroni on yksi-kaksi-kolme-neljä-viisi-kuusi.

1. What is your name?
2. My name is James Brown.
3. I beg your pardon?
4. My first name is J-a-m-e-s, my family name is B-r-o-w-n.
5. Thank you, Mr. Brown. What is your telephone number?
6. My telephone number is one-two-three-four-five-six.

7. Ja osoitteenne?
8. Osoitteeni on Kalevankatu 10 A 17.

7. And your address?
8. My address is Kalevankatu 10 A 17.

Mikä Jamesin sukunimi on?
Mikä herra Brownin puhelinnumero on?

What is James's family name?
What is Mr. Brown's telephone number?

B

1. Mikä sinun nimesi on, pikku mies?
2. Janne.
3. Mikä sinun sukunimesi on?
4. ???
5. Onko tämä sinun kotisi?
6. On.
7. Sitten sinun sukunimesi on Mattila. Ja sinun osoitteesi on Koivutie 8 C 29.

1. What is your name, little man?
2. Janne.
3. What is your family name?
4. ???
5. Is this your home?
6. Yes.
7. Then your family name is Mattila. And your address is Koivutie 8 C 29.

Mikä pienen pojan nimi on?
Mikä Janne Mattilan osoite on?

What is the little boy's name?
What is Janne Mattila's address?

C

1. Paljonko tämä sanakirja maksaa?	1. How much does this dictionary cost?
2. Se maksaa 6,75.	2. It costs 6,75.
3. Anteeksi, kuinka? Olkaa hyvä ja puhukaa hitaasti.	3. Pardon? Please speak slowly.
4. Sanakirjan hinta on kuusi markkaa seitsemänkymmentäviisi penniä.	4. The price of the dictionary is six marks seventy-five pennies.
5. ??? Olkaa hyvä ja kirjoittakaa se. – Ai, 6,75! Se ei ole kallis.	5. ??? Please write it down. – Oh, 6,75! It isn't expensive.
6. Ei, se on hyvin halpa.	6. No, it is very cheap.
7. Kuinka paljon Helsingin kartta maksaa?	7. How much does a map of Helsinki cost?
8. Tämäkö? Sen hinta on 3,40.	8. This one? It costs 3,40.

Kenen sanakirja tuo on?	Whose dictionary is that?
Onko se sinun?	Is it yours?
Ei ole, se on Liisan tai Eevan.	No, it isn't, it's Liisa's or Eeva's.

n-nn	nime**n**i – nime**nn**e, talo**n**i – talo**nn**e, koti**n**i – koti**nn**e
r	ka**r**tta, ma**r**kka, he**rr**a O**r**an ki**r**ja, ki**r**joittakaa nume**r**o
h	**h**etkinen, **h**erra, pu**h**ukaa **h**itaasti! **h**alpa **h**inta, **h**yvin **h**uono, **h**erra pu**h**uu **h**ollantia

Structural notes

1. Possessive suffixes for "my", "your"

(minun) talo/ni	my house	*(teidän) talo/nne*	your house
(minun) nime/ni	my name	*(teidän) nime/nne*	your name
(sinun) talo/si	your (thy) house		
(sinun) nime/si	your (thy) name		

To express the idea indicated in English by possessive pronouns, Finnish uses possessive suffixes; *-ni* my, *-nne* your, *-si* your, thy. The pronouns *minun* (gen. of *minä*), *teidän* (gen. of *te*), *sinun* (gen. of *sinä*) are also often added in speech but omitted in written Finnish, unless they carry emphasis.

minun also means "mine", *teidän* "yours", *sinun* "yours, thine":

Onko tuo auto teidän/sinun?	Is that car yours?
Tämä kirja on minun.	This book is mine.

In careless every-day speech, particularly in the Helsinki area, possessive suffixes are often dropped. Note also the short colloquial forms of the pronouns:

mun kirja	(minun) kirjani	*teidän nimi*	(teidän) nimenne
sun osoite	(sinun) osoitteesi		

More about possessive suffixes in lesson 16:1 and lesson 25:4.

2. Genitive singular

Kalle/n auto	Kalle's car
tytö/n osoite	the girl's address, the address of the girl
kirja/n hinta	the price of the book

The ending of the genitive sing. in Finnish is *-n*.

The word in genitive (except in poetry) invariably *precedes* the thing possessed. (In English the prepositional construction with *of* comes after it.)

The **stem** to which the genitive ending is added often slightly differs from the basic form. As the genitive stem is widely used in the inflection of nouns, it will be listed in the vocabularies from now on and should be memorized along with the basic form.

When added to foreign names ending in a consonant, the gen. ending (and other endings as well) is preceded by a "link vowel" *-i-*:

Jamesi/n puhelinnumero	James's telephone number
New Yorki/n poliisi	the police of New York

The title remains uninflected when followed by a name:

herra/n osoite	the gentleman's address, but:
herra Matti Suomela/n koti	Mr. Matti Suomela's home

An adjective or a pronoun preceding an inflected noun agrees with it, that is, has the same ending:

tuo/n karta/n hinta	the price of that map
vanha/n miehe/n poika	the old man's son
suomalaise/n naise/n nimi	the name of the Finnish woman

The genitives of the nouns covered in lessons 1–2 can be looked up in the small-print list following the vocabulary of lesson 7, p. 65. The gen. is the second of the four forms listed for each word.

Reader

Mikä teidän nimenne on? Minun nimeni on Raija Heino. Mikä teidän puhelinnumeronne on? 350 976. Mikä rouva Heinon etunimi on?

Tämän pojan nimi on Mikko Saari. Anteeksi, kuinka? Mikko Saari. Tuon suomalaisen tytön osoite on Kirkkokatu 9 C 30. Anteeksi, mikä katu? Olkaa hyvä ja puhukaa oikein hitaasti.

Paljonko auto maksaa? Maksaako televisio paljon? Kuinka paljon tämä teidän englantilais-suomalainen sanakirjanne maksaa? Mikä tuon japanilaisen radion hinta on?

Kenen tämä Suomen kartta on? Onko se sinun, Kaija? Ei, se ei ole minun, se on Jaanan. Tuo sanakirja on Kalle Oksasen. Millainen sanakirja se on? Hyvä ja kallis. Iso, hyvä sanakirja ei ole halpa. Millainen sinun radiosi on? Minun radioni on vanha ja huono.

Exercises

1. Read aloud the following

a) telephone numbers: 796 425, 12 380, 443 966, 461 839, 675 402;

b) addresses: Simonkatu 23 A 68, Tukholmankatu 45 D 31, Hämeentie 59 E 14, Keskuskatu 27 G 11, Mariankatu 16 H 61;

c) numerals: 15, 26, 48, 79, 100, 132, 275, 876, 999, 1000, 1358, 100 000, 123 456, 1 000 000.

2. Drill numerals by yourself by opening a thick book at random and trying to say the page numbers more and more quickly.

3. On the basis of the pictures below, ask questions and answer them according to this model:

a) *Onko tämä teidän autonne? On, se on minun autoni.*

b) *Onko tuo sinun autosi? Ei, se ei ole minun autoni.*

4. Add the possessive suffixes and, in the second sentence, the opposite of each adjective.

Teidän poika... on pieni, minun poika... on ......
Teidän radio... on vanha, minun radio... on ......
Teidän televisio... on hyvä, minun ...... on ......
Sinun auto... maksaa paljon, minun ...... maksaa ......
Sinun sanakirja... on kallis, minun ...... on ......

5. Onko tämä kynä sinun? *Ei ole, se on Villen*/(Liisa/Peter/Meg).

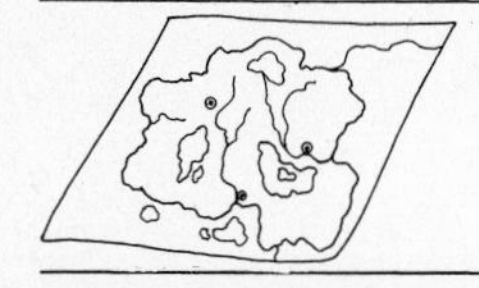

Onko tuo Amerikan kartta? *Ei ole, se on Ranskan*/(Italia/Tansania/Pakistan) kartta.
Onko tämä Suomen lippu? *Ei, se on Englannin*/(Irlanti/Hollanti/Neuvostoliitto) lippu.

6. Model: *Paljonko kirja maksaa? = Mikä kirjan hinta on?*

Paljonko kamera maksaa? Kuinka paljon kartta/radio/tämä televisio/tuo auto/tuo iso sanakirja maksaa?

7.

Kenen auto tämä on?
Se on (Ville Vaara) auto.
Se on (herra Ville Vaara) auto.
Se on (mies) auto.
Se on (tämä mies) auto.

Kenen kirja tuo on?
Se on (Jane Smith) kirja.
Se on (rouva Jane Smith) kirja.
Se on (nainen) kirja.
Se on (tuo nainen) kirja.

Kenen tuo pallo on?
Se on (Tapani) pallo.
Se on (Tapani Salonen) pallo.
Se on (poika) pallo.
Se on (suomalainen poika) pallo.

Kenen tämä nukke on?
Se on (Leena) nukke.
Se on (Leena Nieminen) nukke.
Se on (tyttö) nukke.
Se on (tuo suomalainen tyttö) nukke.

8. Sentence building. Model: *mies, talo, uusi – Miehen talo on uusi.*

Helsinki, kartta, halpa
poika, kamera, kallis
pieni tyttö, nukke, uusi
mikä, tämä ulkomaalainen, nimi?

rouva Korhonen, osoite, Kauppakatu 5
presidentti Kekkonen, etunimi, Urho
englantilainen nainen, sukunimi, Smith
kuka, puhelinnumero, 428 301?

9. What are the questions to these answers?
Minun nimeni on *Veikko Korhonen*. Minun puhelinnumeroni on *432 657*. Minun osoitteeni on *Topeliuksenkatu 16 D 49*. Tämä kartta maksaa *2,50*. Tuon kirjan hinta on *10 markkaa*. Se on *hyvä* kirja.

10. Word review.
Mikä teidän ...... on, herra Salo? Risto.
Mikä sinun ...... on, Mikko? Aaltonen.
Minun ...... on 123 456 ja minun ...... Helenankatu 13.
...... tuo kamera maksaa? Kameran ...... on 200 markkaa.
Tämä sanakirja ei ole halpa, se on ......

Vocabulary

A

anteeksi	excuse me, pardon me, I'm sorry
etu/nimi (gen. -nimen)	first name, Christian name
henkilö-n	person; (play) character
henkilö/tietoja	(some) personal information
herra-n	Mr., gentleman
kuinka?	how?
minun (colloq. *mun*)	my, mine
nimi nimen	name
nolla-n	0, nought, zero
numero-n	number
osoite osoitteen	address
puhelin puhelimen	telephone

suku/nimi -nimen	family name, surname
teidän	your, yours
tieto tiedon	(item of) information, knowledge

B

koti kodin	home
pikku (indeclineable)	little
sinun (colloq. *sun*)	your, thy; yours, thine
sitten	then, after that

C

ai	oh, ah, ouch
halpa halvan	cheap, inexpensive
hinta hinnan	price
hitaasti (from *hidas, hitaan* slow)	slowly
kallis kalliin	expensive, dear
kenen? (cf. *kuka?* who?)	whose?
kirja-n	book
kirjoitta/a (kirjoita/n-t-tte)	to write
kirjoittakaa!	(please) write!
maksa/a (maksa/n-t-tte)	to pay; to cost
markka markan	mark
olkaa hyvä	please; here you are; help yourself
paljon	much, a lot, lots of, a great deal
paljonko? = kuinka paljon?	how much?
penni-n	penny (one hundredth of a mark)
puhukaa!	(please) speak!
rouva-n	Mrs., madam
sana-n	word
sana/kirja-n	dictionary
tai	or

X (new words in structural notes, reader, exercises)

hidas hitaan	slow
kamera-n	camera
kynä-n	pen, pencil
lippu lipun	flag; ticket

nukke nuken	doll
pallo-n	ball

Numerals

yksi yhden	1
kaksi kahden	2
kolme-n	3
neljä-n	4
viisi viiden	5
kuusi kuuden	6
seitsemän seitsemän	7
kahdeksan kahdeksan	8
yhdeksän yhdeksän	9
kymmenen kymmenen	10
yksi/toista yhden/toista	11
kaksi/toista kahden/toista	12
kolme/toista kolmen/toista	13
kaksi/kymmentä kahden/kymmenen	20
kaksi/kymmentä/yksi kahden/kymmenen/yhden	21
sata sadan	100
sata/kymmenen sadan/kymmenen	110
viisi/sataa viiden/sadan	500
tuhat tuhannen	1 000
neljä/tuhatta neljän/tuhannen	4 000
miljoona-n	1 000 000

In colloquial Finnish many numerals have short quick-speech forms: *yks, kaks, viis, kuus, kaks/kyt/yks, kol/kyt/viis* etc.

4

Mannerheimintie, vasemmalla Postitalo.

Oikealla ja vasemmalla

1. Rouva Hill. Hyvää huomenta!
2. Neiti Salo. Huomenta!
3. Rva H. Kaunis ilma tänään.
4. Nti S. Mutta vähän kylmä.
5. Rva H. Saanko esitellä: mieheni – neiti Salo.

6. Hra H. Neiti Salo, missä lähin posti on?
7. Nti S. Mannerheimintiellä. Se on tuo talo tuolla.
8. Rva H. Ja millä kadulla Finlandia-talo on?
9. Nti S. Myös Mannerheimintiellä, tuolla oikealla.
10. Hra H. Missä yliopisto on?

Right and left

1. Mrs. Hill. Good morning!
2. Miss Salo. Good morning!
3. Mrs. H. Fine weather today.
4. Miss S. But a little cold.
5. Mrs. H. May I introduce you? My husband – Miss Salo. (They shake hands and say ”päivää”.)
6. Mr. H. Miss Salo, where is the nearest post-office?
7. Miss S. On Mannerheim Road. It is that building over there.
8. Mrs. H. And on what street is Finlandia Hall?
9. Miss S. Also on Mannerheim Road, over there, on the right.
10. Mr. H. Where is the University?

11. Nti S. Se on Aleksanterinkadulla. "Aleksi" on tämä katu täällä vasemmalla.	11. Miss S. It is on Alexander Street. "Aleksi" is this street here, on the left.
12. Rva H. Kiitoksia, neiti Salo, ja näkemiin!	12. Mrs. H. Thank you very much, Miss Salo, and goodbye.

uo	h**uo**menta n**uo**ri mies t**uo** s**uo**malainen t**uo**lla
uo-yö	t**uo** my**ö**s, my**ö**s t**uo**, my**ö**s S**uo**mi, S**uo**mi my**ö**s
uo-yö-ie	my**ö**s m**ie**s, t**uo** m**ie**s my**ö**s, my**ö**s t**uo** t**ie**

keep stress on first syllable	**huo**menta, **an**teeksi, **ka**dulla, **Hel**sinki, **e**sitellä, **Fin**landia-talo, **Man**nerheimintie, **y**liopisto

Structural notes

1. The "on" case (adessive)

		missä?	where?
katu (gen. *kadu/n*)	street	*kadu/lla*	on the street
hyvä tie	a good road	*hyvä/llä tie/llä*	on a good road

In local expressions answering the questions "where?", "wherefrom?", "whereto?" Finnish very often uses noun endings, not prepositions as in English.

The ending roughly corresponding to the English preposition "on" is *-lla* (or *-llä,* see note 2 below). Whenever the basic form and the genitive stem are different, use the gen. stem before this ending.

Note:	*tämä katu*	but	*tä/llä kadu/lla*
	mikä katu?		*mi/llä kadu/lla?*

2. Vowel harmony

Finnish vowels fall into three groups:

1. **a, o, u**

2. **ä, ö, y**

3. **e, i**

Vowels of group 1 may not – except in compound words – occur in the same word with those of group 2 (cf. word pairs like *kuva* picture – *hyvä* good, *tuo* that – *työ* work).

Vowels of group 3 may occur in the same word with any of the other groups (cf. *Minna* girl's name – *minä* I).

Due to this pattern of sounds called **vowel harmony** there are often two parallel endings for the same grammatical form. For example, *-lla* and *-ko* are added to word stems containing vowels of group 1 (*kadu/lla, puhutte/ko?*), *-llä* and *-kö* to those containing vowels of group 2 (*hyvä/llä, minä/kö?*). Words containing vowels of the "neutral" group 3 only (*tie, Helsinki, te*) usually have the endings of group 2 (*tie/llä, helsinki/läinen, te/kö?*).

Reader

Tänään on kaunis päivä, mutta ilma on vähän kylmä. Olen Aleksilla. Kuka tuo nuori mies on, turistiko? – Hyvää huomenta. Anteeksi, minä olen ulkomaalainen. Missä lähin posti on? – Se on tuolla oikealla, Mannerheimintiellä. – Ja millä kadulla Finlandia-talo on? – Myös Mannerheimintiellä. – Kiitoksia. – Anteeksi, oletteko te italialainen? – Olen, minun nimeni on Alberto Marini. – Minä olen Heikki Salonen. Ja saanko esitellä: tämä on vaimoni, ja tämä on poikani Pekka. Te puhutte suomea vähän hitaasti, herra Marini, mutta oikein hyvin.

Exercises

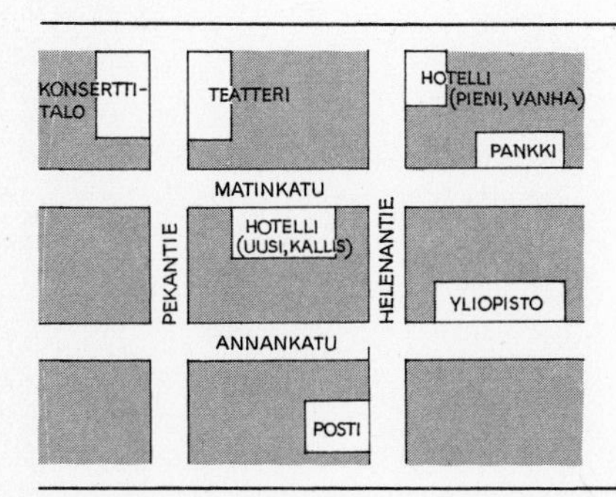

1. Look at the picture and answer these questions.
Missä posti on? Missä yliopisto on? Millä kadulla pieni vanha hotelli on? Millä kadulla

teatteri on? Millä kadulla konserttitalo on? Onko pankki Annankadulla? Onko uusi kallis hotelli Matinkadulla? Onko posti myös Matinkadulla?

2. Missä auto on?

Auto on (katu)
(tuo katu)
(vanha katu)
(pieni katu)
(kaunis katu)

Missä bussi on?

Bussi on (tie)
(tämä tie)
(hyvä tie)
(uusi tie)
(kaunis tie)

3. Here are some answers. What are the questions?

Bussi on *vasemmalla.* Yliopisto on *Aleksanterin*kadulla. *Ei,* autoni *ei ole* tällä kadulla. *On,* hotellini *on* Kalevankadulla. Tänään on *kylmä* ilma.

4. Word review.

Kaunis ...... tänään! Saanko ......: Kaarina Ojanen – Minna Mattila. Postitalo on Mannerheimin ...... Anteeksi, ... yliopisto on, onko se tuolla oikealla? Ei, se on täällä ...... Puhutteko te suomea? Puhun, ... vain vähän.

Vocabulary

esitel/lä (esittele/n-t-tte)	to introduce
hotelli-n	hotel
huomenta = hyvää huomenta	good morning
ilma-n	air; weather
kiitoksia	thank you, thanks
kylmä-n	cold
lähin lähimmän	nearest
missä?	where?
mutta	but
myös	also, too
neiti neidin	Miss
oikealla	on the right
posti-n	post, mail; post office; mailman
saa/da (saa/n-t-tte)	to be allowed, may; to get, receive
saanko?	may I? may I have?
tie-n	road, way
tuolla	over there
tänään	today
täällä	here
vaimo-n	wife
vasemmalla	on the left
yli/opisto-n	university

X

konsertti konsertin	concert
pankki pankin	bank
teatteri-n	theater
turisti-n	tourist

5

A. Missä te asutte?

A. Where do you live?

1. Missä te asutte, herra Lake?	1. Where do you live, Mr. Lake?
2. Minä asun nyt Helsingissä. Mutta kotini on Skotlannissa (Englannissa, Amerikassa, New Yorkin valtiossa).	2. I live in Helsinki now. But my home is in Scotland (England, America, New York State).
3. Missä kaupungissa?	3. In what city?
4. Edinburghissa. Se on Skotlannin pääkaupunki.	4. In Edinburgh. It is the capital of Scotland.
5. Skotlanti on kaunis maa.	5. Scotland is a beautiful country.
6. Niin on. Siellä on mukava asua.	6. Yes, it is. It is nice to live there.
7. Asuuko teidän perheenne myös Suomessa?	7. Does your family also live in Finland?
8. Asuu. Me asumme täällä kaikki.	8. Yes, they do. We all live here.
9. Missä teidän asuntonne on?	9. Where is your apartment?
10. Töölössä, Hesperiankadulla.	10. In Töölö, on Hesperia Street.
11. Niinkö? Siellä asuvat myös Metsät.	11. Really? The Metsäs also live there.
12. Niin, he asuvat samassa talossa. Juhani Metsä on hyvä ystäväni. Hän on oikein mukava mies.	12. Yes, they live in the same building. Juhani Metsä is a good friend of mine. He is a very nice man.
13. Missä te syötte? Syöttekö te ravintolassa vai kotona?	13. Where do you eat? Do you eat at a restaurant or at home?
14. Tavallisesti me syömme kotona. Joskus on hauska syödä myös ravintolassa.	14. We usually eat at home. Sometimes it is fun to eat at a restaurant too.

nk-ng	Helsi**nk**i – Helsi**ng**issä, kaupu**nk**i – kaupu**ng**it
y-ä	k**y**ll**ä** k**y**ll**ä**, h**y**v**ä** **y**st**ä**v**ä**
y-ö	T**öö**l**ö**, T**öö**l**ö**n t**y**tt**ö**, t**y**tt**ö** s**yö** m**yö**s t**yö**ssä
tai/vai?	Onko tuo mies suomalainen **vai** ulkomaalainen? Ulkomaalainen. Hän on britti **tai** jenkki.
kyllä/niin	– Asutteko Oulussa? (asking with the verb) – Asun (**kyllä**). **Kyllä** (asun). – Oulussako asutte? (not asking with the verb) – Oulussa. **Niin. Niin** asun. – Te asutte Oulussa. – **Niin** (asun). (agreeing to a statement)

– Missä Kalle on?
– **Tuolla.**

– Missä Maija on?
– Teatterissa. **Siellä** on Hamlet.

B. Mitä te teette?

Henkilöt: Marja, Kari, James.

1. Kari. Terve, Marja!
2. Marja. Hei, Kari!
3. K. Marja, tämä on amerikkalainen poika, James Brown.
4. M. Hei, James. Mitä sinä teet Suomessa?

B. What do you do?

Characters: Marja, Kari, James.

1. Kari. Hello, Marja!
2. Marja. Hi, Kari!
3. K. Marja, this is an American boy, James Brown.
4. M. Hi, James. What do you do in Finland?

5. James. Minä olen opiskelija.	5. James. I am a student.
6. M. Mitä sinä opiskelet?	6. M. What are you studying?
7. J. Nyt minä opiskelen suomea. Minä olen suomen kielen kurssilla yliopistossa.	7. J. I'm studying Finnish now. I'm attending a Finnish course at the University.
8. M. No, opitko sinä?	8. M. Well, are you learning it?
9. J. En tiedä. Minä olen vähän laiska.	9. J. I don't know. I am rather lazy.
10. K. Kyllä hän oppii. Hän puhuu jo aika hyvin.	10. K. Yes, he *is* learning it. He already speaks it quite well.
11. M. Niin puhuu. No, onko suomi helppo vai vaikea kieli?	11. M. Yes, he does. Well, is Finnish an easy or a difficult language?
12. J. Aika vaikea.	12. J. Rather difficult.
13. K. James on myös työssä.	13. K. James is also working.
14. M. Mitä hän tekee?	14. M. What is he doing?
15. K. Hän opettaa englantia kielikoulussa.	15. K. He is teaching English in a Language School.
16. M. Niinkö? Oletko sinä hyvä opettaja?	16. M. Really? Are you a good teacher?
17. J. En tiedä. Toivon niin.	17. J. I don't know. I hope so.

Structural notes

1. The "in" case (inessive)

		missä?	where?
talo	house	*talo/ssa*	in a house
metsä	forest	*metsä/ssä*	in the forest
Suomi (gen. *Suome/n*)	Finland	*Suome/ssa*	in Finland
uusi kauppa (gen. *uude/n kaupa/n*)	a new shop	*uude/ssa kaupa/ssa*	in a new shop

The ending roughly corresponding to the English preposition »in» is *-ssa (-ssä).*

Whenever the basic form and the gen. stem are different, use the gen. stem before this ending.

2. Basic form (nominative) plural

kirja	book	*kirja/t*	the books
Brown	(gen. *Browni/n*)	*Browni/t*	the Browns
pieni maa	(gen. *piene/n maa/n*) a small country	*piene/t maa/t*	the small countries

The ending of the basic form plural is *-t.*

If the basic form sing. and the gen. stem are different, the gen. stem is used.

3. Present tense of verbs (affirmative)

(minä) asu/n	I live, am living	*(minä) toivo/n*	I hope
(sinä) asu/t	you live, are living	*(sinä) toivo/t*	you hope
hän asu/u	he/she lives, is living	*hän toivo/o*	he/she hopes
(me) asu/mme	we live, are living	*(me) toivo/mme*	we hope
(te) asu/tte	you live, are living	*(te) toivo/tte*	you hope
he asu/vat	they live, are living	*he toivo/vat*	they hope

The ending of the 3rd pers. sing. is made by prolonging the final vowel of the stem. It may be any of the eight vowels (in these examples *u, o*). If there is already a long vowel or a diphthong, no ending is added: *(syö/n, syö/t) hän syö* he/she eats, *(saa/n, saa/t) hän saa* he/she is allowed; he/she receives.

The ending of the 3rd pers. pl. is *-vat (-vät).*

The pronouns *minä, sinä, me, te* may be omitted (cf. lesson 2 note 1).

Some verbs have consonant changes in their conjugation. For some time, therefore, the entire present tense of each new verb will be given in the vocabulary.

The present tense of the verbs covered in lessons 1–4:

ol/la to be *olen olet on olemme olette ovat*
puhu/a to speak *puhun puhut puhuu puhumme puhutte puhuvat*
kirjoitta/a to write *kirjoitan kirjoitat kirjoittaa kirjoitamme kirjoitatte kirjoittavat*
maksa/a to pay; to cost *maksan maksat maksaa maksamme maksatte maksavat*
saa/da may; to get *saan saat saa saamme saatte saavat*
esitel/lä to introduce *esittelen esittelet esittelee esittelemme esittelette esittelevät*

In careless every-day speech you may hear forms which differ from the standard conjugation. For instance, the 3rd pers. sing. is often used instead of the 3rd pers. pl.: *tytöt puhuu* (»puhuvat») *englantia.*

Present tense negative will be explained in lesson 12 note 1.

Reader

Suomi on Euroopassa. Helsinki on Suomessa. Turku, Tampere, Lahti, Pori ja Kuopio ovat myös Suomessa. Helsinki on Suomen pääkaupunki. Mikä teidän kotimaanne pääkaupunki on?

Asutteko Helsingissä? En, minä asun Turussa. Turku on aika vanha kaupunki. Koivun perhe asuu Helsingissä, Haagassa. Virtaset asuvat myös siellä, samassa talossa. Eino Virtanen ja minä olemme hyvät ystävät. Missä te tavallisesti syötte, kotonako? Niin. Mutta joskus on hauska syödä myös mukavassa ravintolassa. Niin on.

Terve, Bob, sinä olet Helsingissä. – Niin olen, minä asun nyt täällä. – Mitä sinä täällä teet? – Minä opetan kieliopistossa englantia. – Ai, sinä olet työssä. Minä opiskelen, olen suomen kurssilla. – Niinkö? No, onko suomi hyvin vaikea kieli? – Kyllä se on aika vaikea, ei saa olla laiska, mutta kyllä minä opin suomea. – Tiedätkö, tyttöystäväni Helen on myös Suomessa. – No, mitä hän tekee? – Hän opiskelee ruotsia, ja hän on työssä ravintolassa.

Exercises

1. Missä Tampere on? Missä on Oslo? –Dublin? – Toronto? – Varsova? – Leningrad? – Budapest? – Geneve? – Venetsia? – Bryssel? – Lontoo? – Pariisi? – New Delhi? – Tokio? – Peking?

2. a)

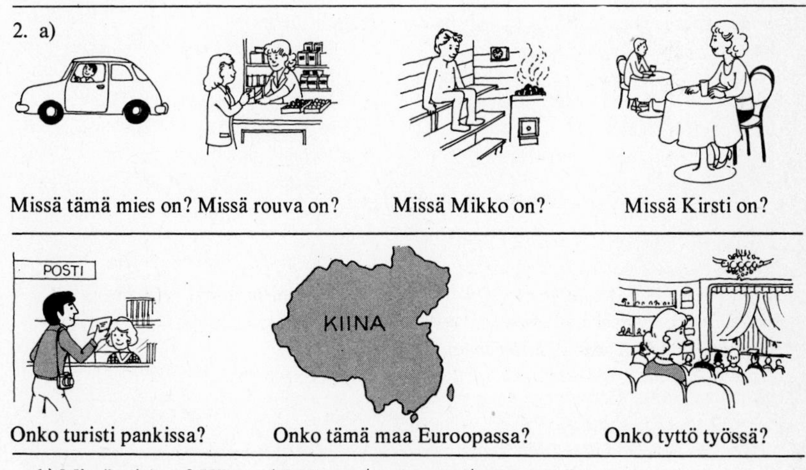

Missä tämä mies on? Missä rouva on? Missä Mikko on? Missä Kirsti on?

Onko turisti pankissa? Onko tämä maa Euroopassa? Onko tyttö työssä?

b) Missä mies on? Hän on (tämä auto/vanha auto/huono auto).
Missä rouva on? Hän on (tuo kauppa/iso kauppa/suomalainen kauppa).
Missä Mikko on? Hän on (tämä sauna/pieni sauna/suomalainen sauna).
Missä Kirsti on? Hän on (mukava ravintola/kallis ravintola/helsinkiläinen ravintola).

3. When answering these questions, consider whether to use the ending *-ssa* or *-lla*.
Missä auto on? Se on (katu/kaupunki/Lontoo/Mannerheimintie/metsä).
Missä ystäväsi on? Hän on (Suomi/Eurooppa/Keskuskatu/Turuntie/tämä maa/tuo ravintola/tuo katu/tämä tie/Englannin pääkaupunki).

4. Minä *asun* Töölössä.
Sinä ...... Töölössä.
Kalle ....
Me ....
Te ....
Haapalat ....

Minä *syön* kotona.
Sinä ...... kotona.
Hän ....
Me ....
Te ....
He ....

Conjugate similarly:
Minä olen kaupassa. Nyt minä maksan.
Minä puhun ja kirjoitan suomea.
Minä opiskelen suomea. Minä opin kyllä.

5. Asking questions. Model: *Sinä olet kotona. – Oletko sinä kotona?*
Sinä opit hitaasti.
Sinä syöt kotona.
Te opiskelette yliopistossa.
Te maksatte nyt.
Me syömme tänään kotona.
Minä kirjoitan hyvin suomea.
Me puhumme täällä englantia.
Miehet ovat työssä.
Liisa oppii hyvin ranskaa.

6. Answering questions.
Mitä sinä teet ravintolassa/yliopistossa?
Mitä me teemme ravintolassa/yliopistossa?
Mitä opettaja tekee ravintolassa/koulussa?
Mitä opiskelijat tekevät ravintolassa/yliopistossa?
Mitä sinä teet suomen kurssilla?

7. Model: *Perheen nimi on Brown. – Tuolla asuvat Brownit.*
Perheen nimi on Miller/Oksa/Lahtinen/Aaltonen/Kekkonen/Korhonen.

8. Look at the map on p. 21 and proceed from country to country, saying aloud, *Suomalaiset asuvat Suomessa,* ruotsalaiset asuvat ......, tanskalaiset ...., norja... .... etc., until your sentences come without any hesitation.

9. Making some more plurals. Model: *Auto on kadulla. – Autot ovat kadulla.*
Perhe asuu Helsingissä.
Poika opiskelee matematiikkaa.
Opettaja opettaa ranskaa.
Nainen maksaa kaupassa.
Tyttö puhuu suomea.
Turisti syö ravintolassa.
Ulkomaalainen oppii suomea.
Mitä mies kirjoittaa?

10. What are the questions to these answers?
a) Mies syö *ravintolassa.* Turisti on *pankissa.* Juan opiskelee *yliopistossa.* James opettaa *kieliopistossa.* Me asumme *Munkkiniemessä.* Minä olen *teatterissa.* Kotini on *Islannissa.* Hyvä ystäväni Timo asuu *Oulussa.*
b) Model: *Talo on iso. – Onko talo iso vai pieni?*
Suomi on *helppo* kieli. Me syömme tavallisesti *kotona.* Minä opiskelen *suomea.* Herra Lahtinen on *vanha.* Tämä perhe asuu *Helsingissä.* Tuo kirja maksaa *paljon.* James on *hyvä* opettaja. Asuntoni on *kallis.*

11. Give short affirmative answers.
a) Syöttekö ravintolassa?
Opiskeletteko suomea?
Onko James amerikkalainen?
Asuvatko Sipit tässä talossa?
Ravintolassako te syötte?
Suomeako te opiskelette?
Amerikkalainenko James on?
Sipitkö tässä talossa asuvat?

b) *(Onko tuo herra professori?* — *(Tuo herra on professori.*
On. On kyllä.) — *Niin on.)*
Asuuko Liisa tuolla? — Liisa asuu tuolla.
Oppiiko Kalle hyvin espanjaa? — Kalle oppii hyvin espanjaa.
Olemmeko me nyt Mikonkadulla? — Me olemme nyt Mikonkadulla.
Maksaako sanakirja paljon? — Sanakirja maksaa paljon.

12. Word review.

Helsinki on Suomen ...... Me ...... nyt siellä, Mariankadulla. Missä te ......, ravintolassa ...... kotona? ...... kotona, mutta joskus myös ravintolassa. Tuo tyttö on ......, hän opiskelee Jyväskylän yliopistossa. Mitä hän opiskelee? En ......, matematiikkaa tai fysiikkaa. Terve, hyvä ystävä, mitä sinä ...... Suomessa? Minä opetan englantia kieli ...... Oletko sinä hyvä ......? ...... niin.

Vocabulary

A

asu/a (asu/n-t-u-mme-tte-vat)	to live, dwell, reside; to stay
asunto asunnon	place to live, lodgings, apartment
hauska-n	nice; interesting, amusing, fun
he heidän	they (persons)
joskus	sometime(s)
kaikki	all (people), everybody; everything
kaupunki kaupungin	city, town
kotona	at home
maa-n	country, land; earth; ground; soil
me meidän	we
metsä-n	forest, woods
mukava-n	nice, pleasant; comfortable
niin	so; yes
niinkö?	is that so? really? I see
nyt	now
perhe perheen	family
pää-n	head; (in compounds:) chief, main, principal
pää/kaupunki -kaupungin	capital
ravintola-n	restaurant
sama-n	same
siellä	there
syö/dä (syö/n-t syö -mme-tte-vät)	to eat
tavallisesti	usually, ordinarily
vai?	or (in questions)

valtio-n	state
ystävä-n	friend

B

aika	quite, rather, fairly
helppo helpon	easy
jo	already
kieli kielen	language, tongue
koulu-n	school
kurssi-n	course
laiska-n	lazy
no	well, now
opetta/a (ope**t**a/n-t ope**tt**aa opeta/mme-tte opettavat)	to teach
opettaja-n	teacher, instructor
opiskelija-n	student
opiskel/la (opiskele/n-t-e -mme-tte-vat)	to study, pursue studies
oppi/a (o**p**i/n-t o**pp**ii opi/mme/ -tte oppivat)	to learn
teh/dä (**teen** teet **tekee** teemme teette tekevät)	to do; to make
terve terveen	healthy, well; (familiar greeting:) hello, cheerio
tietä/ä (tie**d**ä/n-t tie**t**ää tiedä/mme-tte tietävät)	to know (facts), cf. Fr. savoir, Germ. wissen)
toivo/a (toivo/n-t-o-mme-tte-vat)	to hope
työ-n	work, job
vaikea-n	difficult, hard

X

sauna-n	Finnish bath, Finnish bathhouse

6

## A. Ravintolassa	## A. In a restaurant
Ilta helsinkiläisessä ravintolassa. Herra Brown tulee.	An evening in a Helsinki restaurant. Mr. Brown comes in.
1. B. Hyvää iltaa, neiti. Onko tämä pöytä vapaa?	1. B. Good evening. Is this table free?
2. Tarjoilija. On kyllä. Ruokalista, olkaa hyvä.	2. Waitress. Yes, it is. Here is the menu, sir.
3. B. Kiitos. – Ensin tomaattikeitto. Sitten lihaa tai kalaa.	3. B. Thank you. – First tomato soup. Then meat or fish.
4. T. Paistettu kala on tänään oikein hyvää.	4. W. The fried fish is very good today.
5. B. Hyvä on, otan paistettua kalaa.	5. B. Good, I'll take some fried fish.
6. T. Tuleeko leipä ja voi?	6. W. Would you like bread and butter?
7. B. Ei kiitos.	7. B. No, thanks.
8. T. Entä maito?	8. W. How about milk?
9. B. Kyllä, lasi maitoa. Ei, hetkinen – onko suomalainen olut hyvää?	9. B. Yes, a glass of milk. No, just a moment – is Finnish beer good?
10. T. On, oikein hyvää.	10. W. Yes, very good.
11. B. Pullo olutta sitten.	11. B. A bottle of beer, then.
12. T. Mitä merkkiä? "Hippi" on hyvää tai "Hoppi"...	12. W. What kind? "Hippi" is good, or "Hoppi"...
13. B. Se on sama, Hippiä tai Hoppia. Saanko myös kylmää vettä?	13. B. It's all the same, Hippi or Hoppi. May I have some cold water too?
14. T. Tuon heti. Tuleeko jälkiruoka?	14. W. I'll bring you some at once. Would you like a dessert?
15. B. Kyllä kiitos, jäätelö ja iso kuppi kahvia.	15. B. Yes please, icecream and a large cup of coffee.
Herra Brown syö ja juo. Sitten hän sanoo:	Mr. Brown eats and drinks. Then he says,
16. B. Neiti, saanko laskun? (Maksaa.) Hyvää yötä, neiti!	16. B. Waitress, my I have the check please? (He pays.) Good night!

B. Vaikea asiakas	**B. A difficult customer**
1. Asiakas. Neiti, mikä tämä on?	1. Customer. Waitress, what is this?
2. Tarjoilija. Se on lautanen.	2. Waitress. It is a plate.
3. A. Ei, *tämä*! Mikä tämä on, sanokaa!	3. C. No, *this*! What is this, tell me!
4. T. Se on pihvi.	4. W. It is a steak.
5. A. Hyvä neiti, se ei ole pihvi. Se ei ole lihaa.	5. C. Young lady, it isn't a steak. It isn't meat.
6. T. Mitä se sitten on?	6. W. What is it then?
7. A. Se on nahkaa. Vanhaa nahkaa. Viekää se pois! Heti! Ja sanokaa, mitä tuo on?	7. C. It is leather. Old leather. Take it away! At once! And tell me what that is?
8. T. Se on kahvia.	8. W. It is coffee.
9. A. Kahvia kahvia. Mutta millaista se on?	9. C. Coffee, of course. But what's it like?
10. T. Hyvää kai. Tämän ravintolan kahvi on aina hyvää.	10. W. Good, I suppose. Coffee is always good in this restaurant.
11. A. Ja kuumaa?	11. C. And hot?
12. T. Ja kuumaa, aivan niin.	12. W. And hot, yes.
13. A. Mutta tämä kahvi on huonoa. Ja aivan kylmää. Viekää se pois! Millainen ravintola tämä on: tuoli on kova, tarjoilija on huono, liha on vanhaa, kahvi on kylmää, vesi on lämmintä, kaikki ruoka on kallista. Viekää kaikki pois. Hyvästi, neiti!	13. C. But this coffee is bad. And completely cold. Take it away! What kind of restaurant is this? The chair is hard, the waitress is bad, the meat is old, the coffee is cold, the water is warm, all the food is expensive. Take everything away. Good-bye!

long vowels in later syllables	olk**aa** hyvä ja sanok**aa aa,** olk**aa** hyvä ja sanok**aa ää**! hyv**ää** ilt**aa**, s**aa**nko lih**aa**, kal**aa** ja leip**ää**? tän**ään** hän ott**aa** hyv**ää** **jää**telöä
diphthongs in **-i**	l**ei**pä ja v**oi** v**ai**n m**ai**toa, n**ei**ti **ei** k**ai** **ai**van **oi**kein on **ai**na v**ai**kea sanoa **ei**
yö-uo	hän s**yö** ja j**uo**, **yötyö**, **tuo työ**, **tuo yö**, **tuo** mies j**uo** m**yö**s
hv	pi**hv**i ja ka**hv**i hyvää ka**hv**ia

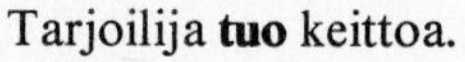

Tarjoilija **tuo** keittoa.

Tarjoilija **vie** lasit pois.

Structural notes

1. Partitive singular

Partitive		Basic form	
Saanko liha/a?	May I (please) have some meat?	*Liha maksaa paljon.*	Meat costs a lot.
leipä/ä?	some bread?	*Missä leipä on?*	Where is the bread?
maito/a?	some milk?	*Maito on lasissa.*	The milk is in the glass.
tee/tä?	some tea?	*Tee on kuuma juoma.*	Tea is a hot beverage.
suomalais/ta olut/ta?	some Finnish beer?	*Paljonko olut maksaa pullo?*	How much does beer cost a bottle?

The examples on the left illustrate the **partitive.** It denotes part of a larger entity, an indefinite amount (in English often "some", "any"), in contrast to the basic form, which denotes a total entity or a definite amount (in English frequently "the").

The partitive sing. ending is *-a (-ä)* after one vowel *(maito/a, leipä/ä)* and *-ta (-tä)* after two vowels or a consonant *(tee/tä, olut/ta).*

The partitive stem may differ from the basic form if the word ends in a single -e or -i or a consonant. Otherwise the partitive ending can be added directly to the basic form. From now on, the partitive sing. of each new noun will be listed in the vocabulary and should be memorized along with the basic form and gen. sing.

The partitive sing. forms of the nouns covered in lessons 1–5 can be looked up in the small-print list following lesson 7, p. 65.

2. "What is this?" – "What is it like?"

Mikä tämä on?	*Millainen se on?*	*Mi/tä tämä on?*	*Millais/ta se on?*
Se on kuppi.	*Se on pieni.*	*Se on kahvi/a.*	*Se on kuuma/a.*
What is this?	What is it like?	What is this?	What is it like?
It is a cup.	It is small.	It is coffee.	It is hot.

Mikä tämä on?	*Millainen se on?*	*Mi/tä tämä on?*	*Millais/ta se on?*
Se on lasi.	*Lasi on iso.*	*Se on maito/a.*	*Maito on kylmä/ä.*
It is a glass.	The glass is big.	It is milk.	The milk is cold.

Mikä tuo on?	*Millainen se on?*	*Mi/tä tuo on?*	*Millais/ta se on?*
Se on pihvi.	*Se on hyvä.*	*Se on liha/a.*	*Se on hyvä/ä.*
It is a steak.	It is good.	It is meat.	It is good.

Mikä tämä on?	*Millainen se on?*	*Mi/tä tämä on?*	*Millais/ta se on?*
Se on kirja.	*Se on halpa.*	*Se on paperi/a.*	*Se on halpa/a.*
It is a book.	It is cheap.	It is paper.	It is cheap.

mitä is the partitive of *mikä*.

When, in questions of the type "what is this?" you ask about a single object, use *mikä* (answer: *kuppi*). When asking about a substance or material, use *mitä* (answer: *kahvia*).

When, in questions of the type "what is this like?" you ask about a single object, use *millainen* (answer: *pieni*). When asking about a substance or material, use *millaista* (partitive of *millainen*) (answer: *kuumaa*).

3. Special uses of partitive

Partitive is used after words indicating measure:

lasi vet/tä	a glass of water
iso kuppi kahvi/a	a large cup of coffee

Partitive is used in greetings and wishes:

hyvä/ä yö/tä!	good night!
hauska/a ilta/a!	have a nice evening!

Reader

On ilta. Kari Hakonen on Majesteetissa. Se on uusi kaunis ravintola Turussa. Mitä Kari syö? Hän syö keittoa, kalaa, leipää ja voita ja juo maitoa. Mitä keittoa hän syö? Tomaattikeittoa. Millaista kalaa hän syö? Paistettua kalaa. Hän ei syö jälkiruokaa. – Neiti, saanko laskun? – Hetkinen vain, sanoo tarjoilija. Laskunne, olkaa hyvä. Kari Hakonen maksaa. – Hyvää yötä, neiti.

Anneli ja Reino Kivi ovat samassa ravintolassa. – Missä on vapaa pöytä? – Tuolla vasemmalla on yksi. Pöydällä on ruokalista. – No, mitä me otamme? – Ensin vähän lihaa tai kalaa. – Minä en ota kalaa ravintolassa, sanoo Anneli. Me syömme kotona aina kalaa. – Pihviä sitten. Liha on kyllä vähän kallista. – Kallista tai ei, sama se, tänään me syömme hyvin ja juomme hyvää ranskalaista viiniä. – Hyvä on. Neiti, viinilista! Anneli ja Reino syövät myös jälkiruokaa: Anneli vaniljajäätelöä, Reino suklaajäätelöä ja kahvia. – No Reino, millainen sinun pihvisi on? – Oikein hyvä, ja viini on myös hyvää. Täällä on hauska syödä. – Niin on, tämä ravintola on aika hyvä.

Exercises

1. Complete the following sentences.

Rouva Metsä syö tavallisesti (liha), ei (kala). Hän syö myös (leipä) ja (voi). Tuo pikku poika syö (jäätelö). Hän juo (maito), minä juon (olut), vaimoni juo (vesi). Suomalaiset ja amerikkalaiset juovat (kahvi), mutta englantilaiset juovat tavallisesti (tee).

2. You want something to drink. How would you complete these orders?

Pieni kuppi kahvi...	Iso kuppi kaakao...
Lasi maito...	Lasi mehu...
Pullo viini...	Pullo hyvä... olut...

3. Complete the following pairs of sentences. (N.B. *tämä,* part. *tätä.*)

Saanko	(kahvi)?	Paljonko	(kahvi) maksaa?
	(maito)?		(maito)
	(jälkiruoka)?		(jälkiruoka)
	(jäätelö)		(jäätelö)
	(voi)?		(voi)
	(suklaa)?		(suklaa)
	(tuo liha)?		(tuo liha)
	(tämä leipä)?		(tämä leipä)

4. Continue asking *saanko?* questions, using these words:
   hyvä maito/kylmä maito/hyvä leipä/sama leipä/tuo leipä/tämä leipä
   sama viini/ranskalainen viini/tuo viini
   tämä olut/suomalainen olut/tanskalainen olut
   tämä suklaa/suomalainen suklaa/englantilainen suklaa
   kuuma maito/kuuma vesi
   lämmin ruoka/lämmin vesi

5. Look at the picture and proceed in the order of the numbers, asking *Mikä tämä on* or *Mitä tämä on* and answering your questions.

6.a) Complete:

Sauna on (lämmin).	Vesi on (lämmin).
Tämä kirja on (huono).	Tämä paperi on (huono).
Pihvi on (iso).	Liha on (kallis).
Rouva Pesonen on (vanha).	Rouva Pesosen kahvi on (hyvä).

b) Millaista suomalainen ruoka on? Se on (hyvä/huono/kallis/halpa).
Millaista tämä kahvi on? Se on (kuuma/kylmä).
Millaista tuo vesi on? Se on (kuuma/lämmin/kylmä/hyvä).

7. Word review.

– Onko tämä pöytä ......?
– On kyllä. ......, olkaa hyvä.
– Kiitos. Otan ...... vähän keittoa ja sitten ...... tai kalaa.
– Tuleeko leipä ja ......?
– Ei kiitos. ...... sitten olutta?
– Mitä ......?
– "Hoppia". Sitten kahvia ja vanilja......

Hän syö. Sitten hän ......: Neiti, saanko ......? (Hän maksaa.)

Vocabulary

A

ensin	(at) first
entä?	what about? how about? and?
heti	at once, immediately, right away
hetkinen hetkisen (= *hetki hetken*)	moment, while
ilta illan	evening
juo/da (juo/n-t juo -mme-tte-vat)	to drink
jälki/ruoka	dessert ("after-food")
jäätelö-n jäätelöä	icecream
kahvi-n kahvia	coffee
kala-n kalaa	fish
keitto keiton keittoa	soup
kuppi kupin	cup
lasi-n lasia	glass
lasku-n	check, bill
leipä leivän leipää	bread, loaf
liha-n lihaa	meat
maito maidon maitoa	milk
merkki merkin merkkiä	brand, make; sign, signal; token
olut oluen olutta	beer
otta/a (ota/n-t ottaa ota/mme-tte ottavat)	to take

paistettu paistetun paistettua	fried, roasted
pullo-n	bottle
pöytä pöydän	table
ruoka ruoan (or *ruuan,* always pronounce *ruuan)* ruokaa	food
ruoka/lista-n	menu (”food-list”)
sano/a (sano/n-t-o-mme-tte-vat)	to say, tell
tarjoilija-n (from *tarjoil/la* to serve, wait)	waiter, waitress
tomaatti tomaatin	tomato
tul/la (tule/n-t-e-mme-tte-vat)	to come; to become
tuo/da (tuo/n-t tuo -mme-tte-vat)	to bring
vapaa-n	free; vacant
vesi veden vettä	water
voi-n voita	butter
yö-n yötä	night

B

aina	always
aivan	quite, entirely
aivan niin	exactly, just so, that's it
asiakas asiakkaan	customer, client
hyvästi	goodbye
kai	probably, very likely, I suppose
kova-n kovaa	hard (not soft); severe, strict
kuuma-n kuumaa	hot
lautanen lautasen	plate
lämmin lämpimän lämmintä	warm
nahka-n (or *nahan*) nahkaa	leather, skin
pihvi-n pihviä	steak
pois	away, off
tuoli-n	chair
vie/dä (vie/n-t vie -mme-tte-vät)	to take (somewhere); to export

X

juoma-n juomaa	beverage, drink
kaakao-n kaakaota	cocoa; hot chocolate
limonaati-n limonaatia (”limsa”)	lemonade, soft drink, pop

mehu-n mehua	juice
paperi-n paperia	paper
suklaa-n suklaata	chocolate
tee-n teetä	tea
vanilja-n vaniljaa	vanilla
viini-n viiniä	wine

7

Ostoksilla

A. Maitokaupassa. Rouva Hill ostaa maitoa, leipää, juustoa, teetä, mehua ja sokeria.

1. Myyjä. Kenen vuoro?
2. Rva H. Minun. Kaksi litraa maitoa. Ja pieni tölkki kermaa.
3. M. Ja sitten?
4. H. Ranskanleipä ja neljä munaa. Ja pieni pala juustoa, noin neljänneskilo.
5. M. Onko tämä pala sopiva?
6. H. Se on ehkä vähän liian iso. Se toinen on parempi.
7. M. Saako olla muuta?
8. H. Litran tölkki appelsiinimehua. Teepaketti ja kolme kiloa sokeria. Ei muuta.

Myyjä panee paketit pöydälle. Rouva Hill maksaa hänelle ja lähtee.

Lihakaupassa. Rouva Hill ostaa lihaa ja makkaraa.

9. H. Saanko kolmesataa grammaa kinkkua, viipaleina.

Shopping

A. In the milk shop. Mrs. Hill is shopping for milk, bread, cheese, tea, juice, ank sugar.

1. Salesgirl. Whose turn is it?
2. Mrs. H. Mine. Two liters of milk. And a small carton of cream.
3. S. Anything else?
4. H. A loaf of French bread and four eggs. And a small piece of cheese, about a quarter of a kilo.
5. S. Is this piece all right?
6. H. It may be a little big. The other one is better.
7. S. Anything else?
8. H. A liter carton of orange juice. A packet of tea and three kilos of sugar. That's all.

The salesgirl puts the packages on the counter. Mrs. H. pays her and leaves.

At the butcher's. Mrs. Hill buys some meat and sausage.

9. H. May I have 300 grams of ham, sliced?

10. M. Mitä muuta?
11. H. Puoli kiloa hyvää paistia. Kolmensadan gramman pala teemakkaraa. Ja kymmenen nakkia.
12. M. Anteeksi, kuinka monta nakkia?
13. H. Kymmenen. Sitten vielä vähän lihaa koiralle ja kissalle.

10. S. Anything else?
11. H. Half a kilo of good roasting beef. A 300-gram piece of "tea" sausage. And ten frankfurters.
12. S. Sorry, how many frankfurters?
13. H. Ten. Also a little meat for the dog and the cat.

Myyjä antaa tavarat rouva Hillille. Rouva Hill maksaa myyjälle. Sitten hän menee ostoksille Kauppatorille.

The salesgirl gives the packages to Mrs. Hill. Mrs. H. pays the salesgirl. Then she goes shopping in the Market Square.

B. Kauppatorilla (tai hallissa). Rouva Hill ostaa hedelmiä, vihanneksia ja kukkia.

B. In the Market Square (or Indoor Market). Mrs. H. is shopping for fruit, vegetables, and flowers.

1.M. Hyviä hedelmiä rouva! Omenia, appelsiineja, banaaneja, greippejä!
2. H. Mitä hedelmät maksavat tänään?
3. M. Omenat maksavat ... markkaa, appelsiinit ... markkaa, banaanit ... markkaa ja greipit ... markkaa kilo.
4. H. No, minä otan puolitoista kiloa omenia. Ja muutamia banaaneja, viisi tai kuusi. Onko viinirypäleitä?
5. M. On, espanjalaisia rypäleitä.
6. H. Saanko maistaa?
7. M. Olkaa hyvä, rouva. No, mitäs sanotte?
8. H. Hyviä rypäleitä. Antakaa minulle noin kilo.
9. M. Entäs vihanneksia? Perunoita?
10. H. Ei kiitos tänään. Mutta vähän salaattia ja kurkkua.

1. Market woman. Good fruit, madam! Apples, oranges, bananas, grapefruit!
2. H. What does the fruit cost today?
3. M. Apples cost ... marks, oranges ... marks, bananas ... marks and grapefruit ... marks a kilo.
4. H. Well, I'll take one and a half kilos of apples. And a few bananas, five or six. Are there any grapes?
5. M. Yes, Spanish grapes.
6. H. May I taste them?
7. M. Please do, madam. Well, what do you say?
8. H. They are good grapes. Give me about a kilo.
9. M. What about vegetables? Potatoes?
10. H. No thanks, not today. But a little lettuce and cucumber.

11. M. Voi voi, rouva, kurkku on lopussa.	11. M. Oh dear, madam, the cucumber has all gone.
12. H. No, otan sitten vain salaattia.	12. H. Well, I'll just take some lettuce, then.

Torilla on paljon vihanneksia ja hedelmiä. Siellä on paljon myyjiä ja ostajia, miehiä ja naisia, helsinkiläisiä ja turisteja, suomalaisia ja ulkomaalaisia. Rouva Hill kävelee ja katselee. Lopuksi hän ostaa vähän kukkia ja lähtee.	There are lots of vegetables and fruit in the market. There are lots of vendors and customers, men and women, Helsinki people and tourists, Finns and foreigners. Mrs. H. walks about and looks around. Finally she buys some flowers and leaves.

a-ä	vähän salaattia, tämä pala on vähän parempi, maistakaa tätä
o-ö	toinen tölkki, kolme tölkkiä
öy-yö-uo	yöpöytä, työpöytä, tuo pöytä, ruokapöytä syökää, pöydällä on ruokaa, syökää ja juokaa!
u-y	hyvä myyjä, tuo myyjä myy juustoa mitä muuta myyjä myy? muutamia hyviä munia
r	litra kermaa, rouvan vuoro, kurkkua ja perunoita, sata grammaa makkaraa koiralle

the colloquial -s:

Mitä**s** kuuluu?	How's everything?
Onko**s** (onk**s**) Pekka kotona?	Is P. at home?
Kuka**s** tuolla tulee?	Who's coming there?
Maistakaa**s** tätä!	(Do) taste this!

Kuinka monta (= montako) autoa?

yksi auto

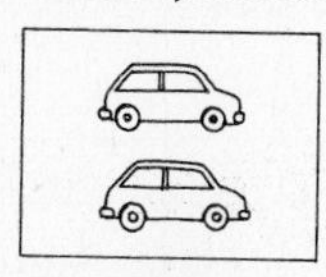

pari auto**a**
(pari auto**a** = 2–3)

monta auto**a**

muutamia auto**ja**

paljon auto**ja**

Structural notes

1. The "onto" case (allative)

		mihin?	where (to)?
pöytä (gen. *pöydä/n*)	table	*pöydä/lle*	on(to) the table
tämä tuoli	this chair	*tä/lle tuoli/lle*	on(to) this chair

The ending *-lle* corresponds to the English prepositions "on", "to", "onto".

Note that with this case there is always some *movement* to a position on something involved; if something *is* in that position, with no such movement involved, the "on" case is used: *pöydä/llä.*

The "onto" case is also used with verbs denoting giving or telling something to someone:

Myyjä antaa tavarat rouva Hilli/lle. Hän maksaa myyjä/lle. Sanokaa minu/lle... — The saleswoman gives the things to Mrs. H. She pays the saleswoman. Tell me...

2. Partitive sing. with cardinal numbers

Partitive **singular** is used after cardinal numbers (except *yksi* one) and after the word *monta* many:

yksi kirja	but:	*kaksi kirja/a*	two books
yksi talo		*kolme talo/a*	three houses
yksi mies		*sata mies/tä*	a hundred men
yksi omena		*kuinka monta omena/a*	how many apples

3. Partitive plural

Partitive pl.		Basic form pl.	
Ostan vihan-neks/i/a.	I'll buy some vegetables.	*Maksavatko vi-hannekset pal-jon?*	Do vegetables cost a lot?
Saanko peru-no/i/ta?	May I have some potatoes?	*Perunat ovat tuolla.*	The potatoes are over there.
Kadulla on turis-te/j/a.	There are tourists in the street.	*Turistit ottavat kuvia.*	The tourists are taking pictures.

The partitive plural denotes an indefinite number (Engl. often "some", "any"), in contrast to the basic form pl. which denotes a definite number (Engl. frequently "the", "these", "those", "all", etc.).

The ending is *-a (-ä), -ta (-tä),* as in the sing. The *-i-* (between vowels *-j-*) that precedes the ending is the plural marker used in the partitive and all other plural cases of nouns except for the basic form pl., which has *-t.*

The plural marker *-i-* may cause changes in the word stem. The partitive pl. of each new noun will from now on be listed in the vocabulary. (Note 3 in lesson 25 will explain the structure of partitive pl. in more detail; there is a chart on p. 229.)

paljon many, lots of, a large number of, is used with partit. pl.:

(monta kirja/a but:)	*paljon kirjoj/a*	many books, lots of books
(monta mies/tä but:)	*paljon miehi/ä*	a lot of men, many men

However, with uncountables (words which are normally not used in the pl.) *paljon* means 'much' and is followed by the partitive sing.: *paljon voi/ta* much, a lot of butter, *paljon työ/tä* much, a great deal of work.

4. Principal parts of noun

Now you know the four key forms listed in the vocabulary of every lesson from now on for all nouns, adjectives, and pronouns. All the other cases are formed on the basis of these four. Memorizing them well after each lesson is strongly recommended. Thus, the principal parts for *mies* 'man' are:
mies miehen miestä miehiä

Tuolla on mies.	There is a man over there.
Miehen nimi on Lauri Leino.	The man's name is L.L.
Autossa on kaksi miestä.	There are two men in the car.
Kadulla on paljon miehiä.	There are many men on the street.

There is a small-print list of the nouns covered in lessons 1–6 with the four principal parts on p. 65.

Reader

Asun Yrjönkadulla. Samassa talossa on pieni maitokauppa. Olen nyt kaupassa. Täällä on kaksi myyjää ja kuusi muuta ostajaa. He ostavat maitoa, voita, margariinia, juustoa ja munia. Nyt tulee minun vuoroni. – Kaksi litraa maitoa. Sitten ranskanleipä ja puolen kilon paketti voita. Niin, ja kaksi tölkkiä tomaattimehua. Ei muuta. Maksan myyjälle, hän antaa paketit minulle. Lähden.

Tänään menen ostoksille myös torille. Siellä on perunoita, salaattia ja muita vihanneksia, hedelmiä, kukkia ja kalaa. Torilla on paljon ostajia ja myyjiä, naisia ja miehiä. – Hyviä tanskalaisia omenia, rouva! Hyvää kurkkua! Ostan pari kurkkua. – Saanko myös salaattia? – Voi voi, rouva, salaatti on aivan lopussa.

Torilla ei ole lihaa, mutta hallissa on. Ostanko tänään lihaa vai en? En osta, kotona on lihaa ja makkaraa, myös koiralle ja kissalle. Ostan vielä paljon hedelmiä: appelsiineja, banaaneja, omenia ja kaksi greippiä. Voi, kuinka paljon paketteja! Ilma on kaunis ja lämmin, ja torilla on tavallisesti hyvin hauska kävellä ja katsella. Mutta tänään ostan vain lopuksi vähän kukkia, otan kaikki paketit, isot ja pienet, ja lähden.

Exercises

1.a) Complete the following sentences, using the words given in parentheses in each pair ot sentences.

	mihin?	*missä?*
(pöytä)	Panen kaksi kirjaa ......;	kirjat ovat nyt ......
(tori)	Rouva Kuusi tulee ......;	rouva K. on nyt ......
(Mikonkatu)	Herra Mänty tulee ......;	hän on nyt ......
(Hämeentie)	Auto kääntyy (turns) ......;	auto on nyt ......
(oikea)	Bussi kääntyy ......;	se on nyt tuolla ......
(tämä tuoli)	Pekka panee kirjat ......;	kirjat ovat ......
(suomen kurssi)	Tulemme tänään ......;	olemme nyt ......

b) Model: *Kenelle annat kahvia? – Sinulle.*

Kenelle Liisa maksaa 20 markkaa? (myyjä, tämä myyjä, lihakaupan myyjä)

Kenelle myyjä antaa maitotölkit? (nti Vaara, rva Salonen, tuo ostaja)

Kenelle rva Salonen ostaa ruokaa? (koira, kissa, perhe)

Kenelle myyjä antaa paketit? (minä, sinä, hän, me, te, he)

2.a) Lehtosen perhe on kahvilassa ja tilaa (order)

– kaksi kuppi... kahvia
– kolme lasi... mehua
– neljä pullo... limonaatia.

b) Rva Korte on kukkakaupassa ja ostaa

– 7 tulppaani... ja 5 ruusu...
– 3 hyasintti... ja 9 narsissi...

c) Anna Nikkilän ostoslista (to be read aloud!):

1 litra... maitoa	6 pullo... vichyvettä
1/2 kilo... juustoa	10 muna...
3 tölkki... hedelmämehua	12 nakki...
300 gramma... kinkkua	6 iso... tomaatti...
2 paketti... kahvi...	2 pien... kurkku...

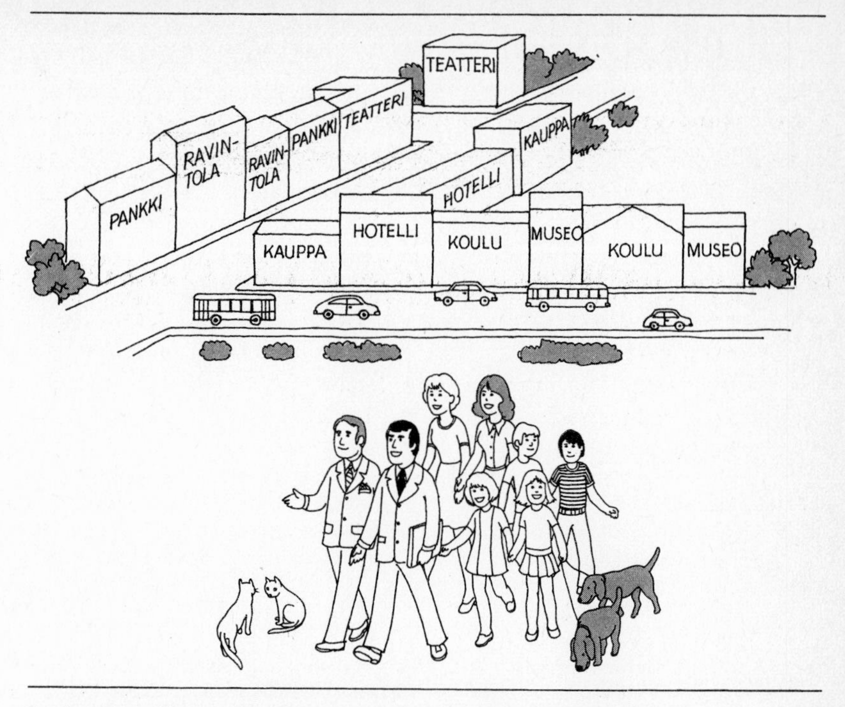

3. Count the different things in the picture and complete the following list.

Kuvassa on... auto..., ... bussi..., ... katu..., ... pankki..., ... kauppa..., ... ravintola..., ... teatteri..., ... museo..., ... koulu..., ... hotelli..., ... poika..., ... tyttö..., ... mies... ja... nais..., ... kissa..., ... koira..., ... henkilö...

If you wish to make the exercise more demanding, add adjectives to your description, making them agree with the nouns.

4. Ravintolassa on monta (pöytä/iso pöytä/pieni pöytä/hyvä pöytä).
   Poika syö kaksi (omena/iso omena/pieni omena/kaunis omena).
   Yliopistossa on monta (kurssi/helppo kurssi/vaikea kurssi/sopiva kurssi/suomen kurssi).
   Viisi (suomalainen/ulkomaalainen/amerikkalainen/neuvostoliittolainen) kävelee kadulla.
   Kymmenen (turisti/englantilainen turisti/afrikkalainen turisti) on torilla.
   Opiskelija ostaa kaksi (sanakirja/halpa sanakirja/kallis sanakirja).

5. Model:

talo – taloja	Tuolla on auto/pullo/tyttö/koulu/katu.
lasi – laseja	Täällä on bussi/kuppi/tuoli/turisti/pankki/banaani/appelsiini/tulppaani.
kirja – kirjoja	Siellä on kauppa/kissa/herra/kala/sauna.
poika – poikia	Kuvassa on koira/kukka/rouva/kuva/muna.
pöytä – pöytiä	Tuolla on leipä/myyjä/ystävä/hedelmä.
radio – radioita	Täällä on televisio/museo/valtio/numero/henkilö/perhe/rypäle/viipale.
mies (miehen) – miehiä	Kuvassa on nainen/suomalainen/venäläinen/lontoolainen/ulkomaalainen/puhelin.

6. Anna Nikkilän ostoslista n:o 2. Read aloud!

2 kg (omena)	1/2 kg (muna)
1 kg (banaani)	1/2 kg (tomaatti)
1 1/2 kg (appelsiini)	400 g (rypäle)

7. To drill the partitive pl., describe the picture once again. Model: *Kuvassa on autoja – autot ovat kadulla; kuvassa on kirjoja – kirjat ovat kaupassa* etc.

If you wish to make the drill more demanding, add suitable adjectives: *Kuvassa on isoja autoja – isot autot ovat kadulla* etc.

8. Saanko *omenia* (hyvä omena/iso omena/tanskalainen omena)?
Professori Viisas ostaa *kirjoja* (hyvä kirja/vanha kirja/halpa kirja/suomalainen kirja).
James katselee *tyttöjä* (suomalainen tyttö/englantilainen tyttö/kaunis tyttö).
Perhe syö *munia* (paistettu muna/keitetty 'boiled' muna).

9. Model: *Minna on tyttö. – Minna ja Hanna ovat tyttöjä.*

Kalle on poika, Kalle ja Ville ovat ...... Minä olen opiskelija, me kaikki olemme ...... John on ulkomaalainen, Juan ja Jean ovat myös ...... Omena on hedelmä, omena ja viinirypäle ovat ...... Kuopio on kaupunki, Vaasa ja Lahti ovat myös ...... Jugoslavia on Euroopan maa, Sveitsi ja Portugali ovat myös ......

10. Look up the principal parts of the words given below and use them properly in the four-sentence sets.

poika	Matti on	*nainen*	Nainen on aina ......
	...... koti on Mikkelissä.		Leila on ...... nimi.
	Tuolla on viisi		Montako ...... kuvassa on?
	Koulussa on paljon		Kuvassa on muutamia ......
perhe	Niemisen ...... on pieni.	*hauska*	Tämä on oikein ....
	...... pojat ovat koulussa.	*kirja*	.... hinta on 7,50.
	Talossa asuu viisi		Ostan pari ....
	Asuuko talossa paljon ......?		Ostan paljon ....

11. Construct questions to the following answers.

Kaupassa on *kuusi* ostajaa. Kadulla on *kolme* bussia. Rva Y. ostaa *kymmenen* nakkia. Pekka juo *kaksi* lasia olutta. Minä maksan *neljä* laskua. Rouva Leivo ostaa lihaa *perheelle.* Myyjä antaa omenia *ostajalle.* Maksan 50 markkaa *tarjoilijalle.* Hän kirjoittaa tänään *hyvälle ystävälle.*

12. Word review.

Olen kaupassa. – Kenen ......? myyjä sanoo. – Minun. Pieni ...... juustoa. Ei, se on pieni, tämä toinen on ...... iso, mutta tuo tuolla on aivan ...... – Mitä ......? – Puolen litran ...... tomaattimehua, puolen kilon ...... kahvia, vähän makkaraa koiralle ja ...... Myyjä ...... paketit minulle. Sitten ...... kauppatorille. Siellä on perunoita ja muita ......, omenia ja muita ......, ruusuja ja muita ...... – Onko hyvää salaattia? – Voi, salaatti on ...... En osta muuta, kävelen vain ja ...... Sitten ......

Vocabulary

A

anta/a (**anna**/n-t a**nt**aa anna/mme-tte antavat)	to give; to let (do something)

appelsiini-n-a appelsiineja	orange
gramma-n-a grammoja (abbr. *g*)	gram
juusto-n-a-ja	cheese
kauppa/tori-n-a -toreja	market square, outdoor market
kerma-n-a kermoja	cream
kilo-n-a-ja *(= kilo/gramma, kg)*	kilo(gram)
kinkku kinkun kinkkua kinkkuja	ham
kissa-n-a kissoja	cat
koira-n-a koiria	dog
liian	too, excessively
litra-n-a litroja (abbr. *l*)	liter
lähte/ä (läh**d**e/n-t läh**t**ee lähde/mme-tte lähtevät)	to leave, depart, go
makkara-n-a makkaroita	sausage
men/nä (mene/n-t-e-mme-tte-vät)	to go
moni monen monta monia	many
muna-n-a munia	egg
muu-n-ta muita	other, else
myyjä-n-ä myyjiä	salesclerk, vendor
nakki nakin nakkia nakkeja	frankfurter
neljännes/kilo-n-a-ja	quarter kilo(gram)
noin (abbr. *n.*)	approximately; so, like that
osta/a (osta/n-t-a-mme-tte-vat)	to buy
ostoksilla: olla o.	be shopping
paisti-n-a paisteja	roast (meat)
paketti paketin pakettia paketteja	package, parcel, packet
pala-n-a paloja	piece, slice, lump
pan/na (pane-n-t-e-mme-tte-vat)	to put, place
parempi paremman parempaa parempia	better
puoli puolen puolta puolia	half; side
sokeri-n-a sokereita	sugar
sopiva-n-a sopivia	suitable, convenient, all right
tavara-n-a tavaroita	thing, article, goods
toinen toisen toista toisia	other, another; second
tori-n-a toreja	(city) square; market place
tölkki tölkin tölkkiä tölkkejä	carton; can, tin
vielä	still; yet; more, also
viipale-en-tta-ita	slice
vuoro-n-a-ja	turn; shift

B

banaani-n-a banaaneja	banana
greippi greipin greippiä greippejä	grapefruit
halli-n-a halleja	hall; indoor market
hedelmä-n-ä hedelmiä	fruit
katsel/la (katsele/n-t-e-mme -tte-vat)	to look, watch
kukka kukan kukkaa kukkia	flower
kurkku kurkun kurkkua kurkkuja	cucumber; throat
kävel/lä (kävele/n-t-e-mme -tte-vät)	to walk
loppu lopun loppua loppuja	end
olla lopussa	to be over, out, at an end; to have run out of
lopuksi	finally, at last
maista/a (maista/n-t-a-mme -tte-vat)	to taste
muutama-n-a muutamia (usu. pl.)	a few, some
omena-n-a omenia (= omenoita)	apple
ostaja-n-a ostajia	buyer, purchaser, customer
peruna-n-a perunoita	potato
puoli/toista	one and a half
rypäle-en-ttä-itä	grape
-s	meaningless suffix with spoken-language flavor
salaatti salaatin salaattia salaatteja	lettuce; salad
vihannes vihanneksen vihannesta vihanneksia (usu. pl.)	vegetable
viini/rypäle = rypäle	grape
voi!	oh, oh my, oh dear

X

hyasintti hyasintin hyasinttia hyasintteja	hyacinth
keitetty keitetyn keitettyä keitettyjä	boiled, cooked
käänty/ä (käänny/n-t kääntyy käänny/mme-tte kääntyvät)	to turn, be turned

margariini-n-a margariineja	margarine
mihin?	where(to)?
museo-n-ta-ita	museum
narsissi-n-a narsisseja	narcissus; daffodil
pari-n-a pareja	a couple; a pair
ruusu-n-a-ja	rose
tila/ta (tilaa/n-t tilaa -mme-tte-vat)	to order, reserve; subscribe to
tulppaani-n-a tulppaaneja	tulip

A list of the nouns in lessons 1—6 with their principal parts

1.A
auto-n-a-ja
bussi-n-a busseja
katu kadun katua katuja
kaunis kauniin kaunista kauniita
kauppa kaupan kauppaa kauppoja
kuva-n-a kuvia
mies miehen miestä miehiä
mikä minkä mitä mitä
nainen naisen naista naisia
pieni pienen pientä pieniä
poika pojan poikaa poikia
radio-n-ta-ita
se sen sitä
Suomi Suomen Suomea
talo-n-a-ja
televisio-n-ta-ita
tuo tuon tuota
tyttö tytön tyttöä tyttöjä
tämä tämän tätä

1. B
huono-n-a-ja
hyvä-n-ä hyviä
hän hänen häntä
millainen millaisen millaista millaisia
nuori nuoren nuorta nuoria
uusi uuden uutta uusia

2. A
Amerikka Amerikan Amerikkaa
amerikkalai/nen-sen-sta-sia
kiitos kiitoksen kiitosta kiitoksia
minä minun minua
päivä-n-ä päiviä
Ruotsi-n-a
suomalai/nen-sen-sta-sia
te teidän teitä
ulko/maalai/nen-sen-sta-sia

2. B
Englanti Englannin Englantia
englantilai/nen-sen-sta-sia
kuka kenen ketä keitä
sinä sinun sinua

3.A
henkilö-n-ä henkilöitä
herra-n-a herroja
nimi nimen nimeä nimiä
nolla-n-a nollia
numero-n-a numeroita
osoite osoitteen osoitetta osoitteita
puhelin puhelimen puheli/nta-mia
tieto tiedon tietoa tietoja

3. B
koti kodin kotia koteja

3. C
halpa halvan halpaa halpoja
hinta hinnan hintaa hintoja
kallis kalliin kallista kalliita
kirja-n-a kirjoja
markka markan markkaa markkoja
penni-n-ä pennejä
rouva-n-a rouvia
sana-n-a sanoja

3. X
hidas hitaan hidasta hitaita

4.
hotelli-n-a hotelleja
ilma-n-a ilmoja
kylmä-n-ä kylmiä
lähin lähimmän lähintä lähimpiä
neiti neidin neitiä neitejä
posti-n-a posteja
tie-n-tä teitä
vaimo-n-a-ja
yli/opisto-n-a-ja

4. X
konsertti konsertin konserttia konsertteja
pankki pankin pankkia pankkeja
teatteri-n-a teattereita
turisti-n-a turisteja

5. A
asunto asunnon asuntoa asuntoja
hauska-n-a hauskoja
he heidän heitä
kaikki kaiken kaikkea kaikkia
kaupunki kaupungin kaupunkia kaupunkeja
maa-n-ta maita
me meidän meitä
metsä-n-ä metsiä
mukava-n-a mukavia
perhe-en-ttä-itä
pää-n-tä päitä
ravintola-n-a ravintoloita
sama-n-a samoja
valtio-n-ta-ita
ystävä-n-ä ystäviä

5. B
helppo helpon helppoa helppoja
kieli kielen kieltä kieliä
koulu-n-a-ja
kurssi-n-a kursseja
laiska-n-a laiskoja
opettaja-n-a opettajia
opiskelija-n-a opiskelijoita
terve-en-ttä-itä
työ-n-tä töitä
vaikea-n-a vaikeita

5. X
sauna-n-a saunoja

6. A
hetki/nen-sen-stä-siä
ilta illan iltaa iltoja
jäätelö-n-ä-itä
kahvi-n-a kahveja
kala-n-a kaloja
keitto keiton keittoa keittoja
kuppi kupin kuppia kuppeja
lasi-n-a laseja
lasku-n-a-ja
leipä leivän leipää leipiä
liha-n-a lihoja
maito maidon maitoa maitoja
merkki merkin merkkiä merkkejä
olut oluen olutta oluita
paistettu paistetun paistettu/a-ja
pullo-n-a-ja
pöytä pöydän pöytää pöytiä
ruoka ruoan ruokaa ruokia
ruoka/lista-n-a -listoja
tarjoilija-n-a tarjoilijoita
tomaatti tomaatin tomaatt/ia-eja
vapaa-n-ta vapaita
vesi veden vettä vesiä
yö-n-tä öitä

6. B
asiakas asiakkaan asiakasta asiakkaita
kova-n-a kovia
kuuma-n-a kuumia
lauta/nen-sen-sta-sia
lämmin lämpimän lämmintä lämpimiä
nahka nah(k)an nahkaa nahkoja
pihvi-n-ä pihvejä
tuoli-n-a tuoleja

6. X
juoma-n-a juomia
mehu-n-a-ja
paperi-n-a papereita
viini-n-ä viinejä

1 (yhden yhtä), 2 (kahden kahta), 3 (kolme/n-a), 4 (neljä/n-ä), 5 (viiden viittä), 6 (kuuden kuutta), 7 (seitsemä/n-ä), 8 (kahdeksa/n-a), 9 (yhdeksä/n-ä), 10 (kymmenen kymmentä kymmeniä), 100 (sadan sataa satoja), 1000 (tuhannen tuhatta tuhansia), 1000 000 (miljoona/n-a miljoonia)

8

Bussissa ja raitiovaunussa

Ystävämme James nousee bussiin. Hän haluaa mennä Eiraan. Hänen uusi työpaikkansa on siellä.

1. J. Meneekö tämä bussi keskustaan?
2. Rahastaja. Menee kyllä.
3. J. Mitä lippu maksaa?
4. R. Kertalippu – –, kymmenen matkan lippu – –.
5. J. Antakaa minulle kymmenen matkan lippu. Ja siirto. Mikä raitiovaunu menee Eiraan?
6. R. Numero 3.
7. J. Missä minun täytyy vaihtaa?
8. R. Erottajan pysäkillä.
9. J. Kuinka mones pysäkki se on?
10. R. Viides pysäkki tästä.

Koska on aamu, bussi on täynnä. Jamesin täytyy seisoa koko matka. Mihin kaikki menevät? Yksi menee kauppaan, toinen kouluun, kolmas yliopistoon, neljäs työhön.
Erottajan pysäkillä James nousee vaunuun numero kolme.

11. J. Menen Eiraan, osoite on Tehtaankatu 23. Olkaa hyvä ja sanokaa minulle, milloin minun täytyy nousta pois.
12. R. Sanon kyllä.

On the bus and streetcar

Our friend James gets on a bus. He wants to go to Eira. His new job is there.

1. J. Does this bus go to the Center?
2. Conductor. Yes, it does.
3. J. What does a ticket cost?
4. C. A single ticket is – –, a ten-trip card is – –.
5. J. Give me a ten-trip card. And a transfer. Which streetcar goes to Eira?
6. C. Number three.
7. J. Where do I have to change?
8. C. At the Erottaja stop.
9. J. How many stops is it from here? ("The how-manieth" stop is it?)
10. C. The fifth stop from here.

Because it is morning, the bus is full. James must stand all the way. Where are all the people going? One goes to a store, another to school, a third to the university, a fourth to work.
At the Erottaja stop James gets on streetcar number three.

11. J. I am going to Eira, the address is Tehtaankatu 23. Please tell me when I have to get off.
12. C. Yes, I will.

13. J. Onko se pitkä matka?	13. J. Is it a long way?
14. R. Ei, aivan lyhyt, noin viisi minuuttia.	14. C. No, quite short, about five minutes.
Vaunu tulee Eiraan, Tehtaankadulle.	The streetcar comes to Tehtaankatu in Eira.
15. R. Seuraava pysäkki on teidän pysäkkinne.	15. C. Th next stop is yours, sir.
16. J. Paljon kiitoksia, näkemiin.	16. J. Thanks a lot, goodbye.

rt ke**rt**alippu ja sii**rto**, kaksi ke**rt**aa

hd-ht vai**hd**an bussia, lä**hd**en La**ht**een, A**ht**i vai**ht**aa, A**ht**i lä**ht**ee La**ht**een

äy-au v**au**nu on t**äy**nnä, T**au**non t**äy**tyy vaihtaa v**au**nua

ensimmäinen – ensin

Tuolla on poikia: **ensimmäinen** on Erkki, toinen on Mauno, kolmas Timo. He nousevat vaunuun. **Ensin** nousee Erkki, sitten Mauno, lopuksi Timo.

numero 1 = **ykkönen,** numero 2 = **kakkonen;**
kolmonen, nelonen, viitonen, kuutonen,
seitsemäinen (seitsikko, ”seiska”),
kahdeksainen (kahdeksikko, ”kasi”),
yhdeksäinen (yhdeksikkö, ”ysi”), kymppi

kaikki sing. Kaikki **on** hyvin (”everything”).
pl. Kaikki (pojat, kirjat) **ovat** täällä (”all; everybody”).

-ja **rahastaja** rahastaa, tarjoil**ija** tarjoilee, opett**aja** opettaa, myy**jä** myy

Kyllä sinun **täytyy** mennä kouluun (’must’).
Sinä **et saa** syödä niin paljon suklaata (’must not’).

Structural notes

1. The ”into” case (illative)

			mihin?	where(to)?
pankki	bank		*pankki/in*	into the bank
talo	house		*talo/on*	into the house
kauppa	shop		*kauppa/an*	into a shop
Suomi		gen. *Suome/n*	*Suome/en*	to Finland

This case roughly corresponds to the English preposition ”into”.

The ending: *prolongation of the final vowel of the word stem + n.*

The stem: use the basic form; when, however, the gen. stem ends in a different vowel, this vowel should be used (cf. *Suomi* above).

(This is a temporary rule. More about the ”into” case in lesson 12, p. 99, and lesson 18:3.)

työ	work, job	*työ/hön*	to work
tuo maa	that country	*tuo/hon maa/han*	to that country

Words of one syllable (which almost always end in a long vowel or a diphthong) have a longer ending *h + vowel + n,* the vowel being the same as before h.

The ”into” forms of *tämä* and *mikä* are *tä/hän, mi/hin.*

The ”into” case is used extensively of place-names (sections of a city, towns and cities, countries, continents etc.), e.g.

James Brown tulee	*Töölö/ön,*	James Brown comes	to Töölö,
	Helsinki/in,		to Helsinki,
	Suome/en,		to Finland,
	Eurooppa/an.		to Europe.

2. Ordinal numbers

ensimmäinen (ensimmäisen ensimmäistä)	the 1st
toinen (toisen toista)	the 2nd
kolmas (kolmannen kolmatta)	the 3rd
neljäs (neljännen neljättä)	the 4th
viides (viidennen viidettä)	5th
kuudes (kuudennen kuudetta)	6th
seitsemäs (seitsemännen seitsemättä)	7th

kahdeksas (kahdeksannen kahdeksatta)	8th
yhdeksäs (yhdeksännen yhdeksättä)	9th
kymmenes (kymmenennen kymmenettä)	10th
yhdes/toista (yhdennen/toista yhdettä/toista)	11th
kahdes/toista	12th
kolmas/toista	13th
kahdes/kymmenes	20th
kahdes/kymmenes/yhdes	21st
kahdes/kymmenes/kahdes	22nd
sadas (sadannen sadatta)	100th
kolmas/sadas/kuudes/kymmenes/viides	365th
tuhannes (tuhannennen tuhannetta)	1000th
miljoonas (miljoonannen miljoonatta)	1 000 000th

The interrogative ordinal is *kuinka mones (= monesko?)* meaning ”which in order” (literally ”the how manieth?”).

Reader

Asuntoni on Munkkiniemessä. Koska Jonesit – he ovat hyviä ystäviäni – asuvat Lauttasaaressa, lähden tänään Lauttasaareen. Nousen raitiovaunuun. Se menee kaupungin keskustaan. Maksan, sanon: – Myös siirto. Vaunu tulee Töölöön, olemme jo Mannerheimintiellä. – Anteeksi, rahastaja, mikä bussi tai raitiovaunu menee Lauttasaareen? – Bussi 20. – Missä minun täytyy vaihtaa? – Erottajan pysäkillä. – Monesko pysäkki se on? – Kolmas pysäkki tästä. Tulemme Erottajalle. Rahastaja sanoo minulle: – Nyt teidän täytyy vaihtaa. Lauttasaaren bussi seisoo jo pysäkillä. Nousen bussiin ja sanon rahastajalle: – Menen Lauttasaareen, osoite on Isokaari 4. Olkaa hyvä ja sanokaa minulle, milloin minun täytyy nousta pois. Kuinka pitkä matka Lauttasaareen on? – Noin neljännestunti. Sanon teille kyllä. Ilma on kaunis, katselen katuja ja taloja. Matka on aika lyhyt. – Seuraava pysäkki, sanoo rahastaja. – Paljon kiitoksia, sanon ja lähden.

Exercises

1. a) Useful questions to be asked; fill in the missing endings.

Mikä bussi (*tai* raitiovaunu) menee Töölö..., Käpylä..., Tapiola..., Haaga..., Munkkiniem... (*niemi, niemen* peninsula), Lauttasaar... (*saari, saaren* island), Munkkivuor... (*vuori, vuoren* mountain, hill), Westend...?

Milloin lähtee seuraava linja-auto Turku..., Pori..., Kuopio..., Jyväskylä..., Oulu..., Mikkeli..., Laht... (*lahti, lahden* gulf, bay)?

b) Lähdemme kaikki matkalle.

Minä lähden Ruotsi..., Tanska... ja Islanti... Salon perhe menee Sveitsi..., Itävalta... ja Jugoslavia... Ystävämme Lauri menee Kiina..., Intia... ja Pakistan... Kaikki menevät Pariisi..., Rooma..., Moskova..., Leningrad...

c) Mies menee (hyvä sauna/kuuma sauna/tuo sauna). Perhe tulee (iso ravintola/mukava ravintola/tämä ravintola). Rouva K. menee (sama kauppa/tuo kauppa). Turisti tulee (vanha kaupunki/tämä kaupunki/pieni kaupunki). Me nousemme (vanha huono raitiovaunu/tuo raitiovaunu).

2. Complete these pairs of sentences, using the words given in parentheses.

	mihin?	*missä?*
(auto)	Smithit nousevat	He ovat nyt ......
(raitiovaunu)	Pieni tyttö menee	Hän on ......
(Englanti)	Mieheni lähtee	Mieheni on nyt ......
(Suomi)	Ulkomaalainen tulee	Hän asuu nyt ......
(Helsinki t. Turku)	Ystäväni Aki menee	Hän haluaa asua ......
	tai	tai ......
(työ)	Tänään en mene	Missä Pirkko on ......?

3. Answer the questions. Note that each pair will include one "onto" and one "into" type of answer.

Mihin raitiovaunu tulee?
a) (pysäkki) b) (keskusta)
Mihin rouva Hill menee?
a) (halli) b) (kauppatori)
Mihin turisti tulee?
a) (pankki) b) (Senaatintori)

Mihin bussi menee?
a) (Pohjantie) b) (Tapiola)
Mihin tuo mies menee?
a) (Töölö) b) (Töölönkatu)

4. Say aloud the Finnish ordinals corresponding to the following cardinal numbers:

1, 2, 3, 6, 9, 12, 15, 20, 24, 31, 39, 48, 57, 66, 73, 85, 91, 100, 200, 365, 1000, 10 000, 100 000, 1 000 000.

5. Look at the picture below and answer the questions. Model: *Missä yliopisto on? – Se on toinen talo vasemmalla.*

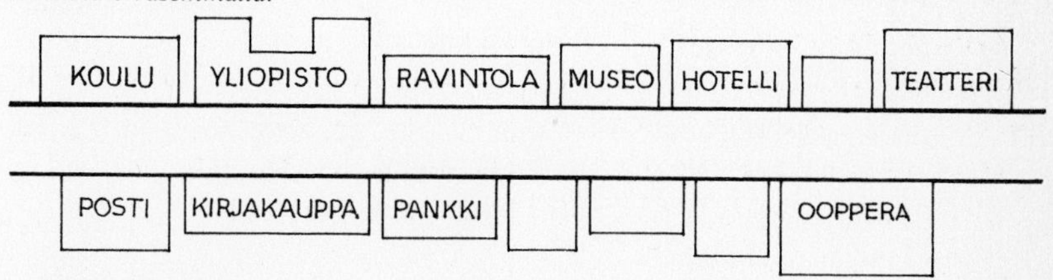

Missä on posti? – museo? – ooppera? – pankki? – koulu? – teatteri? – hotelli? – ravintola? – kirjakauppa?

6. A *täytyy* exercise.

a) Model: *Minun täytyy lähteä. – Täytyykö minun lähteä?*

Minun täytyy maksaa tämä lasku. Sinun täytyy tehdä se nyt. Hänen täytyy viedä Maija kouluun. Meidän täytyy vaihtaa bussia. Teidän täytyy asua keskustassa. Heidän täytyy seisoa koko matka.

b) Model: *Minä puhun vain suomea. – Minun täytyy puhua vain suomea.*

Minä olen kotona. Kirjoitan Liisalle. Sinä saat rahaa. Syöt ravintolassa. Hän oppii ruotsia. Hän juo vettä. Me tulemme suomen kurssille. Nousemme bussiin. Te vaihdatte raitiovaunua. Menette Turkuun. He antavat rahaa sinulle. He ostavat ruokaa.

Liisa/Kalle Oksanen/ulkomaalainen/mies/poika menee työhön.

7. Supply the questions to these answers.

James menee *keskustaan*. Me menemme *pankkiin*. Ystäväni lähtee *Australiaan*. Tämä vaunu menee *Töölöön*. Minun täytyy mennä *työhön*. Tytön täytyy mennä *kouluun*. Opiskelija nousee vaunuun *Munkkiniemessä*. Hänen täytyy vaihtaa *Erottajan pysäkillä*. Teidän täytyy vaihtaa *Liisankadun* pysäkillä. Töölöön menee raitiovaunu *numero 3 (= kolmonen)*. Lauttasaareen menee bussi *numero 20*.

8. Word review.

...... tämä bussi keskustaan? – Ei mene, teidän ...... vaihtaa X:n pysäkillä. – .... pysäkki se on? – Seuraava pysäkki.

– Kuinka pitkä ...... on Tapiolaan? – 11 km. Aamubussi on aivan ......, Kallen täytyy ...... koko matka.

Vocabulary

aamu-n-a-ja	morning
halu/ta (halua/n-t-a-mme-tte-vat)	to want, wish, desire
kerta kerran kertaa kertoja	time (in telling how many times)
keskusta-n-a keskustoja	center
koko (indeclineable)	whole, all, entire
koska	because, since, as; when?
kuinka mones? (monennen monetta)	which in order?
lyhyt lyhyen lyhyttä lyhyitä	short, brief
matka-n-a matkoja	distance, way; trip, journey
milloin?	when?
minuutti minuutin minuuttia minuutteja	minute
nous/ta (nouse/n-t-e-mme-tte-vat)	to rise, get up, arise; to get on
paikka paikan paikkaa paikkoja	place; site, location; job
pitkä-n-ä pitkiä	long; (of people:) tall
pysäkki pysäkin pysäkkiä pysäkkejä (cf. *pysähtyä* to stop)	stop (for bus, streetcar, train)
raha-n-a rahoja	money
rahastaja-n-a rahastajia	conductor, collector of fares
raitio/vaunu-n-a-ja	streetcar, tram
seiso/a (seiso/n-t-o-mme-tte-vat)	to stand

seuraava-n-a seuraavia	following, the next
siirto siirron siirtoa siirtoja	transfer; move
työ/paikka	job, situation
tästä	from here, from this spot
täynnä	full
täyty/ä **(minun, sinun, hänen, meidän, teidän, heidän täytyy)**	to have to, must
vaihta/a (vai**hd**a/n-t vai**ht**aa vaihda/mme-tte vaihtavat)	to change, exchange
vaunu-n-a-ja	carriage, (street)car

X

lahti lahden lahtea lahtia	gulf, bay
linja-auto	bus
niemi niemen niemeä niemiä	cape, point, peninsula
ooppera-n-a oopperoita	opera
saari saaren saarta saaria	island, isle
vuori vuoren vuorta vuoria	mountain, hill

9

A. Paperikaupassa ja postissa

A. In a stationery store and at the post office

1. Myyjä. Mitä saa olla?

1. Salesgirl. Can I help you? ("What may there be?")

2. James. Minä haluaisin kirjepaperia.

2. James. I'd like to have some letter stationery.

3. M. Minkälaista kirjepaperia?

3. S. What kind of stationery?

4. J. Lentopostipaperia.

4. J. Air mail stationery.

5. M. Haluatteko myös kuoria?

5. S. Do you want envelopes too?

6. J. Kyllä. Onko teillä postimerkkejä?

6. J. Yes. Have you got any stamps?

7. M. Valitettavasti meillä ei ole postimerkkejä. Teidän täytyy mennä postiin.

7. S. Unfortunately we haven't got any stamps. You must go to the post office.

8. J. Onko posti kaukana?

8. J. Is the post office far?

9. M. Ei, se on aivan lähellä. Kulmasta vasemmalle ja sitten suoraan eteenpäin.

9. S. No, it's quite near. Turn left at the corner and then go straight ahead.

10. J. Kiitos. Paljonko nämä maksavat yhteensä?

10. J. Thank you. How much do these cost altogether?

11. M. Hetkinen vain. (Laskee.) Kirjepaperi ...... markkaa, nuo kuoret ...... markkaa. Se tekee yhteensä ...... markkaa.

11. S. Just a minute. (She adds up.) The stationery is ...... marks, those envelopes ...... marks. That makes ...... marks altogether.

James tulee postitoimistoon. Hänellä on mukana pari postikorttia ja kirje.

James comes to the post office. He has (with him) a couple of postcards and a letter.

12. J. Minulla on tässä kirje Ruotsiin.

12. J. I've got a letter for Sweden here.

13. Virkailija. Tavallinen kirje? ...... penniä.

13. Clerk. An ordinary letter? ...... pennies.

14. J. Sitten minulla on kaksi postikorttia Amerikkaan.

14. J. Then I have two post-cards for America.

15. V. Lentopostia vai tavallista postia?

15. C. Air mail or ordinary mail?

16. J. Anteeksi, en ymmärrä. Te puhutte niin nopeasti.

16. J. Sorry, I don't understand. You speak so fast.

17. V. (toistaa hitaasti).

17. C. (repeats slowly).

18. J. Nyt minä ymmärrän. Lentopostia.

18. J. Now I understand. Air mail.

19. V. Ne maksavat ...... penniä kappale.

19. C. They will cost ...... pennies each.

20. J. Sitten vielä postimerkkejä. Yksi markan merkki ja kaksi viidenkymmenen pennin merkkiä.

20. J. Then some stamps too. One 1-mark stamp and two 50-penny ones.

21. V. (antaa merkit). Olkaa hyvä. Postilaatikko on oikealla.

21. C. (gives the stamps). Here you are. The mail box is on the right.

e-ä menkää eteenpäin, se on lähellä, vielä neljä merkkiä
r kirjepaperia, kirjekuoria, markan merkki, ymmärrätkö? en ymmärrä

tämä pl. **nämä**
tuo **nuo**
se **ne**

B. Vaikea asiakas (II)

1. Asiakas. Minä haluan vaihtaa tämän kameran. Se ei toimi.
2. Nuori mies. Vai niin. Mikä vika siinä on?
3. A. En minä tiedä. Se ei toimi, se on rikki, kuuletteko?
4. N. Kuulen, minulla on hyvät korvat. Mutta...
5. A. Katsokaa itse, filmi ei liiku. Näettekö?
6. N. Näen, minulla on hyvät silmät. Mutta miksi...
7. A. Minulla on kiire. Antakaa minulle toinen, parempi kamera samaa merkkiä. Vai onko teillä jalat?
8. N. On, minulla on kaksi jalkaa.
9. A. Ja kaksi kättä? Jos on, niin ottakaa tämä kamera ja tuokaa minulle toinen. Nopeasti!
10. N. Kuulkaa nyt, hyvä herra...
11. A. No mitä te vielä haluatte sanoa? Puhukaa! Onko teillä suu, onko teillä kieli? Minkälainen myyjä te oikein olette?
12. N. En minä ole myyjä. Minä olen asiakas!

B. A difficult customer (II)

1. Customer. I want to change this camera. It doesn't work.
2. Young man. I see. What's wrong with it?
3. C. I don't know. It doesn't work, it's broken, do you hear?
4. Y. Yes, I do, I've got good ears. But...
5. C. Look for yourself, the film doesn't move. Do you see?
6. Y. Yes, I do, I've got good eyes. But why...
7. C. I'm in a hurry. Give me another, better camera of the same make. Or have you got legs?
8. Y. Yes, I've got two legs.
9. C. And two hands? If so, take this camera and bring me another. Quick!
10. Y. Now listen, sir...
11. C. Well, what else do you want to say? Have you got a mouth, have you got a tongue? What kind of a sales assistant are you?
12. Y. I'm not a sales assistant. I'm a customer!

Minulla on kiire! | Minulla on jano. | Minulla on nälkä. | Minulla on kylmä. | Minulla on kuuma (lämmin). | Minulla on hyvä olla. | Minulla on paha olla.

Structural notes

1. "To have" in Finnish

Finnish has no specific verb corresponding to the English verb "to have". Instead, the verb *olla* "to be" is used in the following way:

Affirmative:

minulla on		I have	
sinulla on	*puhelin,*	you have	a phone,
hänellä on	*olutta,*	he/she has	beer,
meillä on	*ystäviä*	we have	friends
teillä on		you have	
heillä on		they have	

Question:
*onko hänellä puhelin (puhelin/ta)?** — has he/she got a phone?

Negative:
minulla ei ole puhelin/ta — I have no phone
hänellä ei ole olutta — he/she has no beer
meillä ei ole ystäviä — we have no friends

Negative question:
eikö teillä ole postimerkkejä? — have you got no stamps?

Neiti Salo/lla on uusi radio. — Miss Salo has got a new radio.
Tuo/lla miehe/llä ei ole auto/a. — That man hasn't got a car.

The thing **not** possessed is normally in the partitive.

*Partitive is also often used in questions instead of the basic form.

Reader

Onko teillä radio ja televisio? Meillä on radio, mutta televisiota meillä ei ole. Mikä herra Mikkolan puhelinnumero on? Hänellä ei valitettavasti ole puhelinta. Neiti, haluaisin hyvää keittoa. Mitä keittoa teillä on tänään? Meillä on oikein hyvää tomaattikeittoa. Millaista jäätelöä teillä on? Meillä on appelsiini-, vanilja- ja suklaajäätelöä. Anteeksi, en ymmärrä oikein hyvin, te puhutte niin nopeasti. Olkaa hyvä ja puhukaa oikein hitaasti.

Haluaisin vähän kirjepaperia. Haluatteko tavallista vai lentopostipaperia? Lentopostipaperia. Saako olla myös kuoria? Kiitos ei, minulla on lentopostikuoria kotona. Sanokaa minulle, missä lähin postitoimisto on. Onko se kaukana vai lähellä? Aivan lähellä, Snellmaninkadulla. Ensin tuosta kulmasta oikealle ja sitten suoraan eteenpäin, neljäs tai viides talo vasemmalla.

Tänään minun täytyy mennä postitoimistoon, minulla on paljon postia. Katsokaa: tässä on kirje Saksaan, kaksi kirjettä Englantiin, postikortti Kanadaan ja paketti Norjaan. Sitten minun täytyy ostaa myös muutamia postimerkkejä: kaksi kappaletta markan merkkejä, neljä kappaletta viidenkymmenen pennin merkkejä ja pari kappaletta kolmenkymmenenviiden pennin merkkejä. Paljonko ne maksavat yhteensä?

Exercises

1. Model: *Onko teillä auto?* – a) *On, minulla on auto.* b) *Ei, minulla ei ole autoa.*

Onko teillä radio? – televisio? – kamera? – puhelin? – sanakirja? – Helsingin kartta? – koira? – kissa? – työpaikka?

Onko sinulla hedelmiä? – kirjoja? – postimerkkejä? – lentopostipaperia? – pientä rahaa ”small change”? – työtä? – ystäviä Lapissa?

2. Model: *Minulla on koti. – Minulla ei ole kotia.*

Sinulla on poika. Hänellä on perhe. Meillä on ruokalista. Heillä on suomalais-englantilainen sanakirja. Liisalla on raitiovaunulippu. Pojalla on ruotsin opettaja. Markku Laaksosella on vaimo.

3. Describe in short sentences what the people in the picture below have and, compared to each other, what they do not have.

4. Make short sentences with the verb *olla*. (Note that it will be used either in the sense "to be" or "to have".) Model: *hän, suomalainen – Hän on suomalainen*, or: *hän, kissa – Hänellä on kissa.*

sinä, ulkomaalainen
minä, vähän rahaa
te, paljon kirjoja
te, helsinkiläinen
he, Suomessa
he, kaksi poikaa
kuka?, herra Koivu
kuka?, viidenkymmenen pennin postimerkki
Liisa, kaunis tyttö
Liisa, mukava poikaystävä
perhe, sauna
perhe, saunassa
rva Halonen, suomalainen kotirouva
rva Halonen, kaunis pieni koti
tuo mies, yliopiston opettaja
tuo mies, paljon työtä

5. a) Model: *Tämä poika on täällä. – Nämä pojat ovat täällä.*

Tuo nainen on kaupassa. Se on tuolla oikealla. Tämä hedelmä maksaa ... markkaa kilo. Tuo ravintola on Helsingissä. Se on Hämeentiellä. Tämä ulkomaalainen syö jäätelöbaarissa. Tuo virkailija myy postimerkkejä.

b) Model: *Tämä on poika. – Nämä ovat poikia.*

Tuo on suomalainen. Se on auto. Tämä on mies. Tuo on nainen. Se on appelsiini. Tämä on poliisi. Tuo on hyvä kirja. Se on hyvä kuva. Tämä on postikortti. Tuo on laatikko. Se on iso.

6. Olette postitoimistossa ja ostatte postimerkkejä. Sanotte virkailijalle:

– 1 30 p:n merkki
– 2 40 p:n merkki...
– 3 50 p:n merkki...
– 2 60 p:n merkki...
– 1 75 p:n merkki
– 2 1 mk:n merkki...

7. Word review.

– Neiti, ... hyvää kirjepaperia? – On kyllä, tässä; haluatteko myös ......? – Ei kiitos, mutta kyllä postimerkkejä. – Voi, ... meillä ei ole postimerkkejä. – Onko posti...... kaukana vai ......? – Postiin on aivan lyhyt matka, ensin oikealle ja sitten suoraan ...... seuraavaa katua. – Anteeksi, nyt minä en ......, te puhutte aivan liian ......

Haluaisin syödä, koska minulla on ...... Olemme saunassa; meillä on ...... Anna näkee hyvin, hänellä on hyvät ...... Kuuletteko hyvin, onko teillä hyvät ......? Raimolla on kaksi pitkää ......, hän kävelee nopeasti. Meidän televisio on ......, se ei toimi. Mikä ...... siinä on?

Vocabulary

A

eteen/päin	forward, ahead
haluaisin	I should like to
kappale-en-tta-ita	piece, bit; paragraph; lesson, chapter
kaksi markkaa kappale	two marks each, apiece
kaukana	far away, at a distance
kirje-en-ttä-itä	letter (in correspondence)

kirje/kuori (kuor/en-ta-ia)	envelope
kortti kortin korttia kortteja	card
kulma-n-a kulmia	corner; angle
laatikko laatikon laatikkoa laatikkoja	box; drawer
laske/a (laske/n-t-e-mme-tte-vat)	count; reckon, calculate
lento/posti	air mail
lähellä	near, close to, close by
minkä/lainen? *(= millainen)*	what kind of, what ... like?
mukana	along, with, together with
nopea-n-a nopeita *(≠ hidas)*	fast, quick, rapid
nopeasti *(≠ hitaasti)*	fast, quickly, rapidly
nuo (pl. of *tuo*) noita	those
nämä (pl. of *tämä*) näitä (colloq. *nää*)	these
paperi/kauppa	stationery store, paper shop
posti/merkki	postage stamp
suora-n-a suoria	straight, direct
suoraan	straight, directly
tavalli/nen-sen-sta-sia	usual, ordinary, frequent
toimisto-n-a-ja	office, bureau
toista/a (toista/n-t-a-mme-tte-vat)	to repeat, say once more
tässä (cf. *täällä*)	(right) here
valitettavasti	unfortunately
virkailija-n-a virkailijoita	official, officer, clerk
yhteensä	altogether
ymmärtä/ä (ymmä**rr**ä/n-t ymmä**rt**ää ymmärrä/mme-tte ymmärtävät)	to understand

B

filmi-n-ä filmejä	film
itse-n-ä	(my)self, (your)self etc.
jalka jalan jalkaa jalkoja	foot; leg
jos	if
katso/a (katso/n-t-o-mme-tte-vat)	to look, have a look at, watch
kiire-en-ttä-itä	haste, hurry
minulla on kiire	I am in a hurry, I am very busy
korva-n-a korvia	ear
kuul/la (kuule/n-t-e-mme-tte-vat)	to hear

käsi käden kättä käsiä	hand
liikku/a (liiku/n-t liikkuu liiku/mme-tte liikkuvat)	to move, be in motion
miksi?	why?
näh/dä (**näe/n**-t **näkee** näe/mme-tte näkevät)	to see
rikki	broken; in pieces
silmä-n-ä silmiä	eye
suu-n-ta suita	mouth
toimi/a (toimi/n-t-i-mme-tte-vat)	to act; to function, operate, work
vai niin (cf. *niinkö?*)	oh, I see; indeed, really?
vika vian vikaa vikoja	fault, defect, something wrong

X

jano-n-a	thirst
minulla on jano	I am thirsty
nälkä nälän nälkää	hunger
paha-n-a pahoja *(≠ hyvä)*	bad, ill, evil, wicked
minulla on paha olla	I feel bad, uncomfortable

10

Hotellissa

James Brown soittaa asemalta hotelliin.

1. J. Hyvää päivää, onko teillä vapaita huoneita?
2. Portieeri. Kyllä meillä on. Yhden vai kahden hengen?
3. J. Yhden. Onko joka huoneessa lämmin vesi?
4. P. On. Ja kaikissa huoneissa on puhelin.

At the hotel

James Brown phones the hotel from the station.

1. J. Good morning, have you got any rooms vacant?
2. Desk-clerk. Yes, we have. Single or double?
3. J. Single. Is there hot water in every room?
4. D. Yes. And all the rooms have a telephone.

5. J. Hyvä on, otan huoneen. Nimeni on Brown. Olen nyt asemalla. Voinko tulla heti, onko huone jo vapaa?	5. J. Very good, I'll take a room. My name is Brown. I'm at the station now. Can I come right now, is the room already free?
6. P. Huone on heti vapaa.	6. D. The room is free right now.
James tulee taksilla asemalta hotelliin.	James comes from the station to the hotel by taxi.
7. P. Tervetuloa, herra Brown! Huoneenne on numero 516, viides kerros.	7. D. Good morning (»welcome»), Mr. Brown! Your room is number 516, fifth floor.
8. J. Onko se kadun vai pihan puolella?	8. J. Is it facing the street or the courtyard?
9. P. Pihan puolella. Oikein mukava ja rauhallinen huone.	9. D. The courtyard. A very nice and quiet room.
10. J. Voinko minä vaihtaa rahaa täällä hotellissa?	10. J. Can I change money here at the hotel?
11. P. Voitte.	11. D. Yes, you can.
12. J. Voiko liikkeissä maksaa matkashekillä?	12. J. Is it possible to pay by travelers' check in the stores?
13. P. Tavarataloissa ja suurissa liikkeissä kyllä. Mutta ehkä on paras vaihtaa shekki, ennen kuin menette ostoksille.	13. D. In the department stores and large shops, yes. But maybe you'd better change your check before you go shopping.
14. J. Minulla on täällä ystäviä. Heidän osoitteensa on Pohjantie 8. Voitteko sanoa, missä päin se on?	14. J. I've got some friends here. Their address is Pohjantie 8. Can you tell me whereabouts it is?
15. P. Se on Tapiolassa. (Ottaa pöydältä kartan.) Katsokaa, minä näytän teille. Tässä.	15. D. It's in Tapiola. (Takes a map from the table.) Look, I'll show you. Right here.
16. J. Mistä näitä karttoja saa? Olen ensi kertaa Helsingissä.	16. J. Where can one get these maps? I'm in H. for the first time.
17. P. Kartan saatte meiltä. Olkaa hyvä vain.	17. D. You can get a map from us. Please take one.
18. J. Vielä yksi kysymys. Mistä minä voin saada savukkeita ja tulitikkuja?	18. J. One more question. Where can I get cigarettes and matches?

19. P. Niitäkin saatte meiltä. Hissin vasemmalla puolella on tupakkakioski. (Hissipojalle:) Vie herran matkalaukut numeroon 516. Tässä on avain.

19. D. You can get those from us too. There is a tobacco stand on the left of the elevator. (To the elevator boy:) Please take the gentleman's suitcases to room number 516. Here is the key.

r te**r**vetuloa, he**rr**a **R**anta Tu**r**un ka**r**tta mikä ke**rr**os?
h ka**h**den **h**engen **h**otelli**h**uone, **h**auska ja rau**h**allinen

iso – suuri
iso t. **suuri** huone (concrete)
suuri ja vaikea kysymys (abstract)

hyvä – **parempi – PARAS**

henki – henkilö
kahden **hengen** huone
Kaupungissa asuu 5000 **henkeä** (”person” as a statistical unit).
Tuo **henkilö** on pääministeri.
henkilö/kortti ”identity card” (”person” as an individual)

Structural notes

1. The ”from” case (ablative)

		mistä?	where from?
pöytä	table (gen. *pöydä/n)*	*pöydä/ltä*	from, off the table
tämä tuoli	this chair	*tä/ltä tuoli/lta*	from this chair

The case ending *-lta (-ltä)* roughly corresponds to the English prepositions ”from”, ”off” (that is, away from a position on something).

When the genitive stem and the basic form are different, the gen. stem is used.

This case is also used with verbs which denote *taking* or *getting* something from someone:

Rouva Aho ottaa tavarat myyjä/ltä. — Mrs. A. takes the things from the salesgirl.

Myyjä saa häne/ltä 15 markkaa. — The salesgirl receives 15 marks from her.

2. tämä, tuo se – nämä, nuo ne (demonstratives)

Sing.		Pl.	
Basic form	Partitive	Basic form	Partitive
tämä this (one) (colloq. *tää*)	**tä/tä** (some of) this	**nämä** these (colloq. *nää*)	**näi/tä** (some of) these
tuo that (one)	**tuo/ta** (some of) that	**nuo** those	**noi/ta** (some of) those
se it	**si/tä** (some of) it	**ne** they (non-persons)	**nii/tä** (some of) them

se may also be used together with nouns and has then the meaning "the, that":

Se mies on nyt täällä.	The (*or* That) man is here now.
Minun täytyy maksaa ne laskut heti.	I must pay those (the) bills at once.

Like *se, ne* is colloquially often used about people also: *Mitä ne sanovat* (or even *sanoo*)? What do they say?

Colloquially, *toi* (pl. *noi*) is often heard instead of *tuo (nuo).*

The form *tuota* (colloq. *tota*) is generally used as a fill-in word to start or to interrupt a statement:

Tuota – nyt meidän kai täytyy syödä.	Well – I suppose we must eat now.
Voitko sinä – tuota tuota – antaa minulle sata markkaa?	Can you – well – give me a hundred marks?

Reader

Ystävämme Peter M. on ensi kertaa Helsingissä. Hänellä ei ole vielä hotellihuonetta. Hän menee taksilla hotelli Grandiin. Hän on nyt Keskuskadulla. Sitten taksi kääntyy Keskuskadulta vasemmalle, Esplanadille, ja siinä hotelli jo on. – Onko teillä vapaita yhden hengen huoneita? Huoneessa täytyy olla lämmin vesi ja puhelin. Minulla on paljon hyviä ystäviä täällä ja haluaisin soittaa heille. – Meillä on pari vapaata huonetta, sanoo portieeri. Ensimmäisessä kerroksessa on yksi, mutta se on kadun puolella, se ei ehkä ole oikein rauhallinen. Mutta kuudennessa kerroksessa on myös vapaa huone, numero 692. – Se kuudennen kerroksen huone on ehkä parempi. – Jos haluatte, voin kyllä näyttää teille nämä huoneet. – Kiitos, mutta sanokaa minulle ensin, voitteko te vaihtaa minulle Suomen rahaa? Minulla on vain Englannin puntia. – Voimme kyllä. Saatte meiltä myös kaupungin kartan. Ottakaa vain kartta tältä pöydältä, ennen kuin lähdette ostoksille. Aivan lähellä hotellia on paljon suuria liikkeitä ja tavarataloja. – Entä vaihtavatko kaikki liikkeet matkashekkejä? – Muutamat kyllä, mutta ehkä on paras vaihtaa ne täällä tai pankissa.

Pirkko Lind on ostoksilla ja katselee hedelmiä. Ihania rypäleitä! – ”Saanko puoli kiloa näitä?” Tuolla on kauniita banaaneja. – ”Antakaa minulle kuusi kappaletta noita. Ja vielä pari sitruunaa.” – ”Voi, niitä meillä ei nyt ole, ne ovat lopussa.” Pirkolle tulee nälkä, hän menee ravintolaan ja tilaa pihvin. Ihana pihvi! Nyt vähän tätä (hän panee suolaa) ja sitten tuota (hän panee pippuria). – ”Haluatteko myös sinappia?” – ”Ei kiitos, sitä minä en halua.”

Exercises

1. a) Model: *Rva Oksanen ottaa paketit (pöytä) – Rva O. ottaa paketit pöydältä.*

Herra Hakonen saa laskun (tarjoilija). Rva Suomela saa rahaa (hra Suomela). On hauska saada kukkia (hyvä ystävä). Marja Kallio saa paljon kirjeitä (Jorma Kivinen). Mistä tulet, Pirkko? (Tori). Tuo bussi tulee (oikea) ja menee vasemmalle. (Mikä katu) tuo raitiovaunu tulee? Se kääntyy (Sepänkatu) Asemakadulle.

b) Poika ottaa kirjat (tuo pöytä/tämä pöytä/pieni pöytä). Ravintolan asiakas saa laskun (tämä tarjoilija/nuori t./suomalainen t.). Saamme kirjeitä (vanha ystävä/englantilainen ystävä/paras ystävä). On paras ottaa tulitikut pois (tuo poika/jokainen pikku poika).

2. A fluency game with the ”on”, ”from” and ”onto” cases. Suppose you are moving the books from place to place according to the numbers in the picture and telling aloud in Finnish what you are doing or where the books are. Go on doing this until you are quite fluent.

Here’s the start:

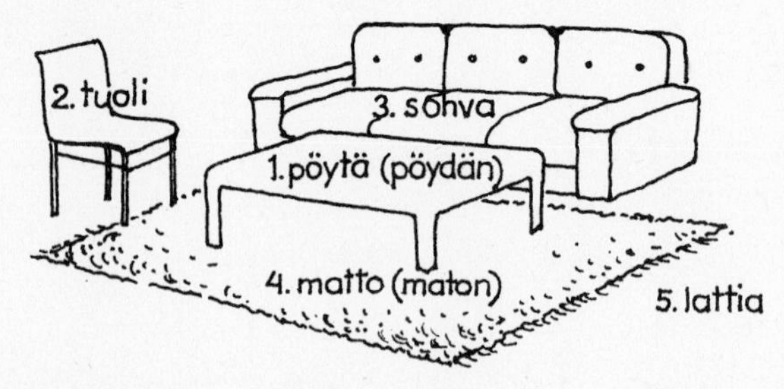

1. Kirjat ovat *pöydällä.* Otan kirjat *pöydältä.* Panen ne tuoli...
2. Kirjat ovat tuoli... Otan ne ...... etc.

If desired, make the exercise more demanding by adding pronouns and/or adjectives to the nouns, for example: pieni tuoli – iso pöytä – uusi sohva – kaunis matto – tämä lattia.

3. *Keneltä – kenelle?*

Otan kymmenen markkaa (Jussi) ja annan viisi markkaa (Eero). Saan kirjeen (vanha ystävä) ja kirjoitan myös (hän). James oppii paljon suomea (Liisa); hän opettaa englantia (Liisa). Kuulen tavallisesti (Seija), mitä Sisko sanoo (hän). Haluatko ostaa (minä) nämä kirjat? Voin kyllä myydä ne (sinä).

4. a) Model: *tämä suklaa – Saanko tätä suklaata?*

tuo jäätelö	se kala
se kirjepaperi	tämä olut
tämä leipä	tuo mehu
tuo liha	se limonaati (”limsa”)

b) Model: *nämä omenat – Antakaa minulle näitä omenia.*

nuo banaanit	ne kirjekuoret
ne perunat	nämä savukkeet
nämä rypäleet	nuo hedelmät
nuo tomaatit	ne kukat

5. Word review.

Hyvää päivää, onko teillä ...... huoneita? Yhden vai kahden ......? Yhden. Onko huoneessa puhelin, minun täytyy ...... ystävälleni? Entä ...... minä vaihtaa rahaa täällä? Sanokaa minulle, missä päin on hyviä liikkeitä ja suuria ......, haluaisin mennä ostoksille. Huone 101? Ei ei, en halua asua ensimmäisessä ...... Neljäs on paljon parempi. Onko huone kadun vai ...... puolella? Onko tässä hotellissa tupakkakioskia, haluaisin ostaa ...... ja ......

Vocabulary

asema-n-a asemia	station; position, location
avain avaimen avainta avaimia	key
ehkä	perhaps, maybe
ennen kuin	before (when beginning a clause)
ensi (indecl.)	next (when speaking of time); (= ensimmäinen) first
henki hengen henkeä henkiä	spirit, soul, mind; life; person
hissi-n-ä hissejä	elevator, lift
huone-en-tta-ita	room
joka (indecl.)	every
jokainen jokai/sen-sta	every; everybody, everyone
kerros kerroksen kerrosta kerroksia	storey, floor
-kin (= *myös*)	also, too; often just an emphasizing suffix
kioski-n-a kioskeja	stand, booth, kiosk
kysymys kysymyksen kysymystä kysymyksiä (from *kysy/ä* to ask)	question

laukku laukun laukkua laukkuja	bag
liike liikkeen liikettä liikkeitä	shop, store; business; movement, motion
matka/laukku	suitcase
mistä?	where from?
näyttä/ä (näytä/n-t näyttää näytä/mme-tte näyttävät)	to show; to point; to seem, look like
paras parhaan parasta parhaita	best
piha-n-a pihoja	yard
portieeri-n-a portieereja	desk-clerk
päin	in, from a direction; towards
missä päin?	whereabouts, in what direction?
se on Töölössä päin	it is in the direction of T.
menkää Töölöön päin!	go in the direction of T.
bussi tuli Töölöstä päin	the bus came from the direction of T.
savuke savukkeen savuketta savukkeita	cigarette
shekki (šekki) shekin shekkiä shekkejä	cheque, check
soitta/a (soita/n-t soittaa soita/mme-tte soittavat)	to play (an instrument); to ring a bell; to phone
suuri suuren suurta suuria	large, big; great
taksi-n-a takseja	taxi
tavara/talo-n-a-ja	department store
terve/tuloa!	welcome, glad to see you here
tuli tulen tulta tulia	fire
tuli/tikku -tikun -tikkua -tikkuja	match ("fire-stick")
tupakka tupakan tupakkaa	tobacco (*often:* = savukkeet)
voi/da (voi/n-t voi-mme-tte-vat)	can, to be able

X

ihana-n-a ihania	wonderful, lovely
lattia-n-a lattioita	floor
matto maton mattoa mattoja	carpet, rug, mat
ministeri-n-ä ministereitä	(cabinet) minister
pippuri-n-a pippureita	pepper
sinappi sinapin sinappia	mustard
sitruuna-n-a sitruunoita	lemon
sohva-n-a sohvia	sofa, couch, settee
suola-n-a suoloja	salt

11

Rouva Miettinen tapaa rouva Hillin

Tapahtuu Mikonkadulla. Annikki Miettinen tulee kaupasta, Linda Hill raitiovaunusta. He tapaavat kadunkulmassa.

1. A. Hei, Linda. Minne sinä olet menossa?
2. L. Ensin pankkiin, sitten kampaamoon.
3. A. Mutta pankki on jo suljettu. Kello on melkein viisi.
4. L. Minä luulin, että pankit ovat auki yhdeksästä viiteen, kuten kaupat.
5. A. Ei ei. Vain viisitoista yli neljään maanantaista perjantaihin, ja lauantaina ne ovat kiinni koko päivän.
6. L. Voi voi. No, täytyy mennä pankkiin huomenna. Mistä sinä olet tulossa? Ostoksiltako? Sinulla on uusi kiva käsilaukku.
7. A. Se on tuosta liikkeestä, siellä on ale. Tuletko sinä naisten kerhoon torstai-iltana?
8. L. Tänä torstaina minulla on muuta ohjelmaa. Ehkä ensi viikolla taas. Mitä te teette viikonloppuna?
9. A. Me menemme maalle, Hollolaan. Mieheni on kotoisin Hollolasta. Meillä on siellä kesämökki ja sauna pienen järven rannalla.
10. L. Ai, kuinka kivaa! Kuinka pitkä matka sinne on?

Mrs. Miettinen meets Mrs. Hill

Takes place on Mikonkatu. Annikki Miettinen comes out of a shop, Linda Hill out of a streetcar. They meet at a street-corner.

1. A. Hello, Linda. Where are you going?
2. L. First to the bank, then to the hairdresser's.
3. A. But the bank is closed (already). It's almost five o'clock.
4. L. I thought that the banks are open from nine to five, like the shops.
5. A. No no. Only until quarter past four from Monday to Friday, and on Saturday they are closed all day.
6. L. Oh dear. Well, I must go to the bank tomorrow. Where are you coming from? Shopping? You've got a nice new hand-bag.
7. A. It's from that store, there's a sale there. Are you coming to the ladies' club on Thursday evening?
8. L. This Thursday I have something else to do. Perhaps next week again. What will you do during the weekend?
9. A. We'll go to the country, to Hollola. My husband is from H. We have a summer cottage and sauna there on a little lake.
10. L. Oh how nice! How far is it?

11. A. Vähän yli sata kilometriä täältä.
12. L. Sauna on todella ihana paikka. Meillä on sauna omassa talossa, ja meidän perheellä on saunavuoro joka keskiviikko. Mutta hei nyt, Annikki, minulle tulee kiire. Terveisiä kaikille ja hauskaa viikonloppua!
13. A. Kiitos samoin. Terveisiä Billille!

11. A. A little more than a hundred kilometers from here.
12. L. The sauna is really a wonderful place. We've got one in our own building, and our family has a sauna time every Wednesday. Goodbye now, Annikki, I have to rush now. Love to everybody, and have a nice weekend!
13. A. Thanks, the same to you. Remember me to Bill!

Mitkä ovat viikonpäivät suomeksi?

What are the days of the week in Finnish?

Maanantai, tiistai, keskiviikko, torstai, perjantai, lauantai ja sunnuntai.

Monday, Tuesday, Wednesday, Thursday, Friday, Saturday, and Sunday.

Sunnuntai on pyhäpäivä, muut ovat arkipäiviä. Viikossa on viisi työpäivää ja kaksi vapaapäivää.

Sunday is a holiday; the rest are weekdays. There are five working days in a week and two free days.

Paljonko kello on?

What's the time?

Kello on yksi (13).

Kello on puoli kolme (14.30).

Kello on viisitoista yli (neljännestä yli) kuusi (6.15, 18.15).

Kello on viittä vaille kaksitoista (11.55, 23.55).

1 **kello kolme, kello neljä, suljettu kolmesta neljään Helsingistä Hollolaan kallis kello, luulen kylmä ilma**

"maa"

Matti asuu **maalla,** ei kaupungissa.	(in the country)
Missä **maassa** asutte? Belgiassa.	(in a country, land)
Me asumme **Maassa,** ei Marsissa.	(on Earth)
Me liikumme **maassa,** ei ilmassa.	(on the ground)
Maalla ja merellä.	(on land)

Minä luulen, **että** huomenna on kaunis ilma (**että** must not be left out).

suljettu = kiinni ≠ auki (avoinna)
Mitä on suomeksi ......?

Kuinka sanotaan suomeksi: ......?	How do you say in Finnish: ......?
Mitä merkitsee ......?	What does ...... mean?

missä?	*mistä?*	*mihin? = minne?*
täällä	**täältä**	**tänne**
tuolla	**tuolta**	**tuonne**
siellä	**sieltä**	**sinne**

Structural notes

1. The "out of" case (elative)

		mistä?	where from?
liike store	(gen. *liikkee/n*)	*liikkee/stä*	from, out of a store
Turku	(gen. *Turu/n*)	*Turu/sta*	from Turku

The case ending *-sta (-stä)* roughly corresponds to the English preposition "out of", "from (within something)".

If the basic form and the gen. stem are different, the gen. stem is used.

2. No future tense in Finnish

Huomenna menemme saunaan. Tomorrow we'll go to the sauna.

There is no future tense in Finnish, it is simply expressed by the present. Thus, *minä ostan* means

1) I buy
2) I am buying
3) I shall (will) buy

3. Expressions of time

milloin?	*maanantai/na*	when?	on Monday
	tä/nä maanantai/na		this Monday
	ensi (viime) maanantai/na		next (last) Monday
	maanantai-ilta/na		on Monday evening
	tä/llä (ensi, viime) viiko/lla		this (next, last) week
	joka maanantai, päivä, viikko		every Monday, day, week
	joka toinen (kolmas) päivä		every other (third) day
	maanantai/sta torstai/hin		from Monday to Thursday
	yhde/stä kahte/en (viite/en)		1–2 (5)
	puoli yhdeksä/stä puoli kymmene/en		from half past eight to half past nine
	kahde/sta/toista kahte/en-kymmene/en		12–20

4. Review of the six local cases

Now you know all six of the so-called local cases in Finnish.

Three of them refer to the inside of things **(inner local cases):**

lasi/ssa	*lasi/sta*	*lasi/in*
in the glass	out of the glass	into the glass

Three, on the other hand, refer to the outside of things **(outer local cases):**

pöydä/llä	*pöydä/ltä*	*pöydä/lle*
on the table	from, off the table	on(to) the table

The picture below illustrates the difference between the inner and outer series of local cases.

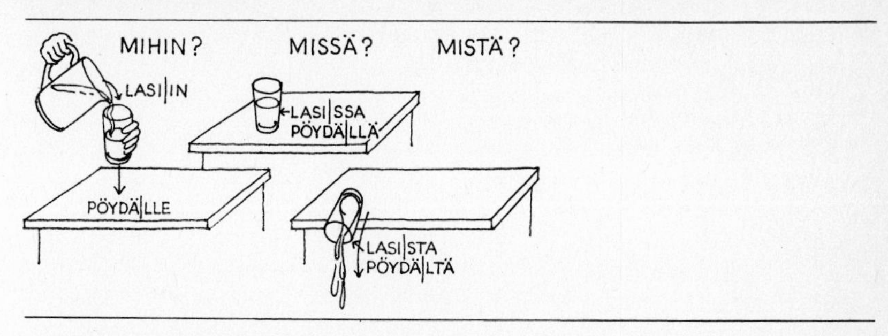

As for the stem, five of the local cases have the genitive stem; the sixth also, but modified (see lesson 12, p. 99).

Reader

Hyvät ystäväni Johnsonit tulevat huomenna Montrealista tänne Helsinkiin. He lähtevät Kanadasta tänään, tiistaina. He ovat Helsingissä keskiviikosta lauantaihin. Heillä on ohjelmaa joka ilta. Keskiviikkona he tapaavat muutamia vanhoja ystäviä. Torstai-iltana menemme konserttiin ja sieltä ravintolaan. Perjantaina lähdemme maalle. Meillä on kesämökki kuusikymmentä kilometriä Helsingistä Hämeenlinnaan päin, ja haluamme viedä Johnsonit saunaan. Tim on jo suuri saunan ystävä, mutta hänen vaimonsa on ensi kertaa Suomessa. Hän ei vielä tiedä, minkälainen paikka sauna on. No niin, sunnuntaina Johnsonit lähtevät pääkaupungista Jyväskylään ja maanantaiaamuna sieltä Lappiin. Miksi he sinne menevät? Tim sanoo, että hän haluaa filmata Lappia ja lappalaisia. Lapista he tulevat taas tänne, ja sitten heillä on jo kiire kotiin Kanadaan. Me seisomme lentoasemalla ja sanomme heille: ”Hyvää matkaa, terveisiä kaikille ja tervetuloa taas ensi kesänä Suomeen!”

Exercises

1. *Mistä mies tulee? Talosta.* Herra Smith tulee (kukkakauppa). Suomalaiset ostavat paljon kahvia (Brasilia), ulkomaat ostavat paljon paperia (Suomi). Tuo mies on suomalainen, hän on kotoisin (Kokkola), mutta hänen vaimonsa on englantilainen, kotoisin (Lontoo). Milloin lähdette (Helsinki)? Millä pysäkillä minun täytyy nousta pois (bussi)? Mistä ostatte lihaa, rouva Mäki? (Lihakauppa) tai (halli).

2. Model: *Kotimaani on Suomi, kotikaupunkini Vaasa. – Olen kotoisin Suomesta, Vaasan kaupungista.*

Juanin kotimaa on Espanja, kotikaupunki Sevilla.
Feston kotimaa on Tansania, kotikaupunki Dar-es-Salaam.
Annin kotimaa on Irlanti, kotikaupunki Dublin.
Petren kotimaa on Romania, kotikaupunki Bukarest.
Fransin kotimaa on Hollanti, kotikaupunki Haag.
Marien kotimaa on Sveitsi, kotikaupunki Geneve.
Minun kotimaani on ......, kotikaupunkini ......

3. Take imaginary trips from country to country, from capital to capital, using the map on p. 21.

4. a) A fluency game with the "in", "into", and "out of" cases. Suppose you go from one place to another according to the numbers in the picture and say aloud what you are doing. Repeat the drill until there is no hesitation.

Here's the start:
1. Olen *hotellissa.* Lähden hotelli... Menen maitokauppa...
2. Olen maitokaup... etc.

b) If desired, make the drill more demanding by adding pronouns and/or adjectives to the nouns, for example: tämä hotelli – pieni maitokauppa – hyvä lihakauppa – tuo posti – vanha ravintola – suuri bussi – oma asunto.

5. In this exercise you will deal either with the inner or the outer local cases.

	missä?	*mistä?*	*mihin?*
pöytä	Kynät ovat	Otan kynät	Panen kynät ......
laatikko	Kynät ovat	Otan ne	Panen ne ......
autotalli	Auto seisoo	Ottakaa se ......!	Pankaa se ......!
Mikonkatu	Auto on nyt	Se kääntyy ...... Esplanadille.	Toinen auto tulee ......
kaupunki	Bussi on	Bussi lähtee	Bussi tulee ......
pysäkki	Bussi on	Bussi lähtee	Bussi tulee ......
tori	Linda H. on	Nyt hän lähtee	Nyt hän tulee ......
koulu	Pekka A. on	Hän lähtee	Hän tulee ......

6. Fill in the endings (if needed).

Väinö Lehtonen on toimistossa maanantai... perjantai... , mutta lauantai... ja sunnuntai... hän on kotona.

Jussi Oja on työssä ravintolassa. Se on vuorotyötä. Jussin työvuorot ovat seuraavat:

maanantai... keskiviikko...:	kahdeksa... kolme...
torstai... lauantai...:	kolme... yhdeksä...
ja joskus sunnuntai...	kymmene... viite...

Milloin teillä on saunavuoro? Joka torstai..., mutta ei ensi viiko..., koska me menemme ensi torstai... Kemiin.

7. What are the questions to these answers:

Ville on kotoisin *Kotkasta.* Olen menossa *suomen kurssille.* Olen tulossa *saunasta.* He menevät maalle *perjantai-iltana.* Kaupat ovat auki *maanantaista lauantaihin* ja kiinni *sunnuntaina.* "Dog" on suomeksi *koira.* Ahoset menevät kesämökille autolla, *koska sinne on pitkä matka.* Neiti Y. menee tuohon kauppaan ostoksille, *koska siellä on alennusmyynti.*

8. Word review.

– Minne sinä olet ......, Olavi? – Postiin. – Mutta posti on jo ...... tänään. Minä luulen, ... sinun täytyy mennä postiin ...... – Mutta minä en ole kaupungissa, menen ...... – Onko teillä oma kesä- ......? – On, ja pieni saunakin järven ...... – Menettekö sinne ...... viikko? – Ei aivan, koska sinne on 200 ...... täältä. – Nyt minun täytyy mennä. ...... perheellesi, ... viikonloppua! – Kiitos, ...! Näkemiin.

Vocabulary

ale = alennus/myynti -myynnin -myyntiä -myyntejä	sale ("reduction sale")
arki/päivä-n-ä -päiviä	weekday, working day
auki	open
että	that
huomenna	tomorrow
järvi järven järveä järviä	lake
kampaamo-n-a-ita (cf. *kampa* comb)	hairdresser's
kello-n-a-ja	watch, clock; clock-time; bell
kerho-n-a-ja	club
kesä-n-ä kesiä	summer
kiinni	closed, shut
kilo/metri-n-ä -metrejä (abbr. *km*)	kilometer
kiva-n-a kivoja (colloq.) (= *hauska*)	nice, pleasant, interesting
kotoisin: olla k.	be from, come from, be a native of
kuten	like, as
luul/la (luule/n-t-e-mme-tte-vat)	to think, suppose, presume
melkein	nearly, almost
meno-n-a-ja	(the act of) going; pl. also: expense(s), expenditure
metri-n-ä metrejä (abbr. *m*)	meter
minne? *(= mihin?)*	where(to)? to what place?
mi/t/kä? (pl. of *mi/kä?*)	what? which?
mökki mökin mökkiä mökkejä	cottage, cabin, hut

ohjelma-n-a ohjelmia	program
oma-n-a omia	own (adj.)
pyhä/päivä (cf. *pyhä* sacred, holy)	holiday, Sunday
ranta rannan rantaa rantoja	shore, bank, (sea, river) side
samoin *(= samaten)*	likewise, in the same way
sinne (cf. *siellä, sieltä*)	there(to), to that place
suljettu suljetun suljettu/a-ja	closed, shut
taas	again; on the other hand
tapahtu/a (tapahtuu tapahtuvat)	to happen, occur, take place
tava/ta (tapaa/n-t tapaa -mme-tte -vat)	to meet, encounter
terveiset terveisiä (pl.)	greetings, regards, love
todella	really, indeed
tulo-n-a-ja	(the act of) coming, arrival; pl. also: income, proceeds
täältä (cf. *täällä, tänne*)	from here
viikko viikon viikkoa viikkoja	week
viikon/loppu -lopun -loppua -loppuja	weekend
Viikonpäivät:	Days of the week:
maanantai-n-ta	Monday
tiistai-n-ta	Tuesday
keski/viikko -viikon -viikkoa	Wednesday
torstai-n-ta	Thursday
perjantai-n-ta	Friday
lauantai-n-ta	Saturday
sunnuntai-n-ta	Sunday
sunnuntai/na	on Sunday

X

auto/talli-n-a -talleja	garage
merki/tä (merkitse/n-t-e-mme-tte -vät)	to mean, signify, denote
tuonne (cf. *tuolla, tuolta*)	to that place (over there)
tänne (cf. *täällä, täältä*)	here(to), hither
ulko/maa-n-ta -maita	foreign country
vailla (vaille)	lacking, without; (in telling time:) to, of

viime (indecl.) *(≠ ensi)*	last (≠ next), latest
yli	over; (in telling time:) past

12

Matti Suomelan päiväohjelma

Matti Suomela's daily program

1. Mihin aikaan te nousette aamulla?
2. Minä nousen aina seitsemältä. Syön aamiaista puoli kahdeksalta.
3. Mitä te syötte aamiaiseksi?
4. Minä syön voileipää ja juon teetä.
5. Ettekö te juo kahvia?
6. En. Minä en pidä kahvista, vaikka suomalaiset tavallisesti pitävät siitä.
7. Milloin te menette työhön?
8. Kello yhdeksän.
9. Kuinka kauan te olette työssä?
10. Kolme tuntia aamupäivällä, neljä iltapäivällä. Lauantaina minä en ole työssä.
11. Syöttekö te lounasta kotona?
12. Lounasta me emme syö koskaan kotona. Lapset syövät koulussa, me vanhemmat ravintolassa.
13. Milloin teidän perheessänne on päivällinen?
14. Viideltä, paitsi sunnuntaina.
15. Mitä te teette päivällisen jälkeen?
16. Joskus teen työtä, joskus lepään. Usein minä autan vaimoani. Sitten minä luen lehtiä tai kirjoitan kirjeitä.

1. What time do you get up in the morning?
2. I always get up at seven. I have breakfast at half past seven.
3. What do you eat for breakfast?
4. I eat bread and butter and I drink tea.
5. Don't you drink coffee?
6. No, I don't like coffee, although Finns usually like it.
7. When do you go to work?
8. At nine.
9. How long do you work?
10. Three hours in the morning, four in the afternoon. I don't work on Saturday.
11. Do you have lunch at home?
12. We never have lunch at home. The children eat at school; we parents eat at a restaurant.
13. When do you have dinner in your family?
14. At five, except on Sunday.
15. What do you do after dinner?
16. Sometimes I work, sometimes I rest. I often help my wife. After that I read the papers or write letters.

17. Kuinka te vietätte iltanne?	17. How do you spend your evenings?
18. Katselemme televisiota. Vaimoni ei paljon välitä siitä, paitsi kun on oikein hyvää ohjelmaa. Hän haluaa kuunnella radiota. Joskus me menemme elokuviin, ja niin edelleen.	18. We watch television. My wife doesn't care for it much, except when there is a very good program. She wants to listen to the radio. Sometimes we go to the cinema, and so on.
19. Pidättekö te musiikista?	19. Do you like music?
20. Pidän kyllä.	20. Yes, I do.
21. Minkälaisesta musiikista te pidätte?	21. What kind of music do you like?
22. Kaikesta hyvästä musiikista. Meillä on levysoitin ja paljon hyviä levyjä. Me kuuntelemme niitä usein illalla, ennen kuin menemme nukkumaan.	22. All good music. We have a record-player and many good records. We often listen to them in the evening before we go to bed.
23. Ja millä tavalla suomalaiset viettävät viikonloppua?	23. And in what manner do Finns spend the weekends?
24. Eri ihmiset eri tavalla. Monet menevät maalle. Nuoret menevät tanssimaan lauantai-iltana. Sunnuntaina emme nouse kovin aikaisin, vaan nukumme myöhään. Muutamat menevät kirkkoon. Iltapäivällä menemme ehkä kylään, tai meille tulee vieraita. Jos ilma on kaunis, olemme paljon ulkona.	24. Different people in different ways. Many people go to the country. Young people go dancing on Saturday night. We don't get up very early on Sunday, we sleep late. Some people go to church. In the afternoon we may visit friends, or we have guests. If the weather is fine, we stay outdoors a great deal.

Perheessä on yksi **lapsi,**
kaksi **lasta,**
paljon **lapsia.**

Tyttö **pitää** tanssi**sta**, mutta
ei pidä | **ei välitä** teatteri**sta.**

mennä nukku**maan,** kävele**mään,** tanssi**maan,** katso**maan** hyvää elokuvaa.

Minulla on korvat, minä **kuulen**; voin **kuunnella** musiikki**a.** Minulla on silmät, minä **näen**; voin **katsella** televisio**ta.**

tehdä työtä to work, not to be idle
olla työssä (also:) to work outside home, have a job (colloq. **olla töissä**)

Structural notes

1. Present tense negative

olla to be (affirmative: *minä ole/n*)

Negative present			Negative question		
(minä) en	*ole*	I am not	*en/kö (minä)*	*ole?*	am I not?
(sinä) et		you are not	*et/kö (sinä)*		are you not?
hän ei		he/she is not	*ei/kö hän*		etc.
(me) emme		we are not	*emme/kö (me)*		
(te) ette		you are not	*ette/kö (te)*		
he eivät		they are not	*eivät/kö he*		

Note that

- the negation changes like a verb: **en, et, ei, emme, ette, eivät;**
- the verb itself does not change: **ole.**

You get this stem from the 1st pers. present tense affirmative by dropping the ending *-n*.

Colloquial short forms: *mä en oo* ”minä en ole”, *sä et oo* ”sinä et ole”, *et(kö) sä oo* ”etkö sinä ole”, *eik(ö) se oo* ”eikö se ole” etc.

2. More expressions of time

mihin aikaan?	*(kello) kahde/lta* (colloq. *kello kaksi*)	what time?	at two o'clock

aamu	morning	*aamu/lla*	in the morning
ilta	evening	*illa/lla*	in the evening

3. ”to like” in Finnish

Pidättekö kahvi/sta?	Do you like coffee? (Are you fond of coffee?)
Pidän Suome/sta,	I like Finland,
työ/stä,	work,
neiti Salo/sta,	Miss Salo,
tei/stä.	you.

With the verb *pitää* to like, be fond of, Finnish idiomatically uses the ”out of” case, likewise with the verb *välittää* to care:

Matti ei välitä musiiki/sta. Matti does not care about music.

4. k p t changes (consonant gradation)

When inflecting verbs or nouns, you have often noticed consonant changes in the stems of the words. This phenomenon, called **consonant gradation,** is very characteristic of the Finnish language.

The consonants subject to these regular changes are *k, p, t,* either alone or in combination with certain other consonants.

(a) "Strong" grade		(b) "Weak" grade		
o**tt**aa	he takes	o**t**an	I take	**(tt:t)**
kau**pp**a	shop	kau**p**at	the shops	**(pp:p)**
Mi**kk**o	Michael	Mi**k**on	Michael's	**(kk:k)**

tt, pp, kk occur when following syllable is **open** (ends in a vowel). It is called the **strong grade.**

When the following syllable becomes **closed** (ends in a consonant), *tt* weakens into *t, pp* into *p, kk* into *k.* This is called the **weak grade.**

(a)		(b)		
pi**t**ää	he likes	pi**d**än	I like	**(t:d)**
lei**p**ä	bread, loaf	lei**v**ät	the loaves	**(p:v)**
lu**k**ea	to read	luemme	we read	**(k:-)**
s**uku**	family, relatives	s**uvu**n	of the family	**(uku:uvu, yky: yvy)**

The single consonants *t, p, k* may also occur as the strong grade (before the open syllable). In the weak grade (before closed syllable) *t* weakens into *d, p* into *v,* and *k* mostly disappears entirely.

(a)		(b)		
a**nt**aa	he gives	a**nn**an	I give	**(nt:nn)**
i**lt**a	evening	i**ll**alla	in the evening	**(lt:ll)**
ymmä**r**- **t**ää	he understands	ymmä**rr**ät	you understand	**(rt:rr)**
ka**mp**a	comb	ka**mm**at	the combs	**(mp:mm)**
Helsi**nk**i		Helsi**ng**issä	in H.	**(nk:ng)**
su**lk**ea	to shut	su**lj**et	you shut	**(lke:lje, rke: rje, hke:hje)**

The last group of examples shows *t, p,* and *k* combined with another consonant in the strong grade, and the corresponding weak grades.

Why **Turkuun, Helsinkiin?** If the closed syllable contains *a long vowel,* there will always be *strong grade.*

Knowing this, it is possible to reformulate the temporary rule of the »into» form on p. 69: the gen. stem is used to form all six local cases, but it must appear in the strong grade in the "into" form: *Lahti,* gen. *Lahde/n; Lahte/en* to Lahti; *vesi,* gen. *vede/n; vete/en* into water; *kaksi,* gen. *kahde/n; kahte/en* to two.

Reader

Bob Miller, nuori ulkomaalainen, asuu nyt Helsingissä. Hän on töissä suomalaisessa arkkitehtitoimistossa. Minkälainen Bobin päiväohjelma on? No, arkena hän nousee seitsemältä. Hän syö aamiaista kello puoli kahdeksan. Hän syö aamiaiseksi kaksi munaa (paistettua tai keitettyä), paahtoleipää (toast), juustoa ja marmelaatia ja juo kaksi kuppia kahvia. Hän ei juo koskaan teetä. Hän ei pidä teestä, vaikka englantilaiset melkein aina pitävät siitä. Puoli yhdeksältä hän lähtee bussilla töihin. Matka on niin pitkä, että hän ei voi kävellä toimistoon. Lounasta hän syö pienessä ravintolassa lähellä toimistoa, päivällistä hyvin usein kotona. Päivällisen jälkeen hän menee suomen tunnille tai lukee lehtiä ja kirjoittaa kirjeitä kotimaahan. Usein hän myös kuuntelee musiikkia. Hänellä on stereo ja paljon hyviä äänilevyjä. Hän pitää kaikesta hyvästä musiikista, myös pop-musiikista. Televisiota Bobilla ei ole, koska hän ei välitä siitä, mutta hänellä on pieni matkaradio.

Joskus Bob menee illalla kylään, koska hänellä on paljon suomalaisia ystäviä, tai hän ja Eeva menevät elokuviin tai tanssimaan. Eeva on Bobin tyttöystävä. Hän haluaisi viedä poikaystävänsä teatteriin, koska hän pitää teatterista kuten suomalaiset tavallisesti, mutta valitettavasti Bob ymmärtää vielä suomea liian huonosti. Kun tulee kaunis viikonloppu, Eeva ja Bob ovat paljon ulkona ja tekevät usein pitkiä kävelymatkoja.

Exercises

1. Model: *Minä en ole suomalainen,* *minä en puhu suomea.*
Sinä ...... *sinä ......*
Hän ...... *hän ......*
Me emme ole suomalaisia, *me emme puhu suomea.*
Te ...... *te ......*
He ...... *he ......*

Conjugate similarly: Jos minä (ei tehdä) työtä, minä (ei oppia). Minä (ei juoda) kahvia, koska minä (ei pitää) siitä. Minä (ei kuunnella) Suomen radiota; minä (ei ymmärtää) suomea niin hyvin.

2. a) In this exercise, give short negative answers (model: *Voitko auttaa minua? – En voi*). Answer the *sinä* questions with *minä* and the *te* questions with *me*.

Katsooko Pekka usein tv:tä?
Katsovatko Pekka ja Paavo usein tv:tä?
Katsotteko te usein tv:tä?
Katsotko sinä usein tv:tä?
Lähdettekö elokuviin?
Lähteekö Pekka elokuviin?
Lähtevätkö Pekka ja Paavo elokuviin?
Lähdetkö elokuviin?

Otatko kahvia?
Ottaako Liisa kahvia?
Otatteko kahvia?
Ottavatko Pekka ja Paavo kahvia?
Otammeko kahvia?
Luetko paljon?
Luetteko paljon?
Lukeeko Pekka paljon?
Lukevatko Pekka ja Paavo paljon?

b) Puhutko suomea? Asutko keskustassa? Opiskeletko venäjää? Seisotko usein bussissa? Panetteko kahviinne sokeria? Kirjoitatteko usein kirjeitä? Kävelettekö joka päivä 10 km? Tiedättekö, mitä *löyly* on englanniksi? Opimmeko aina kieliä nopeasti? Annammeko Villelle vielä olutta? Puhunko minä liian nopeasti? Olenko sopiva tähän työpaikkaan? Kävelenkö liian hitaasti? Kuuleeko tuo vanha herra hyvin? Näkeekö hän hyvin? Pitääkö ystävänne saunasta? Nukkuuko James myöhään joka aamu? Ymmärtävätkö espanjalaiset tavallisesti suomea? Näkevätkö suomalaiset usein intialaisia elokuvia? Pitävätkö kaikki jazz-musiikista? Nukkuvatko kissat aina yöllä?

3.a) Model: *Pidän kalasta. – En pidä kalasta.*

Te ymmärrätte meitä. James lukee paljon. Suomelan lapset kuuntelevat usein radiota. Sinä tiedät, mitä teet. Me tapaamme kovin usein. Maija auttaa Mattia. Hänellä on aikaa.

b) Model: *Haluatko teetä? – Etkö halua teetä?*

Lähdetkö konserttiin tänä iltana? Tiedätkö, mitä *horse* on suomeksi? Pidätkö Sibeliuksen musiikista? Juotko kahvia? Maistatteko tätä ruokaa? Ymmärrättekö mitä sanon? Kuuletteko? Näettekö, että lapsi menee suoraan kadulle? Pitääkö Bill saunasta? Menevätkö tytöt teatteriin? Ovatko he kotona?

4. Tell us what you like and what you do not like:

Minä pidän	kahvi	teatteri	suomalainen sauna
(Minä en pidä)	tee	ooppera	Helsinki
(Minä en välitä)	maito	baletti	suomalainen ruoka
	olut	pop-musiikki	suomen kieli
	viini	jazz	
	suklaa	televisio	
	kaakao	klassinen musiikki	

5. Find the questions.

Minä nousen *seitsemältä*. Syömme aamiaista *kello puoli kahdeksan*. Antti *syö voileipää ja juo teetä. Koska hän ei pidä kahvista.* Olen työssä *seitsemän tuntia*. Päivällisen jälkeen *luen usein suomea*. Me *kuuntelemme musiikkia tai katsomme tv:tä. En, en pidä* teestä. *Ei,* Eeva *ei pidä siitä,* hän pitää kahvista. *Emme,* sunnuntaina me nukumme myöhään.

6. Word review.

Aamulla me syömme ......, kello 11–13 syömme ...... ja kello 16–18 syömme ...... Aamulla en juo ...... teetä, juon aina kahvia. Aamiaisen ...... menen työhön. Kävelen sinne, ... kun on oikein kylmä ilma. Illalla minä ...... lehtiä tai ...... musiikkia radiosta. Meillä on myös uusi ......, niin että kuuntelen usein levyjä. Viikonloppuna haluan tavata ystäviäni. Jos en mene itse ......, meille tulee ...... Lauantai- ja sunnuntaiaamuna nukun aika ......, koska minun täytyy viikolla nousta joka aamu niin ......

7. In this rather mechanical exercise, note which forms in the inflection of verbs and nouns mostly produce the strong, and which the weak grade.

a) Write out the present tense affirmative of the following verbs:

auttaa to help				*pitää* to like, be fond of	
		Weak grade	Strong grade	Weak grade	Strong grade
Sing.	1.	....		....	
	2.	....		....	
	3.		....		....
Pl.	1.	....		....	
	2.	....		....	
	3.		....		....

tehdä to do, to make				*antaa* to give; to let do	
		Weak grade	Strong grade	Weak grade	Strong grade
Sing.	1.	....		....	
	2.	....		....	
	3.		....		....
Pl.	1.	....		....	
	2.	....		....	
	3.		....		....

An overwhelming majority of Finnish verbs will follow the pattern shown above. (About the verbs in *-la* and *-ta* see lesson 15:1:c,d.)

b) Write out the forms of nouns indicated below:

kauppa	Sing.		Pl.	
	Strong grade	Weak grade	Strong grade	Weak grade
Tämä on iso	......			
Nämä isot				......
Mikä tämän		...... nimi on?		
Tällä kadulla on monta	......			
Täällä on paljon			......	
Rva A. on nyt		......		
Hän lähtee pois		......		
Nti H. tulee	......			

pöytä				
Tässä on	......			
Tässä ovat				......
Mikä tämän		...... hinta on?		
Kaupassa on monta	......			
Siellä on paljon			......	
Kirjat ovat		......		
Otan kirjat		......		
Panen ne		......		

All Finnish nouns ending in a single vowel other than *-e* or *-i* will follow the pattern shown in b).

8. Knowing the consonant gradation well is very important if, for instance, you want to look up Finnish words in a dictionary and to use them properly in different contexts.

a) Here are some words new to you, nouns and verbs, given in their basic forms and strong grade. Use them in the right-hand sentences, in which they will all have weak grade.

lakki cap	Tämän ...... hinta on 18,–.
laki law	Fysiikan opiskelija tietää kaikki fysiikan ......
sota war	Milloin kaikki ...... loppuvat?
Pentti	...... sukunimi on Ollikainen.
pappi clergyman	...... puhuvat sunnuntaina kirkossa.
papu bean	Lapset, syökää kaikki nuo ......!
kenkä shoe	Tytön ...... ovat liian pienet.
lentää to fly	Huomenna me ...... Pariisiin.
piirtää to draw	Sinä ...... hyvin, pikku ystävä.
kulta gold	Tiedätkö, mikä ...... hinta nyt on?

b) Here the unknown words are given in a context and in weak grade. What do you think are their basic forms, which you will need in order to look them up in a dictionary?

	Basic form
Kaikki *serkut* tulevat meille kylään huomenna.	....
Nuo *hatut* eivät ole kauniita.	....
Ystäväni L. asuu *Hangossa.*	....
Sillalla on paljon autoja.	....
Tahdon vain auttaa sinua.	....
Kesämökillä *kylvemme* aina saunassa.	....
Sinä *äännät* hyvin suomen kieltä.	....
Aion kuunnella tätä radio-ohjelmaa.	....

Vocabulary

aamiai/nen-sen-sta-sia	breakfast
aamu/päivä-n-ä -päiviä	forenoon, morning
aika ajan aikaa aikoja	time
mihin aikaan?	(at) what time?
aikaisin (≠ *myöhään*)	early (at an early hour)
autta/a (auta/n-t au**tt**aa auta/mme-tte auttavat)	to help, aid, assist
autan sinu/a, hän/tä	I help you, him
edelleen	on, onward, further
ja niin edelleen (abbr. *jne.*)	and so on (etc.)
elo/kuva-n-a -kuvia	moving picture, movie, film
eri (indecl.) (≠ *sama*)	different
ihmi/nen-sen-stä-siä	human being, person, man; pl. people

ilta/päivä-n-ä -päiviä	afternoon
jälkeen (+ *gen.*)	after
päivällise/n jälkeen	after dinner
kauan (also: *kauan aikaa*)	long, for a long time
kirkko kirkon kirkkoa kirkkoja	church
koskaan (= *milloinkaan*)	ever
ei koskaan (= *ei milloinkaan*)	never
kovin (= *hyvin, oikein*)	very
kun	when (when beginning a clause)
kuunnel/la (kuuntele/n-t-e-mme -tte-vat)	to listen to, in
kuuntelen musiikki/a, radio/ta	I listen to music, the radio
kylä-n-ä kyliä	village
mennä kylään	to go and visit people
lapsi lapsen **lasta** lapsia	child
lehti lehden lehteä lehtiä	newspaper, magazine; leaf
levy-n-ä-jä	(thin) flat piece, plate; disc; record
levy/soitin -soittimen -soitinta -soittimia	record player
levä/tä (lepää/n-t lepää -mme -tte-vät)	to rest
lounas lounaan lounasta lounaita	lunch; south-west
luke/a (**lue/n**-t **lukee** lue/mme -tte lukevat)	to read
musiikki musiikin musiikkia	music
myöhään (≠ *aikaisin*)	late
nukku/a (nu**k**u/n-t nu**kk**uu nuku/mme-tte nukkuvat)	to sleep
mennä nukkumaan	to go to bed
paitsi	besides; except
paitsi sinu/a,tei/tä	except you
pitä/ä (pi**d**ä/n-t pi**t**ää pidä/mme-tte pitävät)	to keep, hold; to like, be fond of
pidän Jane/sta	I like, I'm fond of Jane
päivälli/nen-sen-stä-siä	dinner
siitä ("out of" case of *se*)	
hän pitää siitä	he likes it
tanssi/a (tanssi/n-t-i-mme-tte-vat) (cf. *tanssi* dance)	to dance
tapa tavan tapaa tapoja	way, manner; habit, custom

teh/dä työtä	to work
tunti tunnin tuntia tunteja	hour; lesson
ulkona (≠ *sisällä*)	outside, out of doors
usein	often
vaan	but (after negative sentences)
vaikka	although, even if
vanhemmat vanhempia (from *vanhempi* older)	parents
vieras vieraan vierasta vieraita	strange, unknown, foreign; guest, visitor; pl. company, party
viettä/ä (vietä/n-t viettää vietä/mme-tte viettävät)	to spend, pass time; to celebrate
voi/leipä -leivän -leipää -leipiä	bread and butter; sandwich
voileipä/pöytä	”smörgåsbord”
välittä/ä (välitä/n-t välittää välitä/mme-tte välittävät)	to care for, about
en välitä häne/stä	I don’t care for him
ääni/levy	record (”sound-disc”)

X

arkki/tehti -tehdin -tehtia -tehteja	architect
baletti baletin balettia baletteja	ballet
klassi/nen-sen-sta-sia	classic, classical
marmelaati-n-a marmelaateja	marmalade, jam
paahto/leipä	toast
tanssi-n-a tansseja	dance

13

Liisa Salo lähtee matkalle

Liisa Salo matkustaa Jyväskylään. Hän soittaa lentotoimistoon ja tiedustelee aikatauluja ja hintoja.

Liisa Salo takes a trip

Liisa Salo is going to Jyväskylä. She calls the air-terminal and inquires about the schedules and prices.

Sitten hän ajattelee asiaa.
– Minun täytyy laskea rahani. Haluaisin kyllä lentää. Mutta sitten minulla ei ole yhtään rahaa jäljellä...
Sen jälkeen hän soittaa linja-autoasemalle.

1. L. Mihin aikaan aamulla lähtee ensimmäinen linja-auto Jyväskylään?
2. Neuvonta. Hetkinen... Lähtöaika on 5.45, laituri 56.
3. L. Ja koska se saapuu Jyväskylään?
4. N. Kello 12.15.
5. L. Onko vielä vapaita paikkoja? – Selvä on, kiitos, kuulemiin.

Liisa ei varaa lippua heti, hän ajattelee vielä kerran. Kello 12.15? Hän saapuu sinne liian myöhään. Paras matkustaa yöjunalla.
Liisa pakkaa matkatavaransa ja ottaa taksin. Taksi vie Liisan rautatieasemalle. Ystävällinen kuljettaja kantaa toisen matkalaukun sisään. Se on hyvä, koska Suomessa ei ole helppo löytää kantajaa.
Liisa ostaa matkalipun.

6. L. Jyväskylä, toinen luokka. Onko makuupaikkoja? Yksi naispaikka tämän illan junaan.
7. Virkailija. Ei ole, Jyväskylän makuuvaunu on loppuunmyyty.
8. L. No, sitten paikkalippu pikaju-

Then she thinks it over.
– I must count my money. I do want to fly. But then I won't have any money left...
After this she calls the bus station.

1. L. What time in the morning does the first bus leave for Jyväskylä?
2. Information. Just a moment... The time of departure is 5.45, platform 56.
3. L. And when does it arrive in Jyväskylä?
4. I. At 12.15.
5. L. Are there any vacant seats left? – All right, thank you, goodbye.

Liisa does not reserve a ticket at once; she thinks once more. At 12.15? She will be there too late. Better take the night-train.
Liisa packs her baggage and takes a taxi. The taxi takes Liisa to the railroad station. The friendly driver carries one of the suitcases in. That's good, because it is not easy to find a porter in Finland.
Liisa buys the ticket.

6. L. Jyväskylä, second class. Are there any sleeping berths left? One berth for a woman on tonight's train.
7. Clerk. There aren't any left – the Jyväskylä sleeping-car is sold out.
8. L. Well, a seat-ticket, then, for

naan. Ei-tupakkavaunu. Ikkunapaikka, jos on.
9. V. Katsotaan. On kyllä.

the express train. A non-smoker. A window seat, if there is one.
9. C. Let's see. Yes, there is.

Liisa lähettää matkatavaraa.

Liisa checks some baggage.

10. L. Haluaisin lähettää matkatavaraa Jyväskylään. Nämä kaksi matkalaukkua.
11. V. Jaha, katsotaan, paljonko ne painavat. Kaksikymmentä kiloa. Haluatteko vakuutuksen?
12. L. En kai.
13. V. Saanko nähdä matkalipun? Kiitos. Kuittinne, olkaa hyvä.

10. L. I'd like to check some baggage through to Jyväskylä. These two suitcases.
11. C. Well, let's see how much they weigh. Twenty kilos. Do you want insurance?
12. L. No, I don't think so.
13. C. May I see your ticket, please? Here is your receipt.

Kello on 22.30. Liisa istuu junassa. Matka voi alkaa.

It's half past ten. Liisa is sitting in the train. The journey can begin.

Me laskemme: $1 + 1 = 2$
$2 \cdot 2 = 4$
Me laskemme myös: 1, 2, 3, 4, 5, 6, 7 . . .

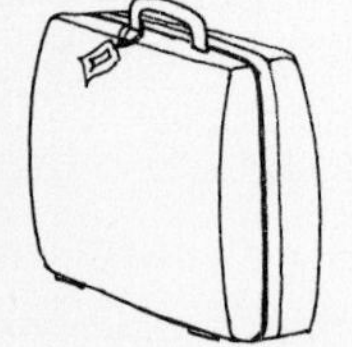

Tämä matkalaukku painaa paljon. Se on painava (raskas).

Tämän laukun paino on vain 4 kg, se on kevyt.

Hän on **sisällä.**

Hän on **ulkona.**

Sisään!

Ulos!

Structural notes

1. Direct object

In the English sentence "Mrs. Bradley takes the package from the counter", the word *package* indicates a thing directly affected by the action of the verb and is therefore called **direct object.** In many languages the direct object appears in certain special forms. (In English this is still the case with some pronouns: he cannot hear *me, us* etc.)

Examples of the direct object in Finnish:

Affirmative sentence		Negative sentence	
Anna ottaa pa-keti/n.	Anna takes the package.	*Anna ei ota pa-ketti/a.*	Anna does not take the pack-age.
Anna ottaa pa-keti/t.	Anna takes the packages.	*Anna ei ota pa-kettej/a.*	Anna does not take the pack-ages.

Rule: In an **affirmative** sentence the direct object is
- in **genitive** in the **sing.,**
- in **basic form** in the **pl.**

In a **negative** sentence the direct object is always in the **partitive.**

Note, however, that partitive also occurs in affirmative sentences when speaking of an indefinite amount or number:

Ostan maito/a ja peruno i/ta. I'll buy some milk and potatoes.

(More about the direct object in lesson 24:1.)

2. Adjectives agree with nouns

Uusi talo.	A new house.	*Uude/n talo/n hinta.*	The price of a new house.
Mikä talo?	Which house?	*Uude/t talo/t.*	The new houses.
		Mi/ssä talo/ssa?	In which house?
Se talo.	That house.	*Siitä talo/sta.*	Out of that house.

Adjectives and pronouns agree with the noun which they modify both in **case** and **number.**

Talo on uusi.	The house is new.
Talo/t ovat uus/i/a (uude/t).	The houses are new.

The adjective complement of the verb *olla* agrees with the subject in **number.** In the pl., the adjective is far more often in the partitive than in the basic form. (More about the complement of *olla* in lesson 23:3.)

Reader

Kalle Oksasen täytyy matkustaa Vaasaan. Hän matkustaa junalla, koska hänellä on vain vähän rahaa, mutta paljon aikaa ja myös paljon matkatavaraa. Ensin hän soittaa taksin taksiasemalta. Hän ottaa numeron ja sanoo: – Saanko taksin, osoite on Kirkkokatu 1 A. Taksi tulee. Rautatieasemalle, Kalle sanoo. Taksi vie Kallen asemalle viidessä minuutissa. Kun he tulevat sinne, Kalle sanoo kuljettajalle: – Voitteko auttaa minua vähän? Matkalaukkuni ovat aika painavat. Ystävällinen kuljettaja kantaa toisen laukun sisään. Hän tietää, että Helsingin asemalla on vähän kantajia.

Kalle ostaa sitten matkalipun Vaasaan. Hän haluaisi makuuvaunupaikan, mutta virkailija sanoo, että Vaasan makuuvaunu on valitettavasti loppuunmyyty. Kalle ostaa paikkalipun toisen luokan tupakkavaunuun, mutta hän ei saa ikkunapaikkaa, kuten haluaisi. Hän lähettää 40 kiloa matkatavaraa Vaasaan. Hän ottaa myös matkatavaravakuutuksen. Pienen laukun hän ottaa mukaan junaan. Juna lähtee 21.45, niin että Kallella on vielä parikymmentä minuuttia aikaa. Hän menee asemaravintolaan kahville. Lopuksi hän ostaa vielä muutamia lehtiä. Niitä hän voi lukea yöllä junassa.

Exercises

1\. a) Model: *Luen kirjan. – En lue kirjaa.*
Matti kirjoittaa kirjeen. Metsät ottavat taksin. Löydämme aina kantajan. Pekka vie paketin postiin. Tarjoilija antaa neiti Salolle ruokalistan. Neiti Salo syö pihvin. Herra Joki maksaa laskun. Ymmärrän tämän sanan. Katriina ostaa tuon sanakirjan. Tapaan usein sen miehen.

b) Model: *En lue kirjaa. – Luen kirjan.*
Emme osta televisiota. Tim ei löydä heti postitoimistoa. En pane kirjaa pöydälle. Lapset

eivät halua kissaa. James ei varaa lippua Turun pikajunaan. Liisa ei vietä tätä iltaa kotona. Kantaja ei kanna matkalaukkua junaan. Emme vie Mattia asemalle autolla.

2. The following statements may be false. If so, make them negative.

Haluan syödä suuren kalan joka päivä. Suomalaiset vanhemmat vievät lapset usein viikonloppuna kesämökille. Tänään ostan matkalipun Kongoon. Ravintolassa tarjoilija tuo ruokalistan, me maksamme laskun. Hissipoika tuo tavallisesti matkalaukut junaan. Neuvonta myy meille tavallisesti matkaliput. Kaikki perheet viettävät aina kaikki illat kotona. Rautatieaseman neuvonta antaa meille kaikki aikataulu- ja hintatiedot, mitä haluamme.

3. Fluency game with the direct object.

a) Start: En halua *radiota,* haluan *television.*
En halua *televisio...*, haluan *kirja...*

Go on using the following words: lehti, postikortti, kirje, paketti, teatterilippu, elokuvalippu, omena, voileipä.

b) Start: En halua *laseja,* haluan *nuo kupit.*
En halua *kuppeja,* haluan *nuo postikort...*

Go on using the plural forms of the following words: lehti, savuke, tulitikku, hedelmä, kukka, tomaatti, appelsiini, omena.

4. a) Nuo (kaunis) tytöt ovat Päivi ja Anja Koponen. Kuka asuu (tuo uusi) talossa? Tämä kirje on (tavallinen) postia. Onko teillä kaksi (vapaa) huonetta? Jamesilla on paljon (hyvä) ystäviä; kaikki pitävät (tämä amerikkalainen nuori) miehestä. En ymmärrä (moderni) musiikkia, sinä taas et pidä (klassinen) musiikista. Ostatko (kallis) vai (halpa) kameran? Kun tulee kesä, tulevat (lämmin) ilmat. Hra Ikonen lähtee (lyhyt) matkalle. Tämä kynä ei ole hyvä, voitko antaa minulle (parempi) kynän? Kalle ja Ville ovat (paras) ystävät, mitä minulla on.

b) Model: *Kukka on kaunis. – Kukat ovat kauniita.*

Tyttö on nuori. Mies on jo vanha. Poika on suomalainen. Lapsi on pieni. Kesäpäivä on lämmin. Yö on kylmä. Kirja on hauska. Tie on huono. Kieli ei ole helppo. Junalippu on halpa. Huone ei ole vapaa. Lentomatka on kallis.

5. Word review.

Paavo ...... junalla Kouvolaan. Koska hänellä on paljon ......, hän ottaa taksin ...... asemalle. Hän tietää, milloin junat lähtevät ja ......, koska hänellä on uusi ...... Koska matka tapahtuu yöllä, Paavo haluaisi saada ......paikan. Hän ei saa sitä, koko vaunu on ...... Hän ostaa paikkalipun toisen ...... tupakkavaunuun.

Vocabulary

aika/taulu-n-a-ja	time-table, schedule
ajatel/la (ajattele/n-t-e-mme -tte-vat) (cf. *luulla* to think, assume)	to think, think over, reflect
ajattelen hän/tä	I think of him
alka/a (**ala/n**-t al**k**aa ala/mme -tte alkavat)	to begin, start, commence

asia-n-a asioita	thing, matter; errand; question, point
ikkuna-n-a ikkunoita	window
istu/a (istu/n-t-u-mme-tte-vat)	to sit
juna-n-a junia	train
jäljellä	left, remaining
kanta/a (ka**nn**a/n-t ka**nt**aa kanna/mme-tte kantavat)	to carry, bear
kantaja-n-a kantajia	porter, redcap
kerran (kaksi kertaa, kolme kertaa)	once (twice, three times)
vielä kerran	once more
kuitti kuitin kuittia kuitteja	receipt
kuljettaja-n-a kuljettajia (from *kuljetta/a* carry, transport)	driver
kuulemiin (cf. *näkemiin*)	goodbye (in telephone conversation)
laituri-n-a laitureita	platform, pier, landing, wharf
lento/toimisto-n-a-ja	air terminal
lentä/ä (le**nn**ä/n-t le**nt**ää lennä/mme-tte lentävät)	to fly
loppuun/myyty -myydyn -myyty/ä-jä	sold out
luokka luokan luokkaa luokkia	class; grade, form
lähettä/ä (lähe**t**ä/n-t lähe**tt**ää lähetä/mme-tte lähettävät)	to send
lähtö lähdön lähtöä lähtöjä	leaving, going away, departure
löytä/ä (löy**d**ä/n-t löy**t**ää löydä/mme-tte löytävät)	to find, discover
makuu/paikka -paikan -paikk/aa -oja	sleeping berth
makuu/vaunu-n-ja	sleeping-car
matka/lippu -lipun -lippu/a-ja	ticket
matka/tavara-n-a -tavaroita	baggage, luggage
matkusta/a (matkusta/n-t-a-mme -tte-vat)	to travel, go, tour
neuvonta neuvonnan neuvontaa (from *neuvo* advice, *neuvo/a* to advise)	guiding, information
paina/a (paina/n-t-a-mme-tte-vat)	to weigh, have a weight of ...; to press; to print
paka/ta (pakkaa/n-t pakkaa -mme-tte-vat)	to pack

pika/juna-n-a -junia	express train
rauta/tie-n-tä -teitä (*rauta* iron)	railroad, railway
saapu/a (saavu/n-t saapuu saavu/mme-tte saapuvat)	to arrive
selvä-n-ä selviä	clear, distinct; plain, apparent
selvä on	I see, all right, okay
sisään (≠ *ulos*)	in; "come in!"
tiedustel/la (tiedustele/n-t-e -mme-tte-vat)	to inquire
tupakka/vaunu-n-a-ja	smoking-car
vakuutus vakuutuksen vakuutusta vakuutuksia (*vakuutta/a* to insure)	insurance
vara/ta (varaa/n-t varaa-mme -tte-vat)	to reserve (a table, seat, ticket)
varattu (≠ *vapaa*)	reserved, engaged, taken
yhtään: ei yhtään	none, not any, not at all
ystävälli/nen-sen-stä-siä	kind, friendly

X

kevyt kevyen kevyttä kevyitä	light, not heavy
mukaan	with, along; according to
painava-n-a painavia (≠ *kevyt*)	heavy, weighty, grave
paino-n-a-ja	weight; stress, emphasis
raskas raskaan raskasta raskaita	heavy
sisällä (≠ *ulkona*)	in, inside, indoors
ulos (≠ *sisään*)	out; "get out!"

14

Viime viikonloppu	**Last weekend**
Jussi Salo tapaa Matti Suomelan.	Jussi Salo meets Matti Suomela.
1. J. Terve, Matti! Mitäs sinulle kuuluu?	1. J. Hello, Matti! How's everything?
2. M. Kiitos, ei erikoista.	2. M. All right, thank you.

3. J. Miten viikonloppu meni? Olitteko kaupungissa?
4. M. Kirsti ja lapset olivat kotona, mutta itse kävin Turussa.
5. J. Oliko se työmatka?
6. M. Ei, meillä oli luokkakokous. Näin paljon vanhoja tovereita. Söimme lounasta eräässä kivassa ravintolassa, ja meillä oli oikein hauskaa. Mitä itse teit?
7. J. Minullakin oli mukava viikonloppu. Me kävimme Tampereella. Me lähdimme Helsingistä toissapäivänä ja tulimme takaisin eilen illalla.
8. M. Oliko paha viikonloppuruuhka?
9. J. Oli tulomatkalla. Me ajoimme Tampereelle kahdessa ja puolessa tunnissa. Mutta tulomatka kesti kolme ja puoli tuntia, liikenne oli niin vilkas.
10. M. Mitä te teitte Tampereella?
11. J. Meillä on siellä tuttavia. Kävimme heillä. Sitten me katselimme vähän kaupunkia. Lapset olivat ensi kertaa Tampereella. Ja siellä on paljon nähtävää.
12. M. Minäkin pidän Tampereesta. Se on siisti ja kaunis, vaikka onkin tehdaskaupunki. Käyn siellä usein. Ostitteko te jotakin?
13. J. Ei mitään erikoista. Lapset ostivat pari pientä matkamuistoa.

3. J. How was the weekend? Did you stay in town?
4. M. Kirsti and the children stayed at home but I myself went to Turku.
5. J. Was it a business trip?
6. M. No, we had a class reunion. I saw many old friends. We had lunch in a nice restaurant and we had a very good time. What did you do yourself?
7. J. I had a nice weekend too. We went to Tampere. We left Helsinki the day before yesterday and came back last night.
8. M. Was there a bad weekend rush?
9. J. Yes, on the way back. We drove to Tampere in two and a half hours. But the journey back took three and a half hours, the traffic was so heavy.
10. M. What did you do in Tampere?
11. J. We've got some friends there. We visited them. Then we looked at the city a bit. The children were in Tampere for the first time. And there is a great deal to see.
12. M. I like Tampere, too. It is clean and pretty, although it is a factory town. I often go there. Did you buy something?
13. J. Nothing special. The children bought a couple of little souvenirs.

– Söimme **eräässä** ravintolassa (at **a** restaurant).
– Mikä **sen** ravintolan nimi oli (name of **the** restaurant)?

meillä = meidän talossa, perheessä
Voit asua meillä, Tim.
Tulkaa meille kylään!

"friend"
ystävä
tuttava (less close)
toveri (colloq. **kaveri**):hyvä toveri, vanha toveri, koulu-, luokka-, opiskelutoveri, työtoveri, huonetoveri, kirjeenvaihtotoveri

---

käydä

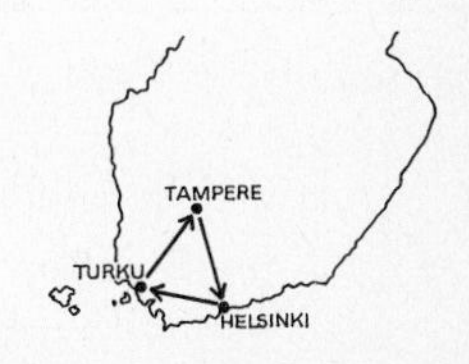

Kello käy (ei seiso).

Moottori ei käy normaalisti.

Ahot matkustavat, he käyvät Turu**ssa** ja Tampere**ella.**

Rouva Aho käy kaupa**ssa.**

MUTTA: Rouva A. menee kaupp**aan.**

Matkustatteko Helsinkiin? Voitte mennä sinne

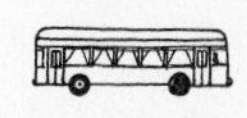
linja-autolla

junalla

lentokoneella

laivalla

polkupyörällä

jalan

Structural notes

1. Past tense of verbs (affirmative)

sano/a to say

Present			Past		
(minä)	*sano/n*	I say	*(minä)*	*sano/i/n*	I said, was saying
(sinä)	*sano/t*	you say	*(sinä)*	*sano/i/t*	you said, were saying
hän	*sano/o*	he/she says	*hän*	*sano/i*	he/she said, was saying
(me)	*sano/mme*	we say	*(me)*	*sano/i/mme*	we said, were saying
(te)	*sano/tte*	you say	*(te)*	*sano/i/tte*	you said, were saying
he	*sano/vat*	they say	*he*	*sano/i/vat*	they said, were saying

teh/dä to do, to make

Present			Past		
(minä)	*tee/n*	I do	*(minä)*	*te/i/n*	I did, was doing
(sinä)	*tee/t*	you do	*(sinä)*	*te/i/t*	you did, were doing
hän	*teke/e*	he/she does	*hän*	*tek/i*	he/she did, was doing
(me)	*tee/mme*	we do	*(me)*	*te/i/mme*	we did, were doing
(te)	*tee/tte*	you do	*(te)*	*te/i/tte*	you did, were doing
he	*teke/vät*	they do	*he*	*tek/i/vät*	they did, were doing

Questions: *sano/i/ko hän?* did he/she say?
te/i/t/kö (sinä)? did you do? etc.

Compare the present and the past tense with each other. Note the following points:

– The past tense is formed from the present by inserting the past tense marker *-i-* between the verb stem and the personal ending;

– The endings are the same as in the present, except in the 3rd pers. sing., which has no ending;

– The past tense marker *-i-* may effect changes in the final vowel of the stem. These changes are listed in the chart on different types of verbs on p. 230. Besides, the past tense of each new verb will be given in the vocabulary from now on and may be memorized from there;

– As for the k p t changes, each person in the past tense has the same grade, weak or strong, as the corresponding person in the present tense (see *tehdä* above).

Note the past tense of the following verbs:

juo/da	to drink	*juo/n*	I drink	*joi/n*	I drank
syö/dä	to eat	*syö/n*	I eat	*söi/n*	I ate
vie/dä	to take somewhere	*vie/n*	I take somewhere	*vei/n*	I took somewhere
käy/dä	to visit	*käy/n*	I visit	*kävi/n*	I visited

Verbs which end in *-ta* in their basic form (see lesson 20:4) have a longer past tense marker *-si,* for example:

halu/ta	to want	*halua/n*	I want	*halu/si/n*	I wanted
tava/ta	to meet	*tapaa/n*	I meet	*tapa/si/n*	I met

Some verbs with one *-t-* in their basic form (e.g. *tietä/ä* to know) may, instead of this *-t-* (and its weak grade *-d-*), have *-s-* all through the past tense:

Present	*tiedä/n*	*tiedä/t*	*tietä/ä*	*tiedä/mme*	*tiedä/tte*	*tietä/vät*
Past	*ties/i/n*	*ties/i/t*	*ties/i*	*ties/i/mme*	*ties/i/tte*	*ties/i/vät*

Other such verbs are *löytää* to find, *lentää* to fly, *ymmärtää* to understand, etc.

Past tense negative will be explained in lesson 19:1.

2. Principal parts of verbs

Now you know the three key forms of the verb. All the other verb forms can be formed on the basis of these three. Thus, the principal parts of *sanoa* to say and *tehdä* to do are:

1.	2.	3.
sanoa	*sanon*	*sanoi*
tehdä	*teen*	*teki*

No. 1 is the basic (dictionary) form of the verb.

Nos. 2 and 3 together give clues to the inflection of the present and the past. If they have different consonants, No. 2 will show the consonant of the 1st and the 2nd pers., No. 3 that of the 3rd pers., for both present and past.

Memorizing the principal parts of each verb is strongly recommended.

3. Turussa – Tampereella

Ingrid asuu Ruotsi/ssa, Ivan Neuvostoliito/ssa (Venäjä/llä).	Ingrid lives in Sweden, Ivan in the USSR (in Russia).
Asun Turu/ssa (Tamperee/lla).	I live in Turku (Tampere).
Menkää Turku/un (Tamperee/lle)!	Go to Turku (Tampere)!
Olen tulossa Turu/sta (Tamperee/lta).	I'm coming from Turku (Tampere).

With some place-names, outer local cases are used instead of the more common inner local cases.

Almost all foreign place-names are used in the inner local cases. An exception to this rule is *Venäjä* Russia.

Among Finnish place-names, most are used like *Turku* but quite a few also like *Tampere*. No rules can be given, as it is the local usage that finally decides whether *-ssa* or *-lla* is preferred.

However, the outer local cases are often used if the place name ends in *-mäki (mäen)* hill; *-niemi (niemen)* peninsula, cape, point; *-järvi (järven)* lake; *-joki (joen)* river; *-koski (kosken)* rapids, waterfall etc. (that is, words with which the outer local endings are natural: *mäellä* on a hill). Examples: *Riihi/mäki – Riihi/mäellä, Rova/niemi – Rova/niemellä, Valkea/koski – Valkea/koskella.*

(Note, however, that names of city districts are mostly used in the inner local cases: *Lautta/saaressa, Munkki/niemessä, Kannel/mäessä* etc.)

Reader

a) Herra Suomela nousi aamulla seitsemältä ja söi aamiaista puoli kahdeksalta. Hän joi teetä. Hän lähti työhön puoli yhdeksältä, ja hän oli työssä seitsemän tuntia päivässä. Lounasta Suomelat söivät ravintolassa; lapset saivat ruokaa koulussa. Päivällisen jälkeen herra Suomela usein teki jotakin työtä kotona tai lepäsi. Tavallisesti hän ensin auttoi rouva Suomelaa ja sitten kirjoitti tai luki jotakin. Suomelat kuuntelivat paljon radiota, ja lapset katselivat televisiota. Joskus perhe meni teatteriin. He kävivät myös elokuvissa, mutta ei kovin usein. Ja koska Suomelat ovat suomalaisia, he kävivät joka viikko saunassa.

b) Viime viikolla minun täytyi matkustaa Kuopioon. Matkustin junalla, koska minulla oli paljon matkatavaraa. Soitin ensin asemalle ja tiedustelin junan lähtöaikaa. Otin taksin asemalle. Ystävällinen kuljettaja halusi auttaa minua ja kantoi matkalaukut sisään. Ostin sitten matkalipun. Juna lähti 20.20 ja saapui Kuopioon aikaisin seuraavana aamuna. Tapasin Kuopiossa vanhoja ystäviäni ja tovereitani; meillä oli luokkakokous. Kävin myös vanhassa koulussani. Tulin takaisin Helsinkiin lentokoneella. Matka kesti vain vähän toista tuntia. Meillä kaikilla oli Kuopiossa kovin hauskaa.

Exercises

1. Model: *Kun tulen kotiin, syön. – Eilen, kun tulin kotiin, söin.*

Eilen | kun sinä ...... kotiin, sinä ......
| kun Pekka ...... kotiin, hän ......
| kun me ...... kotiin, me ......
| kun te ...... kotiin, te ......
| kun he ...... kotiin, he ......

Conjugate similarly:
Menen kauppaan ja ostan kirjoja. Tänä aamuna minä ......
Teen työtä kaksitoista tuntia. Toissapäivänä minä ......
Ymmärrän sen. Jo viime viikolla minä ......

2. Model: *Ilma on kaunis. – Ilma oli kaunis.*

Saavun Turkuun aamulla; aamujuna saapuu kello 8.
Lähdemme matkalle. Kalle lähtee mukaan.
Näen koulutoverisi asemalla. Kaikki näkevät tämän tv-ohjelman.
Pidättekö tästä filmistä? Pitääkö Heikki siitä?
Lähetän postikortin perheelleni. Kalle lähettää kukkia Liisalle.
Kirjoitatko kotiin? Mitä he kirjoittavat sinulle?
Otan pihvin. Liisakin ottaa pihvin.
Annamme myyjälle 20 markkaa, hän antaa 2 markkaa takaisin.
Sinä vaihdat Englannin puntia, nuo turistit vaihtavat dollareita.
Autan Kaijaa, kannan matkalaukun taksiin; hän itse kantaa toisen.
Lapsi syö banaanin ja juo maitoa.
Tarjoilija tuo meille ruokaa ja vie lautaset pois.
Tiedän, kuinka asia on, mutta tietävätkö kaikki?
Löydämme kyllä paremman asunnon. Kolumbus löytää Amerikan.

3. Retell the following sequence of events thinking that it happened yesterday.

Nousen kello 7.30. Syön voileipää ja juon kahvia. Lähden työhön. Olen työssä muutamia tunteja. Tulen ulos kadulle. Tapaan tuttavani, sanon "hei". Ostan lehtikioskista iltalehden. Soitan puhelinkioskista Villelle. Minulle tulee nälkä. Käyn baarissa, otan pihvin ja ranskalaisia perunoita. Luen samalla iltalehden. Saan laskun ja maksan sen. Haluan kävellä kotiin. Kävelen vähän matkaa, mutta minulla on liian vähän aikaa, minun täytyy mennä loppumatka raitiovaunulla. Kotona katselen tv-ohjelmaa. Pidän siitä. Kirjoitan kirjeen ja vien sen postilaatikkoon. Katson kelloa; näen, että se on puoli yhdeksän. Kun tulen takaisin kotiin, minulla on jano ja juon teetä. Ajattelen vähän viikonlopun ohjelmaa. Opiskelen vielä vähän suomea, vaikka kello on jo paljon. Puoliyön aikaan menen nukkumaan ja nukun hyvin seitsemän tuntia.

4. Model: *Poika menee Helsinkiin.* – *Poika käy Helsingissä.*

Perhe menee saunaan.
Minä menen teatteriin.
Kalle menee työhön junalla.
Turisti menee tähän museoon.
Suomalaiset menevät usein maalle.
Menettekö te usein Turkuun?
Tytöt menevät elokuviin.
Kari Seppänen menee Tampereelle.
Haluaisimme mennä hyvään suomalaiseen ravintolaan.

5. What are the questions to these answers?

Matkustimme *viime viikolla* Tukholmaan. Matkustimme viime viikolla *Tukholmaan.* Matkustimme sinne *autolautalla* (*lautta* ferry). Matka kesti *viisitoista tuntia. Tapasimme tuttavia ja katselimme Tukholmaa. Kyllä,* meillä oli oikein kivaa.

6. Word review.

– Mitäs ...... kuuluu, Jorma? – No, ei ...... Kävimme maalla viikonloppuna. – Menittekö sinne eilen vai jo ......? Ja kuinka kauan matka ......? – Vain puoli tuntia. Ilma oli ihana, ja meillä oli oikein ...... Mitä sinä ...... teit? – Ai minä? Meillä oli ranskalainen vieras, ja me ...... Turussa. Söimme päivällistä ...... vanhassa ravintolassa ja katselimme kaupunkia. Minä pidän Turusta, ja tämä ranskalainen vieras... piti siitä.

Vocabulary

aja/a ajan ajoi	to drive; to ride
eilen	yesterday
erikoi/nen-sen-sta-sia	special, particular
eräs erään erästä eräitä	one, a (certain)
hauska: olla hauskaa	to have fun, a good time
minulla on hauskaa	I have fun, I enjoy myself
jo/kin jon/kin jota/kin (= *jotain*) joita/kin	some; something
kestä/ä kestän kesti	to last, to take (of time); to stand, endure
kokous kokouksen kokousta kokouksia	meeting, assembly
käy/dä käyn kävi	to go; to walk; to visit, call on
käyn Suome/ssa, Tamperee/lla	I'll visit Finland, Tampere
liikenne liikenteen liikennettä	traffic
linna-n-a linnoja	castle, palace
matka/muisto-n-a-ja (*muisto* memory, recollection; keepsake, from *muista/a* to remember)	souvenir
mi/kään min/kään mi/tään	any, anything
ei mikään	nothing, none, no

miten? (= *kuinka?*)	how?
nähtävä-n-ä nähtäviä	something to see, worth seeing
ruuhka-n-a ruuhkia	(traffic) congestion, jam, rush
siisti-n-ä siistejä	neat, clean
takaisin	back
tehdas tehtaan tehdasta tehtaita	factory, mill, works
toissa/päivänä	(on) the day before yesterday
toveri-n-a tovereita	companion, friend, comrade, pal
huone/toveri	room-mate
tuttava-n-a tuttavia	acquaintance, friend
vilkas vilkkaan vilkasta vilkkaita	lively, vivid, vivacious; busy

X

jalan	on foot
joki joen jokea jokia	river
kaveri-n-a kavereita (= *toveri*)	friend, pal
kone-en-tta-ita	machine, engine
koski kosken koskea koskia	rapids, water-fall
laiva-n-a laivoja	boat, ship
lautta lautan lauttaa lauttoja	ferry
lento/kone	airplane
moottori-n-a moottoreita	motor, engine
mäki mäen mäkeä mäkiä	hill
normaali-n-a normaaleja	normal
polku/pyörä-n-ä -pyöriä	bicycle, bike

A list of the verbs in lessons 1–13 with their principal parts

1

ol/la olen oli to be

2

puhu/a puhun puhui to speak

3

kirjoitta/a kirjoitan kirjoitti to write
maksa/a maksan maksoi to pay, cost

4

esitel/lä esittelen esitteli to introduce
halu/ta haluan halusi to want
opiskel/la opiskelen opiskeli to study
saa/da saan sai to get; may

5

asu/a asun asui to live
opetta/a opetan opetti to teach
oppi/a opin oppi to learn
syö/dä syön söi to eat
teh/dä teen teki to do
tietä/ä tiedän tiesi to know
toivo/a toivon toivoi to hope

6

juo/da juon joi to drink
otta/a otan otti to take
sano/a sanon sanoi to say
tul/la tulen tuli to come
tuo/da tuon toi to bring
vie/dä vien vei to take (somewhere)

7

anta/a annan antoi to give
katsel/la katselen katseli to look
kävel/lä kävelen käveli to walk
käänty/ä käännyn kääntyi to turn
lähte/ä lähden lähti to leave
maista/a maistan maistoi to taste
men/nä menen meni to go
osta/a ostan osti to buy
pan/na panen pani to put
tila/ta tilaan tilasi to order

8

nous/ta nousen nousi to rise
seiso/a seison seisoi to stand
täyty/ä täytyy täytyi to have to
vaihta/a vaihdan vaihtoi to change

9

katso/a katson katsoi to look
kuul/la kuulen kuuli to hear
laske/a lasken laski to count
liikku/a liikun liikkui to move
näh/dä näen näki to see
toimi/a toimin toimi to act
toista/a toistan toisti to repeat
ymmärtä/ä ymmärrän ymmärsi to understand

10

näyttä/ä näytän näytti to show
soitta/a soitan soitti to ring (up)
voi/da voin voi to be able, can

11

luul/la luulen luuli to presume
merki/tä merkitsen merkitsi to mean
tapahtu/a (tapahdun) tapahtui to take place
tava/ta tapaan tapasi to meet

12

autta/a autan auttoi to help
kuunnel/la kuuntelen kuunteli to listen
levä/tä lepään lepäsi to rest
luke/a luen luki to read
nukku/a nukun nukkui to sleep
pitä/ä pidän piti to like; to keep
tanssi/a tanssin tanssi to dance
viettä/ä vietän vietti to pass
välittä/ä välitän välitti to care

13

ajatel/la ajattelen ajatteli to think
alka/a alan alkoi to begin
istu/a istun istui to sit
kanta/a kannan kantoi to carry
lentä/ä lennän lensi to fly
lähettä/ä lähetän lähetti to send
löytä/ä löydän löysi to find
matkusta/a matkustan matkusti to travel
paina/a painan painoi to weigh
paka/ta pakkaan pakkasi to pack
saapu/a saavun saapui to arrive
tiedustel/la tiedustelen tiedusteli to inquire
vara/ta varaan varasi to reserve

15

A. Puhelinkeskustelu

A. Telephone conversation

Rouva Whitney soittaa neiti Jalavalle.	Mrs. Whitney is calling Miss Jalava.
Puhelin soi. Joku vastaa puhelimeen.	The telephone rings. Somebody answers the phone.

1. Jalavalla.
2. W. Täällä on rouva Whitney. Onko neiti Kaarina Jalava tavattavissa?
3. Hetkinen, olkaa hyvä.

*

4. J. Kaarina Jalava puhelimessa.
5. W. Hyvää iltaa, täällä puhuu rouva Whitney. Anteeksi, että häiritsen näin myöhään.
6. J. Ei se mitään. Eihän nyt vielä ole myöhä.
7. W. Tehän annatte suomen tunteja ulkomaalaisille?
8. J. Niin annan.
9. W. Minä haluaisin ottaa suomen kielen tunteja.
10. J. Mutta tehän osaatte puhua suomea.
11. W. Osaan vähän, mutta en tarpeeksi. Ja minä ymmärrän huonosti, varsinkin jos ihmiset puhuvat nopeasti.
12. J. Te aiotte ottaa keskustelutunteja, eikö niin? Montako tuntia viikossa haluaisitte?
13. W. Voinko saada kaksi tuntia?
14. J. Kyllä se sopii. Voitteko te tulla päivällä?
15. W. Valitettavasti en. Minä olen työssä neljään saakka.
16. J. Sopiiko teille kahdeksalta tiistaina ja perjantaina?
17. W. Tiistaina kyllä, mutta perjantai ei sovi oikein hyvin. Me menemme silloin usein maalle. Esimerkiksi torstai-ilta on parempi.
18. J. Selvä, torstai-iltana samaan aikaan. Kuinka pian me aloitamme?

1. Hello. (”At the Jalavas’.”)
2. W. This is Mrs. Whitney. May I speak to Miss Kaarina Jalava (”Is Miss K.J. to be met”)?
3. Just a minute, please.

*

4. J. Kaarina Jalava speaking.
5. W. Good evening, this is Mrs. Whitney calling. Excuse me for disturbing you as late as this.
6. J. Never mind. It isn’t late yet.
7. W. You give Finnish lessons to foreigners, don’t you?
8. J. Yes, I do.
9. W. I should like to take lessons in Finnish.
10. J. But you *can* speak Finnish.
11. W. Yes, I can a little, but not enough. And I understand poorly, especially if people speak quickly.
12. J. You intend to take conversation lessons, don’t you? How many lessons a week would you like?
13. W. Can I have two lessons?
14. J. Yes, that’s all right. Can you come during the day?
15. W. Unfortunately not. I work until four.
16. J. Does eight o’clock on Tuesday and Friday suit you?
17. W. Tuesday does, but Friday doesn’t suit me very well. We often go to the country then. Thursday evening, for instance, is better.
18. J. OK, Thursday evening at the same time. How soon shall we start?

19. W. Voimmeko me aloittaa jo ylihuomenna?

19. W. Can we start as early as the day after tomorrow?

20. J. Tietysti, aivan kuten haluatte.

20. J. Of course, just as you like.

21. W. Saanko kysyä, paljonko yksi tunti maksaa?

21. W. May I ask you how much a lesson costs?

22. J. ... markkaa. Te voitte maksaa joka kerta tai kerran viikossa tai kerran kuussa, aivan niin kuin tahdotte.

22. J. ... marks. You can pay every time, or once a week, or once a month, just as you wish.

23. W. No, sitten kai kaikki on selvää. Olen siellä ylihuomenna tasan kello kahdeksan.

23. W. Well, then I suppose everything is settled. I'll be there at eight o'clock sharp the day after tomorrow.

24. J. Näkemiin, tervetuloa!

24. J. I'm looking forward to seeing you, Mrs. Whitney.

Lintu **osaa** lentää (can, has the skill).

Ihminen ei osaa. Mutta hän **voi** lentää lentokoneella (can, is able).

---

kerran/kaksi kertaa päivä**ssä,** viiko**ssa,** kuu**ssa**

sitten – silloin
Klo 7 nousen, **sitten** (= sen jälkeen) syön.
Soittakaa klo 18, **silloin** (= siihen aikaan, sillä hetkellä) olen kotona.

B. Bob hakee työtä

B. Bob is looking for work

Johtaja Markkasen toimisto.

Mr. Markkanen's office.

1. Bob Dixon. Hyvää päivää. Ni-

1. Bob Dixon. Good morning, Mr.

meni on Bob Dixon. Olen ulkomaalainen stipendiaatti.

Markkanen. My name is Bob Dixon. I'm a foreign student; I'm studying here on a grant.

2. M. Olkaa hyvä ja istukaa. No, mitä asiaa teillä on, nuori mies?

2. M. Please sit down. Well, what brings you here, young man?

3. B. Minä haen kesätyöpaikkaa. Minä en saa stipendiä kesällä. Ja minä tarvitsen rahaa.

3. B. I'm looking for a job for the summer. I don't get a grant during the summer. And I need money.

4. M. Se on selvä. Mitä te opiskelette?

4. M. Naturally. What are you studying?

5. B. Minä opiskelen Teknillisessä korkeakoulussa. Minusta tulee paperi-insinööri. Olen toisella vuosikurssilla.

5. B. I'm studying at the Institute of Technology. I'm going to be a paper engineer. I'm in my second year of study.

6. M. Te osaatte jo suomen kieltä aika hyvin.

6. M. You speak Finnish fairly well already.

7. B. No, minä tulen toimeen tavallisessa keskustelussa. Tietysti minä teen virheitä koko ajan.

7. B. Well, I manage in normal conversation. I make mistakes all the time, of course.

8. M. Onko teillä todistuksia?

8. M. Have you got any references?

9. B. On opintokirja ja yksi työtodistus.

9. B. Yes, my studybook and one work reference.

10. M. Katsotaan. Jaha... Todistus on erittäin hyvä. ”... ahkera... tarmokas...” Paljon mahdollista, että te saatte jotain työtä meidän firmassa.

10. M. Let's see. Well... The work reference is very good. ”...hard-working... energetic...” It's quite possible that you'll get work of some kind in our firm.

11. B. Minkälaista palkkaa te maksatte kesäapulaisille?

11. B. What kind of salary do you pay your summer help?

12. M. Katsotaanhan nyt ensin, minkälaista työtä te alatte tehdä. Voihan teille soittaa?

12. M. Let's see first what kind of work you will do. Can we give you a ring?

13. B. Voi kyllä, numeroni on ...... Jos en ole kotona, jättäkää minulle sana, niin otan yhteyttä.

13. B. Yes, you can, my number is ...... If I'm not home, leave me a message and I'll contact you.

14. M. Näkemiin, me palaamme asiaan lähipäivinä.

14. M. Goodbye, Mr. Dixon! You'll hear from us (”we'll return to the matter”) in the next few days.

Structural notes

1. Basic form (1st infinitive) of the verb

The basic form of the verb in Finnish ends in

(a) **-da (-dä)**		(b) **vowel + a (ä)**		(c) **-la, -na, -ra,** or **cons. + ta (tä)**		(d) **vowel + ta (tä)**	
tuo/da	to bring	*puhu/a*	to speak	*tul/la*	to come	*halu/ta*	to want
jää/dä	to stay	*anta/a*	to give	*men/nä*	to go	*merki/tä*	to mean
		etsi/ä	to look for	*sur/ra*	to grieve		
				nous/ta	to rise		

How to obtain the present tense from the basic form:

– Type (a): Remove the inf. ending *(-da)* and use the stem as such: *jää/dä – jää/n, jää/t, jää* etc.

– Type (b): Remove the inf. ending *(-a)* and use the stem as such, considering the k p t changes: *puhu/a – puhu/n, puhu/t, puhu/u* etc., *anta/a – anna/n, anna/t, anta/a* etc.

– Type (c): Remove the inf. ending and add *-e* to the stem: *nous/ta – nouse/n, nouse/t* etc., *sur/ra – sure/n* etc. Verbs subject to k p t changes have weak grade in the basic form and strong grade in the whole present tense: *ajatel/la* to think – *ajattele/n, ajattele/t, ajattele/e* etc., *kuunnel/la* to listen – *kuuntele/n* etc.

– Type (d): Remove the inf. ending and add *-a (-ä)* to the stem: *halu/ta – halua/n, halua/t* etc., *tila/ta* to order – *tilaa/n* etc. Verbs subject to k p t changes have weak grade in the basic form and strong grade in the whole present tense: *tava/ta* to meet – *tapaa/n, tapaa/t, tapaa* etc.

Note. Most verbs in *i + ta* differ from the rest by having *-ts-* in the whole present tense and no k p t changes: *merki/tä – merkitse/n, merkitse/t, merkitse/e* etc.

(More about verbs in *-ta* and *-ita* in lesson 20:4.)

2. Some auxiliary verbs

As in English, certain verbs in Finnish require the basic form of another verb to complete their meaning. Among such auxiliaries are:

aikoa aion aikoi	to intend	*Aion lähteä.*	I intend to leave.
haluta haluan halusi	to want	*Haluatko syödä?*	Do you want to eat?
tahtoa tahdon tahtoi	to want	*Tahdotko syödä?*	
osata osaan osasi	to know how, can	*Osaako hän uida?*	Can he swim?

voida voin voi	to be able, can	*En voi auttaa.*	I cannot help.
saada saan sai	to be allowed, may	*Saanko selittää?*	May I explain?
		Et saa unohtaa.	You must not forget.

3. Adverbs from adjectives

millainen?		*kuinka? millä tavalla?*	
huono	bad, poor	*Hän puhuu huono/sti ranskaa.*	He speaks French poorly.
kaunis (kaunii/n)	pretty	*Tyttö tanssi kaunii/sti.*	The girl danced prettily.
erikoinen (erikoise/n)	special	*Pidän erikoise/sti ruusuista.*	I especially like roses.

Adverbs (usually denoting *manner*) can be formed from adjectives by means of the suffix *-sti* (cf. *-ly* in English). The suffix is added to the genitive stem whenever it differs from the basic form.

Note also *kahde/sti* twice *(kolmesti, neljä/sti, viide/sti ...... kymmene/sti) = kaksi* (*kolme, neljä* etc.) *kertaa; mone/sti = monta kertaa.*

Reader

Kun Whitneyt tulivat Suomeen, rouva W. osasi puhua vähän suomea, mutta hänen miehensä ei yhtään, paitsi "päivää" ja "kiitos". Ensin oli vaikea löytää opettajaa, mutta sitten he kuulivat eräältä tuttavalta, että Kaarina Jalava, nuori opiskelijatyttö, opetti suomea ulkomaalaisille. Eräänä päivänä rouva W. soitti neiti Jalavalle ja kysyi, voiko tämä antaa heille tunteja. – Mutta tehän osaatte suomea aika hyvin, neiti J. sanoi. Rouva W. vastasi, että hän itse osasi kyllä puhua vähän, mutta ymmärsi huonosti, kun ihmiset puhuivat nopeasti; hänen miehensä taas osasi sanoa suomeksi vain kaksi sanaa.

– Montako tuntia viikossa te haluaisitte? neiti J. kysyi. – Voimmeko mahdollisesti saada kolme tuntia, miehelleni kaksi ja minulle keskustelutunti kerran viikossa? – Kyllähän se sopii. Mutta teidän täytyy tulla illalla, koska minä olen työssä puoli viiteen saakka. – Meillekin sopii vain illalla, mehän olemme myös työssä päivällä. – Voimmeko aloittaa jo huomenna puoli seitsemältä? – Sopii kyllä. – Tervetuloa sitten huomenna, näkemiin!

Exercises

1. Model: *Lepään. (haluta) – Haluan levätä.*

Lähden Rovaniemelle. (aikoa)
Otamme suomen tunteja. (haluta)
Ajattelen asiaa. (tahtoa)
Annan sinulle osoitteeni. (voida)
Panenko ikkunan kiinni? (saada)
Ajatko autoa? (osata)
Kalle lähtee myös sinne. (aikoa)
Bob ottaa myös niitä. (haluta)
Ajattelemme pari päivää. (tahtoa)
En näe mitään. (voida)
Soitanko sinulle illalla? (saada)
Puhutteko te esperantoa? (osata)

2. Complete by using proper forms of *aikoa, haluta, tahtoa, osata, voida, saada* (note that sometimes more than one verb is possible).

...... minä häiritä teitä vähän?
Koirat eivät ...... lentää.
...... te polttaa? Tässä on savukkeita.
...... te jättää minulle sanan, jos en ole kotona?
Minä ...... hakea itselleni työpaikan.
Leena, sinä et ...... syödä niin paljon.
Minne Simo ...... matkustaa ensi viikolla?
Tämä ulkomaalainen ei ...... mennä työhön, koska hänellä ei ole työlupaa (*lupa* permission).
...... te nähdä todistukseni, johtaja Laakso?
...... sinä puhua espanjaa? Kuka ...... hyvin venäjää?
Aivan pieni lapsi ei ...... kävellä, ei puhua, ei istua, ei seisoa.

3. What are the questions to these answers?

Minä haluaisin *keskustelu*tunteja. Haluaisin *kaksi* tuntia viikossa.
Haluaisin tunnit *illalla.* Olen työssä *puoli viiteen* saakka.
Minä osaan (puhua) *englantia, ranskaa ja vähän suomea.*

4. Model: *Auto on nopea. Auto liikkuu nopeasti.*

Tämä mies on hidas ja rauhallinen. Hän kävelee ...... ja ......
Pirkko Tuomi on vilkas tyttö. Hän puhuu ......
Te olitte ystävällinen. Teitte ......, kun autoitte meitä.
Asia on helppo. Opitteko ...... uusia asioita?
Perheen asunto on mukava, mutta kallis. Perhe asuu ......, mutta ......
Miksi silmäsi ovat niin kylmät? Miksi katsot minua niin ......?
Presidentin puhe oli lyhyt. Presidentti puhui televisiossa ...... ulkopolitiikasta.
Tämä teoria on mahdollinen. Tämä teoria on ...... oikea.

5. Word review.

– Hyvää päivää, onko Marja Luoma ......? – Kyllä, olen ...... – Anteeksi, että ...... teitä, mutta minulla on teille ...... Te annatte suomen kielen tunteja, ...? – Kyllä minä annan. Te osaatte jo suomea, te kai haluaisitte ...... tunteja? – Aivan niin, kaksi ...... viikossa. – ...... teille maanantai-ilta? – Maanantai ei ......, olen iltatyössä kello kahdeksaan ...... – No, sitten esimerkiksi tiistaina. Voimmeko ...... jo tällä viikolla?

– Hyvää päivää, johtaja, minä ...... työpaikkaa. Olen stipendiaatti, mutta en saa ...... kesällä. Ja minä ...... rahaa. Minulla on mukana yksi työ ...... viime kesältä, haluatteko katsoa sitä? – Antakaahan tänne, niin katsotaan. Sehän on oikein hyvä. Paljon ......, että te saatte meiltä työtä. Me soitamme teille ...... päivinä ja palaamme ...... – Olkaa hyvä ja ...... minulle sana, jos en ole itse kotona, niin otan heti ......

Vocabulary

A

aiko/a aion aikoi	to intend, be going to
aloitta/a aloitan aloitti	to begin, start
eikö niin?	isn't it, doesn't it, haven't you etc. (cf. Fr. n'est-ce pas?)
esi/merkki -merkin -merkkiä -merkkejä	example
esimerkiksi (abbr. *esim.*)	for example, for instance (e.g.)
halloo, haloo	hello (on the telephone)
-han (-hän)	a suffix added to the first word (or group of words) in a sentence to create different shades of emphasis:
Pekka/han sen teki, en minä	it was P. who did it, not me
sinä/hän tiedät sen	you know it, don't you?
koska/han kurssi alkaa?	I wonder when the course will begin?
onko/han Ville kotona?	I wonder whether V. is at home?
häiri/tä häiritsen häiritsi	to disturb, bother, interfere
jo/ku jon/kun jota/kuta joita/kuita	somebody, someone
keskustel/la keskustelen keskusteli	to converse, discuss, talk
keskustelu-n-a-ja	conversation, discussion, talk
kuu-n-ta kuita	moon; month
kysy/ä kysyn kysyi	to ask (questions)
saanko kysyä tei/ltä ...	may I ask you ...
myöhä-n-ä (= *myöhäinen*)	late
niin kuin	as, like
näin	like this, in this way, so
näin iso	as big as this, so big
osa/ta osaan osasi	to know how, can
pian	soon
saakka (= *asti*)	until, up to, as far as; ever since
ilta/an saakka	until the evening
Turku/un, Tamperee/lle saakka	as far as Turku, Tampere
tammikuu/sta saakka	(ever) since January
silloin	then, at that time
soi/da soin soi	to ring, give a ringing sound

sopi/a sovin sopi	to suit, be all right; to suit, fit, become; to agree
tarpeeksi (= *kylliksi*)	enough, sufficiently
tasan	evenly, equally; just, precisely
tavattavissa (from *tavata*)	to be met, within reach
tietysti	of course
varsinkin	especially, particularly
vasta/ta vastaan vastasi	to answer, reply; be responsible
yli/huomenna	the day after tomorrow

B

ahkera-n-a ahkeria (≠ *laiska*)	diligent, industrious, hard-working
apulai/nen-sen-sta-sia	helper, assistant; maid
erittäin	very, extremely
firma-n-a firmoja (colloq.)	firm, concern, company
hake/a haen haki	to fetch; to look for; to apply for
insinööri-n-ä insinöörejä	engineer, graduate in engineering
johtaja-n-a johtajia (from *johta/a* to lead, direct)	director, manager, leader, conductor
jättä/ä jätän jätti	to leave (something somewhere)
korkea-n-a korkeita	high
korkea/koulu-n-a-ja	institute of higher learning, university- or college-level institute
lähi/päivinä	within the next few days
mahdolli/nen-sen-sta-sia (≠ *mahdoton*)	possible
opinto opinnon opintoa opintoja (usu.pl.)	studies
pala/ta palaan palasi	to return, go back, come back
palkka palkan palkkaa palkkoja	pay, wages, salary
stipendi-n-ä stipendejä	scholarship, grant
stipendi/aatti-aatin-aattia -aatteja	person granted a scholarship, grantee
tarmo/kas-kkaan-kasta-kkaita	energetic, vigorous
tarvi/ta tarvitsen tarvitsi	to need
tekni/nen-sen-stä-siä (= teknillinen)	technical
todist/us-uksen-usta-uksia (from *todista/a* to certify etc.)	certificate; (school) report; evidence
tulla toimeen	to get on, get along, manage

virhe-en-ttä-itä	mistake, error
vuosi vuoden vuotta vuosia	year
yhteys yhteyden yhteyttä yhteyksiä	connection; contact; context
ottaa yhteyttä henkilö/ön	to contact a person

X

hattu hatun hattua hattuja	hat
lintu linnun lintua lintuja	bird
vasta/us-uksen-usta-uksia	answer, reply

16

A. Liisa ja Kalle katselevat perhekuvaa

Liisa and Kalle are looking at a family picture

Henkilöt:
Kalle Oksanen, nuori maisteri, 25-vuotias.
Liisa Salo, 19-vuotias, Kallen hyvä ystävä.
Meeri Vaara, 22-vuotias, Kallen serkku.

Characters:
Kalle Oksanen, a young M.A., 25 years old.
Liisa Salo, 19 years old, Kalle's good friend.
Meeri Vaara, 22 years old, Kalle's cousin.

1. K. Ja tässä on minun perheeni. Oikealla on isäni, vasemmalla äitini, edessä sisareni, takana veljeni ja keskellä vanha isoisäni. Tämä on Ville-setä ja tuo on Martta-täti.

1. K. And here is my family. On the right is my father, on the left my mother, in the front my sister, at the back my brother, and in the center my old grandfather. This is Uncle Ville and that is Aunt Martta.

2. L. Hetkinen, Kalle! Tämä on siis sinun isäsi, tämä sinun äitisi, edessä on sisaresi, takana veljesi ja keskellä vanha isoisäsi. Tämä on sinun Villesetäsi ja tuo sinun Martta-tätisi.

2. L. One moment, Kalle! So this is your father, this your mother, in the front is your sister, at the back your brother, and in the center your old grandfather. This is your Uncle Ville and that is your Aunt Martta.

3. K. Aivan oikein, Liisa! (Meeri tulee.)

3. K. Quite right, Liisa! (Enter Meeri.)

4. L. Hei, Meeri! Tunnetko sinä Kallen perheen? Tässä on heidän kuvansa.

4. L. Hello, Meeri! Do you know Kalle's family? Here is their picture.

5. M. Tunnen kyllä. Tässä on hänen isänsä, tässä hänen äitinsä, edessä on hänen siskonsa, takana hänen veljensä ja keskellä hänen vanha isoisänsä. Tämä on hänen setänsä ja tuo hänen tätinsä.

5. M. Yes, I do. Here is his father, here his mother, in the front is his sister, at the back his brother, and in the center his old grandfather. This is his uncle and that is his aunt.

6. L. Kylläpä sinä tunnetkin Kallen perheen hyvin.

6. L. You do know Kalle's family well, don't you?

7. M. Totta kai, mehän olemme sukulaisia. Kalle on minun serkkuni.

7. M. Why, of course, we are relatives. Kalle is my cousin.

8. L. Ai niinkö, no, se selittää asian. – Minä pidän teidän isoisästänne. Kuinka vanha hän on?

8. L. Oh, is that so? Well, that explains it. – I like your grandfather. How old is he?

9. K. 70 vuotta. Hän on syntynyt vuonna 1902.

9. K. 70 years. He was born in 1902.

10. L. Elääkö teidän isoäitinne vielä?

10. L. Is your grandmother still alive?

11. M. Ei, isoäiti on jo kuollut.

11. M. No, she isn't. Grandmother is dead.

12. L. Katsotaan muitakin kuvia. Kuka tuo kaunis nainen tuossa on? Serkku vai täti?

12. L. Let's look at some other pictures too. Who's that pretty woman there? A cousin or an aunt?

13. K. Eräs vanha ystävä vain. Et sinä tunne häntä.
14. L. Sinunko vanha ystäväsi?
15. M. Anteeksi, minun täytyy nyt lähteä. Näkemiin, Liisa. Hei sitten, Kalle. (Menee.)
16. L. *Sinunko* vanha ystäväsi??
17. K. Ei minun, rakas Liisa! *Meidän* ystävämme, *perhe*ystävä. Hänen nimensä on Sirkka Sipi, hän on naimisissa ja hänellä on kuusi lasta. Liisa, sinä tiedät, että minä rakastan sinua. Vain sinua! (Liisa ja Kalle eivät enää katsele kuvia.)

13. K. Just an old friend. You don't know her.
14. L. Your old friend?
15. M. Excuse me, I've got to go now. Goodbye, Liisa. Bye bye, Kalle. (Exit Meeri.)
16. L. *Your* old friend??
17. K. Not mine, dear Liisa! *Our* friend, a *family* friend. Her name is Sirkka Sipi, she is married and has six children. Liisa, you know I love you. Only you! (Liisa and Kalle are no longer looking at pictures.)

perhe = isä, äiti ja lapset
suku = perhe + sukulaiset (isovanhemmat, sedät, tädit, serkut jne.)

vielä – enää
- Elääkö isoisänne vielä?
- Ei, hän ei elä enää.

vielä – jo
- Onko Matti jo kotona?
- Ei ole vielä.

minä **pidän** sinu**sta**/minä **rakastan** sinu**a**
minä **vihaan** sota**a**

tietää – tuntea
- Tiedätkö missä Saara on?
- Kuka Saara? En tunne häntä.

myös: tuntea nälkää, janoa, rakkautta, vihaa

En minä *halua* ostaa mitään
(Minä *en halua* ...)
Ei minulla *ole* rahaa.
(Minulla *ei ole* ...)

B. Romanttinen uutinen

B. Romantic news

Hanna juo kahvia ja lukee naistenlehteä. Lilli tulee.

Hanna is having coffee and reading a women's magazine. Lilli comes in.

1. L. Hei Hanna, joko sinä kuulit sen uutisen?

1. L. Hello, Hanna, did you hear the news?

2. H. Minkä uutisen?	2. H. What news?
3. L. Odota, minä kerron.	3. L. Wait, I'll tell you.
4. H. Kerro pian!	4. H. Tell me at once!
5. L. Naapurin Kaisa menee naimisiin.	5. L. Our neighbor's daughter Kaisa is getting married.
6. H. Matinko kanssa?	6. H. To Matti?
7. L. Ei, ulkomaalaisen kanssa.	7. L. No, to a foreigner.
8. H. Ihanko totta?	8. H. Is it really true?
9. L. Ihan totta. Sanomalehdessä oli ilmoitus.	9. L. It is. There was an announcement in the paper.
10. H. Missä lehdessä? Näytä minullekin.	10. H. In which paper? Show me too!
11. L. Helsingin Sanomissa. Anna lehti tänne, niin näytän sinulle.	11. L. In the *Helsingin Sanomat.* Give me the paper, I'll show you.
12. H. Tässä on tämän päivän Helsingin Sanomat.	12. H. Here's today's *Helsingin Sanomat.*
13. L. No niin, katso: KIHLOISSA – lue itse.	13. L. Well, look: ENGAGED – read it yourself.
14. H. Sinä olet oikeassa. Kaisa Aho – Peter Smith. Osaatko sinä ääntää tämän nimen?	14. H. You are right. Kaisa Aho – Peter Smith. Can you pronounce this name?
15. L. En, se on englantilainen nimi. Kaisa oli kesälomalla ulkomailla, siellä hän tapasi tämän nuoren miehen.	15. L. No, I can't, it's an English name. Kaisa was abroad for her summer vacation; it was there that she met this young man.
16. H. Kai Kaisa on onnellinen. Rouva Kaisa Smith – ai miten romanttista!	16. H. I suppose Kaisa is happy. Mrs. Kaisa Smith – oh, how romantic!
17. L. Älä ole hassu. Petteri voi olla mukava poika. Mutta mitäs Matti ajattelee? Kai hän on onneton. Entäs Kaisan äiti? Tytär menee kauas ulkomaille.	17. L. Don't be silly. Peter may be a nice boy. But what does Matti think? I suppose he is unhappy. And Kaisa's mother? Her daughter will go far away to a foreign country.
18. H. Niin, tuokin on totta. Koskahan häät ovat?	18. H. Yes, that's true too. I wonder when the wedding is going to be?
19. L. Minäpä soitan Eilalle ja kysyn. Hän on Kaisan äidin ystävä.	19. L. I'll call Eila and ask her. She's a friend of Kaisa's mother's.
20. H. Mutta älä kysy heti tätä, kysy ensin jotain aivan muuta.	20. H. But don't ask about this right away, ask about something quite different first.

21. L. Joo, se on hyvä ajatus. Minä sanon, että haluaisin lainata sen uuden romaanin, mikä sen nimi nyt oli...	21. L. Yes, that's a good idea. I'll tell her I'd like to borrow that new novel – what was it called...
22. H. *Rakkaus vai viha.* Muista kysyä, onko Petteri rikas vai köyhä. Ja onko hän komea.	22. H. *Love or Hate.* Remember to ask if Peter is rich or poor. And if he is handsome.
23. L. Mistä Eila sen tietää? Ja onko se niin tärkeää?	23. L. How would Eila know that? And is it so important?
24. H. Kysy kuitenkin.	24. H. Ask anyway.
25. L. Kysynhän minä.	25. L. Well, I'll ask her.
(Menee soittamaan. Hanna jää odottamaan – ja me myös.)	(Goes to phone. Hanna stays there waiting – and so do we.)

jo/ko lähdet kotiin? = lähdet**kö jo** kotiin?

Heikki **meni kihloihin/naimisiin** | Saaran **kanssa.**
Nyt hän **on kihloissa/naimisissa** |

Pekka **lainasi** minu**lle** 5 markkaa (antoi minulle rahaa).
Minä **lainasin** Pek**alta** 5 markkaa (otin t. sain rahaa).

missä? kaukana, ulkona
mihin? kauas, ulos

Structural notes

1. Possessive suffixes

koti home			*veli* (gen. *velje/n*)		brother
(minun)	*koti/ni*	my home	*(minun)*	*velje/ni*	my brother
(sinun)	*koti/si*	your home	*(sinun)*	*velje/si*	your brother
hänen	*koti/nsa*	his/her home	*hänen*	*velje/nsä*	his/her brother
(meidän)	*koti/mme*	our home	*(meidän)*	*velje/mme*	our brother
(teidän)	*koti/nne*	your home	*(teidän)*	*velje/nne*	your brother
heidän	*koti/nsa*	their home	*heidän*	*velje/nsä*	their brother

Above is a list of the possessive suffixes in all persons. Note that the 3rd pers. sing. and pl. have the same suffix *(-nsa, -nsä)*.

The stem to which the poss. suffixes are added is obtained from the genitive: *veli, velje/n – velje/nne; rakas, rakkaa/n* dear, darling – *rakkaa/ni* my dear etc.

Note, however, that there is always **strong grade** immediately before the poss. suffix, no matter what kind of syllable follows: *kotinsa* (cf. gen. *kodi/n*); *kaupunkimme* our town (gen. *kaupungi/n*); *lippunne* your ticket (gen. *lipu/n*); *lehtensä* their newspaper (*lehti,* gen. *lehde/n*).

When to omit the pers. pronouns:

minun, sinun, meidän, teidän may be omitted unless they carry a special emphasis.

As the 3rd pers. suffixes are identical in the sing. and pl., the pronouns *hänen, heidän* may be omitted under certain conditions only. Two examples:

Heikki tapasi sisare/nsa Oulussa.	Heikki met his (own) sister in O.
But:	
Minäkin tapasin hänen sisare/nsa.	I also met his sister.

In the first example »his» refers to the subject of the sentence; then, and only then, is the pronoun omitted.

The case endings *-n* and *-t* disappear before a possessive suffix; therefore, as shown by the following examples, there is no difference in form between the *basic form sing., basic form pl.,* and *gen. sing.,* when used with a possessive suffix:

Velje/ni tulee huomenna.	My brother will come tomorrow.
Velje/ni tulevat huomenna.	My brothers will come tomorrow.
Velje/ni lapset tulevat huomenna.	My brother's children will come tomorrow.

Possessive suffixes with other cases:

Talo/ssa/mme.	In our house.
Kaksi ystävä/ä/ni.	My two friends. (Two friends of mine.)
Pidän hatu/sta/si.	I like your hat.
Herra Suomela on toimisto/ssa/nsa = toimisto/ssa/an.	Mr. Suomela is in his office.
Hän soittaa vaimo/lle/nsa = vaimo/lle/en.	He calls his wife.

In the 3rd pers. there are often parallel forms like those above. The latter suffix *(prolongation of vowel + n)* is preferred in modern Finnish.

(More about the inflection of nouns with poss. suffixes in lesson 25:4.)
Possessive suffixes are not added to adjectives:

Vanha talo/mme.	Our old house.
Hyvä/t ystävä/nne.	Your good friends.

In careless every-day Finnish, particularly in the Helsinki area, possessive suffixes are frequently dropped altogether: *mun kirja = (minun) kirjani, sun ystävät = (sinun) ystäväsi* etc.

2. Informal imperative

Affirmative		Negative	
Tule tänne, Mikko!	Come here, Mikko!	*Älä tule tänne!*	Don't come here!
Anna minulle suklaata, äiti!	Give me some chocolate, mommy!	*Älä anna Mikolle suklaata!*	Don't give Mikko any chocolate!
Tee se heti!	Do it at once!	*Älä tee sitä!*	Don't do it!

Imperative expresses an order or a request.

The informal imperative (imperative sing.) – used when speaking to a child or a young person, a relative, a friend etc. – is formed by dropping the ending *-n* of the 1st pers. present tense and using the stem as such: (*teh/dä* to do) *tee/n* I do – *tee!* do!

The same stem also appears in the negative, preceded by the negation *älä*.

The informal imperative is also used in orders or advice meant for everybody personally: *tule! älä tule!* (in traffic lights), *varo!* look out (for danger)! *käännä!* turn (the page), over; *katso* (abbr. *ks.*) *s. 170* see p. 170 etc.

Teen sen heti.	I'll do it at once.	*(En tee sitä...)*
Tee se heti!	Do it at once!	*(Älä tee sitä...)*

Note that with the affirmative imperative, the direct object is in the basic form instead of the genitive.

3. Nouns and adjectives in -i

A number of two-syllable nouns and adjectives end in *-i* in the basic form but have *-e-* in the rest of the sing. cases and the basic form pl.:

Suomi	Finland	but:	*Suome/n*	Finland's
			Suome/ssa	in Finland

niemi	peninsula	*nieme/t*	the peninsulas
talvi	winter	*talve/lla*	in winter

Other such words are *lahti* bay, gulf, *lehti* leaf, newspaper, *nimi* name, *ovi* door, *veli (velje/n)* brother etc.

Some of these entirely drop the vowel in part.sing.:

pieni small *kaksi pien/tä tyttöä* two little girls

Other similar words are *kieli* language, *kuori* envelope, *meri* sea, *nuori* young, *puoli* half; side, *saari* island, *suuri* great, large, *tuli* fire, *vuori* mountain. Irregular in their consonants are *lapsi (lapsen* **lasta** *lapsia)* child, *lumi (lumen* **lunta** *lumia)* snow.

There are, however, a large number of words in *-i* which do not have any vowel change in the sing., e.g. *lasi lasin lasia (laseja)* glass, *kaali* cabbage, *kortti* card, *koti* home, *kuppi* cup, *lakki* cap, *neiti* Miss, *pankki* bank, *penkki* bench, *takki* coat, jacket, *torni* tower, *tunti* hour, *tuoli* chair, *väri* color, *äiti* mother. Most of this latter type of words in *-i* are foreign loanwords.

Reader

Rakas Malla!

Mitä Sinulle kuuluu, rakas sisko? Miksi et kirjoita? Minkälainen ilma siellä on? Täällä on kaunista, mutta kylmää. Kesä tulee hitaasti tänä vuonna.

Tiedätkö, missä olin toissapäivänä? Häissä. Naapurin tytär meni naimisiin. Tunnethan Sinä Pirkko Lehtisen? Hän oli vielä koulussa, kun kävit täällä. Mutta odotapa kun kerron, kenen kanssa tyttö meni naimisiin: mies oli maisteri Tauno Autio, hänen oma matematiikan opettajansa! Joku kertoi, että he tapasivat kesälomalla ulkomailla. He halusivat viettää häät heti, mutta Pirkon vanhemmat tahtoivat, että nuoret ajattelevat vähän asiaa, koska tyttö on 18-vuotias ja mies jo 35 vuotta vanha. He aikovat mennä häämatkalle samaan paikkaan, missä tapasivat lomallaan (= lomallansa). Eikö olekin romanttinen ajatus?

Ne olivat hauskat häät. Sinähän tiedät, että Pirkolla on monta veljeä ja sisarta, ja siellä oli tietysti paljon sukulaisia: isovanhemmat, tätejä, setiä, enoja ja serkkuja. Varsinkin Pirkon sukulaiset ovat hauskoja ihmisiä, mutta kyllä Taunonkin perhe on hyvin mukava. Hänen 24-vuotias veljensä Antti, erittäin komea nuori mies, tanssi koko ajan Päivin, Pirkon sisaren, kanssa. Minä pidän Päivistä erikoisesti ja sanoin hänelle: »Ai ai, Päivi, älä ajattele Anttia, hän on liian komea, hän rakastaa kaikkia tyttöjä.» – »Entäs sitten», hän vastasi, »minä rakastan häntä kuitenkin.» Eivätkö tytöt ole hassuja?

Kaikki lähettivät Sinulle paljon terveisiä. Kirjoita nyt pian, ja kerro terveisiä Mikolle ja lapsille.

Sisaresi Lilli.

Exercises

1. a) Add the proper poss. suffixes.

	talo	*osoite*	*tuttavat*	*vanha täti*
minun	talo...	....	....	....
sinun	....	....	....	....
hänen	....	....	....	....
meidän	....	....	....	....
teidän	....	....	....	....
heidän	....	....	....	....

b) Tämä on minun (kirja, huone, perhe). Tämä on sinun (nimi, veli, lapsi). Tuo on hänen (puhelin, avain, levysoitin). Meidän (aamiainen, päivällinen, lounas) oli hyvä. Teidän (todistus) on aika huono. Mihin aikaan heidän (kokous) on tänään?

2. a) (Minun) asunnossa... on kolme huonetta. (Meidän) kaupungissa... asuu 10 000 henkeä. (Teidän) maassa... on paljon järviä. (Sinun) kodissa... on paljon kukkia. Heidän toimistossa... on usein ylityötä. Ostimme kukkia isoäidille... Hän lähetti paketin perheelle... Lapset ostivat makkaraa kissalle... Pidättekö työstä...? Liisa pitää uudesta levysoittimesta... Lapset eivät aina pidä koulusta... Onko (sinun) äidillä... sisaria ja veljiä? Teidän pojalla... on hyvä musiikkikorva. Hänen isällä... on vain yksi veli. Eilen sain kirjeen vanhalta ystävältä... Kuopiosta.

b) Meidän (ystävä) tulee mukaan matkalle.
Meidän (ystävät) tulevat mukaan matkalle.
Meidän (ystävän) veli tulee mukaan matkalle.
Minun (serkku) asuu maalla. Minun (serkut) asuvat maalla. Minun (serkun) perhe asuu maalla.
Heidän (poika) opiskelee fysiikkaa. Heidän (pojan) nimi on Juha. Heidän (pojat) opiskelevat Teknillisessä korkeakoulussa.

3. a) Model: *Sinun täytyy maksaa tämä lasku. – Maksa tämä lasku!*
Sinun täytyy auttaa minua/mennä kotiin/tehdä työtä/ottaa kuppi kahvia/lukea suomalainen romaani/ajatella asiaa/käydä meillä/soittaa maisteri Niskaselle/katsella tämän illan tv-ohjelmaa/sanoa paljonko kello on/antaa minulle anteeksi/vastata vain suomeksi/jättää minulle sana, jos en ole kotona/ottaa yhteyttä lähipäivinä.

b) Model: *Sinä et saa olla hassu. – Älä ole hassu!*
Sinä et saa juoda liikaa *(= liian paljon)*/puhua aina englantia/nukkua niin myöhään/häiritä meitä/aloittaa vielä/hakea tuota työpaikkaa/jäädä kotiin joka ilta/kertoa muille mitä sinulle kerroin/lainata niin paljon rahaa/olla pessimisti.

4. Find the questions to these answers:
Timo on *17-vuotias*. Hän on syntynyt *vuonna 1956*. *Ei,* Villen isä on *kuollut*. Kaisa menee naimisiin *Peterin* kanssa.

5. Word review.
Isän tai äidin sisar on ......, isän veli on ...... ja äidin veli on ...... Onko Liisa-serkkusi tässä kuvassa edessä vai ......? Kukas tämä komea poika on, en ...... häntä. Pirjo, minä ......

sinua, menetkö naimisiin kanssani? Olli ja Marja-Liisa eivät ole vielä naimisissa, mutta kylläkin jo ...... Mistä sen tiedät? Lehdessä oli ...... Marja-Liisa on 20-......, hän on ...... vuonna 1953. – Kuule, voitko ...... minulle pari markkaa, minulla ei ole pientä rahaa.

Vocabulary

A

ainakin	at least
edessä *(≠ takana)*	in (the) front
elä/ä elän eli (cf. *elämä* life)	to live, be alive
enää	more, longer (speaking of time)
ei enää	no more, no longer
iso/isä-n-ä -isiä	grandfather
iso/äiti -äidin -äitiä -äitejä	grandmother
isä-n-ä isiä	father
keskellä	in the middle
kuol/la kuolen kuoli (cf. *kuolema* death)	to die
kuollut kuolleen kuollutta kuolleita	dead
maisteri-n-a maistereita	Master of Arts or Science (also used as a title)
naimisissa: olla n.	to be married
mennä naimisiin	to get married
-pa (-pä)	emphatic suffix; often used just to create an intimate, spoken-language atmosphere
tule/pa(s) tänne!	come here, won't you?
minä/pä(s) olen oikeassa!	I'm the one who's right!
olet/pa(s) sinä tarmokas	why, you are energetic!
rakas rakkaan rakasta rakkaita	dear
rakasta/a rakastan rakasti *(+ part.)*	to love
selittä/ä selitän selitti	to explain
serkku serkun serkkua serkkuja	cousin
pikku/serkku	second cousin
setä sedän setää setiä	(paternal) uncle
eno-n-a-ja	(maternal) uncle
siis	thus, so, accordingly, consequently

sisar-en-ta-ia	sister
sisko-n-a-ja	sister (colloq.)
suku suvun sukua sukuja	(larger) family
sukulai/nen-sen-sta-sia	relative
synty/ä synnyn syntyi	to be born
(cf. *syntymä* birth)	
olen syntynyt	I was born
takana *(≠ edessä)*	behind, beyond, at the back
totta kai (cf. *tietysti*)	of course, certainly, naturally
tunte/a tunnen tunsi	to know, recognize; to feel
tuossa (cf. *tässä, tuolla*)	(right) there
täti tädin tätiä tätejä	aunt
veli veljen veljeä veljiä	brother
vuonna (abbr. *v.*)	in the year
-vuotias -vuotiaan -vuotiasta -vuotiaita	(so-and-so-many) years old
5-vuotias = viisi vuotta vanha	
äiti äidin äitiä äitejä	mother

B

ajatus ajatuksen ajatusta ajatuksia	thought, idea
hassu-n-a-ja	silly, foolish, crazy
häät (pl.) häitä	wedding
ihan *(= aivan)*	quite, entirely, completely
ilmoit/us-uksen-usta-uksia	announcement; advertisement
jää/dä jään jäi	to stay, remain; to be left
kanssa	with, together with
äidi/n kanssa *(gen.)*	with mother
katso! (colloq. also *kato!*)	look, take a look, see!
kauas (cf. *kaukana*) (*≠ lähelle)*	(to a place) far away, far off
kerto/a kerron kertoi	to tell, relate, narrate
kihloissa: olla k.	to be engaged (to be married)
mennä kihloihin	to get engaged
komea-n-a komeita	handsome; grand, splendid
kuitenkin	however, still, yet, nevertheless
köyhä-n-ä köyhiä *(≠ rikas)*	poor, needy
laina/ta lainaan lainasi	to lend; to borrow
loma-n-a lomia	vacation, holiday(s), leave
naapuri-n-a naapureita	neighbor; neighboring, next-door

no niin	well, all right
odotta/a odotan odotti *(+ part.)*	to wait (for); to expect
oikeassa: olla o. *(≠ väärässä)*	to be right (wrong)
onnelli/nen-sen-sta-sia	happy
onneton onnettoman onnetonta onnettomia	unhappy
rakka/us-uden-utta-uksia *(≠ viha)*	love
rikas rikkaan rikasta rikkaita	rich, wealthy
romaani-n-a romaaneja	novel
romantti/nen-sen-sta-sia	romantic
sanoma/lehti -lehden -lehteä -lehtiä	newspaper
tosi toden totta tosia	true
se on totta; puhua totta	it's true; to tell the truth
tytär tyttären tytärtä tyttäriä	daughter
tärkeä-n-ä tärkeitä	important, urgent
ulko/mailla	abroad, in foreign countries
uuti/nen-sen-sta-sia	(piece, item of) news
viha-n-a vihoja (cf. *viha/ta* to hate)	hate, anger
ääntä/ä äännän äänsi	to pronounce

X

fysiikka fysiikan fysiikkaa	physics
sota sodan sotaa sotia	war
viha/ta vihaan vihasi *(+ part.)*	to hate

17

Hillit ostavat vaatteita

A. Miesten vaatetusosasto. Helsinkiläinen tavaratalo. Herra Hill tulee. Hän on pitkä, tumma mies, melko hoikka. Hänellä on yllään ruskea talvitakki ja -lakki ja ruskeat housut.

The Hills are shopping for clothes

A. The men's department. A department store in Helsinki. Enter Mr. Hill. He is a tall, dark man, fairly thin. He is wearing a brown winter-coat and winter-hat and brown trousers.

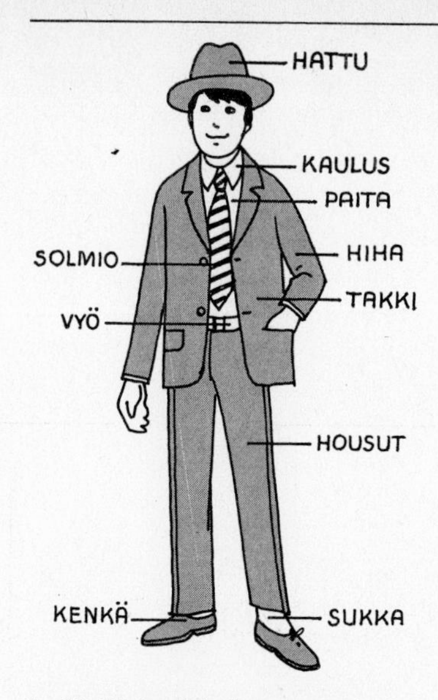

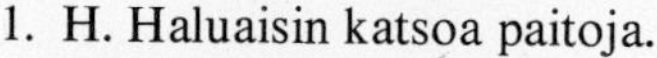

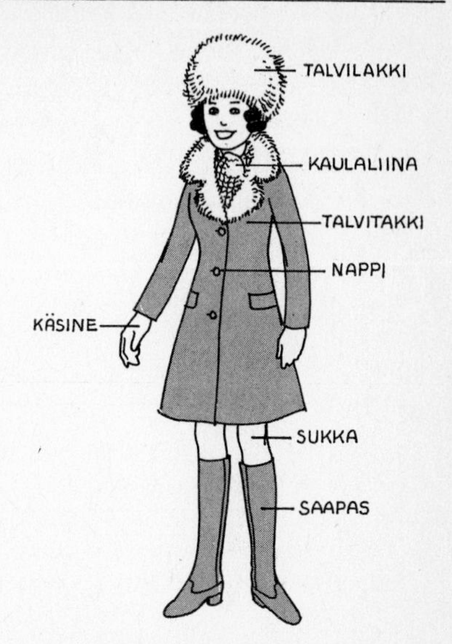

1. H. Haluaisin katsoa paitoja.	1. H. I'd like to see some shirts.
2. Myyjä. Mikä numero?	2. Salesgirl. What size?
3. H. 41.	3. H. 41.
4. M. Entä väri?	4. S. What about the color?
5. H. En tiedä varmasti, ehkä vihreä tai sininen.	5. H. I don't know for sure, maybe green or blue.
6. M. Olkaa hyvä ja valitkaa tästä, tässä ovat meidän paitamallimme. Tuossa on teidän kokonne.	6. S. Please choose from here; these are the styles that we have. That's your size there.
7. H. Tämä tummansininen on kaunis. Mutta onkohan se liiankin tumma.	7. H. This dark-blue one is nice. But I wonder whether it is too dark.
8. M. Ottakaa sitten tuo. Se on melkein samanlainen, mutta vaaleansininen. Ne ovat samanhintaiset.	8. S. Then take that one. It's almost similar, but light blue. They are the same price.
9. H. Ovatko ne hyvää laatua?	9. H. Are they good quality?
10. M. Ovat, kotimaista puuvillaa. Ne ovat hienoja paitoja molemmat.	10. S. Yes, they are, Finnish cotton. They are both fine shirts.
11. H. Antakaa minulle se vaalea. Saanko sitten nähdä sukkia?	11. H. Give me the light-blue one, please. May I also see some socks?
12. M. Kreppinailonia vai villaa?	12. S. Stretch nylon or wool?

13. H. Villaa. Harmaat. Tuo on juuri oikea väri. Saanko kaksi paria.

13. H. Wool. Grey. That's just the right color. May I have two pairs, please.

14. M. Tarvitsetteko jotain muuta? Solmioita? Villapaidan? Lämpimät käsineet? Talvialusvaatteita?

14. S. Do you need anything else? Ties? A sweater? Warm gloves? Winter underwear?

15. H. Kiitos, ei tällä kertaa. Mutta sanokaapa, missä kenkäosasto on, tarvitsen kumisaappaat.

15. H. Thank you, not this time. But please tell me where the shoe department is – I need a pair of rubber boots.

Älkää ostako liian pieniä kenkiä!

Älkää maksako liikaa!

Mitä ainetta **(Mistä aineesta)**	pöytä on? Se on	**puuta.** **(puusta).**

Minkä hintainen tuo solmio on? — ... markkaa, **samanhintainen** kuin tämä.

Minkä värinen se on? — Punainen, **ruusun värinen.**

Minkä näköinen Liisa on? — Pitkä ja hoikka, **hauskannäköinen.**

Minkä kokoinen Tuomas on? — 180 senttiä, **isänsä kokoinen.**

Minkä ikäinen hän on? — 17-vuotias, **samanikäinen** kuin sinä.

B. Naisten vaatetusosasto. Rouva Hill tulee. Hän on hauskannäköinen, melko lyhyt, vaalea nainen. Hänellä on musta turkki ja mustat talvisaappaat.

B. The women's department. Enter Mrs. Hill. She is a nice-looking woman, fairly short, blonde. She's wearing a black fur-coat and black winter-boots.

1. M. Saatteko jo, rouva?
2. H. Kiitos, minä katselen vain.

1. S. Anyone helping you, madam?
2. H. Thank you, I'm just looking.

Hän todellakin aikoo vain katsella. Hän katselee erilaisia kenkiä, pukuja, puseroita, hameita, villatakkeja, villapuseroita. Ja mitä sitten tapahtuu?

She really only intends to look. She looks at the different kinds of shoes, dresses, blouses, skirts, cardigans, sweaters. And what happens next?

3. H. Saanko koettaa tätä punaista hametta? Ja tuota valkoista puseroa?
4. M. Tänne päin, olkaa hyvä, täällä on vapaa sovitushuone.
5. H. Hame on kyllä sievä. Mutta onkohan väri liian kirkas? Minä olen niin lihava.
6. M. Lihavako? Ei ollenkaan! Normaali nainen ei ole laiha kuin mannekiini. Minusta kirkkaan punainen sopii teille erittäin hyvin.
7. H. Minusta tämä pusero on ihana.
8. M. Niin on, mutta onko tuo oikea koko? Tässä on pienempi numero, koettakaapas tätä.
9. H. Minkä hintainen tämä on?
10. M. ...... markkaa.
11. H. Taivas, niinkö kallis se on! Eikö teillä ole halvempia?
12. M. Ei samaa mallia. Mutta tässä on tällainen malli, vain ... markkaa.
13. H. Mutta se ei ole yhtä kaunis kuin tämä. Niin se on: kauniimpi on usein myös kalliimpi. Mitäs minä nyt teen? Kai minä otan vain tämän hameen.

3. H. May I try on this red skirt? And that white blouse?
4. S. This way, please, here's a free fitting-room.
5. H. The skirt *is* pretty. But I wonder if the color is too bright? I'm so fat.
6. S. Fat? Not a bit! A normal woman is not thin like a fashion model. I think bright red suits you very well.
7. H. I think this blouse is wonderful.
8. S. It is, but is that the right size? Here's a smaller size, try this one on!
9. H. What price is this?
10. S. ...... marks.
11. H. Heavens, is it so expensive? Don't you have cheaper ones?
12. S. Not in the same style. But here's this kind of style, at only ... marks.
13. H. But it isn't as pretty as this one. That's how it is: what's prettier is often also more expensive. What shall I do now? I'll just take this skirt, I guess.

14. M. Olkaa hyvä ja maksakaa kassaan. Pakkaamo on kassan vasemmalla puolella. Tervetuloa uudelleen, rouva!	14. S. Please pay the cashier. The wrapping department is to the left of the cashier's booth. Come again, madam!

– Minä ostin juuri uuden käsilaukun.
– Millainen (minkälainen) se on, näytä.
– Tällainen.

– Taivas, minulla on samanlainen!

sama same	≠	**eri** different, not same
saman/lainen (kuin) same kind of, similar to	≠	**eri/lainen** (kuin) different (kind of), different from, not similar

"think that"
Minä **luulen, että** rouva Y:n etunimi on Kirsti (assumption). **Minusta** Kirsti on kaunis nimi (opinion).

Structural notes

1. Imperative plural

	Affirmative		Negative	
(*puhu/a* to speak)	*Puhu/kaa hitaasti!*	Speak slowly!	*Älkää puhu/ko liian nopeasti!*	Do not speak too fast!
(*tul/la* to come)	*Tul/kaa tänne!*	Come here!	*Älkää tul/ko tänne!*	Don't come here!

Imperative plural – used to give orders or requests to several people or to one person whom one addresses formally, with family name and title – is formed by adding the ending *-kaa (-kää)* to the stem obtained from the basic form (infinitive) of the verb.

The corresponding negative form:

negation	+	inf. stem/*ko (-kö)*
älkää		*tul/ko*

Verbs in *-ta* and *-ita* have *-t* before the imperative pl. ending:

(*varata* to reserve)	*Varat/kaa liput ajoissa!*	Reserve the tickets in good time!
(*häiritä* to disturb)	*Älkää häirit/kö!*	Do not disturb!

Note: *Teemme sen heti.* We'll do it right away. But, after affirmative imperative: *Tehkää se heti!* Do it right away!

(The imperative sing. was explained in lesson 16:2.)

2. Comparative of adjectives

Vuori on korkea/mpi kuin mäki.	A mountain is higher than a hill.
Tämä talo on paljon iso/mpi kuin tuo.	This house is much bigger than that one.
Raketti on vielä nopea/mpi kuin suihkukone.	A rocket is faster still than a jet plane.

The comparative of adjectives is formed by adding the suffix *-mpi* to the stem. When the basic form and the gen. stem are different, the gen. stem is used. More examples:

nuori (nuore/n)	*nuore/mpi*	younger
uusi (uude/n)	*uude/mpi*	newer
kaunis (kaunii/n)	*kaunii/mpi*	prettier, more beautiful
valkoinen (valkoise/n)	*valkoise/mpi*	whiter
lämmin (lämpimä/n)	*lämpimä/mpi*	warmer
rakas (rakkaa/n)	*rakkaa/mpi*	dearer

The final short *-a (-ä)* in two-syllable adjectives changes into *-e-* in comparative:

vanha	*vanhe/mpi*	older, elder
halpa (halva/n)	*halve/mpi*	cheaper
kylmä	*kylme/mpi*	colder

Note the following irregular comparatives:

hyvä	good	*pare/mpi*	better
pitkä	long, tall	*pite/mpi*	longer, taller

The word used to tie together the two things compared with each other (engl. "than", "as") is *kuin:*

Matti on vanhempi kuin Pekka.	Matti is older than Pekka.
Matti on yhtä vanha kuin Paavo.	Matti is as old as Paavo.
(Matti ja Paavo ovat yhtä vanhat.	Matti and Paavo are equally old.)
Pekka ei ole niin vanha kuin Matti.	Pekka is not so old as Matti.

With comparative, partitive can be used instead of *kuin:*

Matti on | *Pekka/a vanhempi.* | *vanhempi Pekka/a.*	Matti is older than Pekka.
Tavallis/ta parempi.	Better than usual.
Normaali/a pienempi.	Smaller than normal.

The comparative is inflected like a normal adjective. The principal parts are, for instance, *parempi – paremman – parempaa – parempia*
(Note here also the adverbs *paljon – enemmän* more, *vähän – vähemmän* less.)

3. Words ending in -nen

Bob on englantilainen poika.	Bob is an English boy.
Tapasin englantilaisen pojan,	I met an English boy,
kaksi englantilaista poikaa,	two English boys,
paljon englantilaisia poikia.	many English boys.

Finnish has a large number of nouns and adjectives which end in *-nen* in their basic form. Of this word type note the following points:

– The element *-nen* only appears in the basic form;

– All other forms have the element *-s-*, and the principal parts are *englantilainen englantilaisen englantilaista englantilaisia;*

– The stem form *englantilais-* is used as the first part of compound words:
englantilais-suomalainen English-Finnish
amerikkalais/poika = *amerikkalainen poika*

Reader

Englannin ja USA:n ilmasto on lämpimämpi kuin Suomen. Jacksonit ovat floridalaisia. Kun he saapuivat Helsinkiin, heidän täytyi ostaa paljon uusia lämpimiä talvivaatteita. Rouva J. meni tavaratalon naisten vaatetusosastolle ja osti talvitakin. Hän sovitti monta takkia. – Hm, tämä numero sopii kyllä, mutta en oikein välitä takin väristä. Se on liian vaalea. – Tässä on vähän tummempi. – Ei ei, älkää tuoko sitä takkia, pidän sittenkin enemmän ruskeasta kuin vihreästä. Näyttäkääpä minulle tuota ruskeaa takkia! Minusta tämä on paljon sievempi kuin nuo toiset. – Niin, kyllä se on hieno takki ja hyvää laatua. – Onko se kalliimpi vai halvempi kuin tuo vihreä? – Samanhintainen.

Samaan aikaan hänen miehensä oli miesten vaatetusosastolla. – Tarvitsen lämpimiä talvivaatteita, hän sanoi sievälle myyjälle. – Tulette juuri oikeaan paikkaan, myyjä sanoi, meillä on ihania villatavaroita. Ja kun herra J. lähti tavaratalosta, hänellä oli vähemmän rahaa ja enemmän tavaraa kuin ennen. Hän oli ostanut (had bought) harmaat kengät, viisi paria villasukkia, punaisen villapaidan, nahkakäsineet, talvitakin, villaisia alusvaatteita jne. – Katsokaa, isä osti koko tavaratalon! sanoivat lapset, kun herra J. tuli kotiin. Hänellä on varmasti jotakin meille kaikille! Ja niin olikin.

Exercises

1. Go back to Ex. 3 in lesson 16 and do it once more, this time giving your orders or requests to more than one person, or to one person whom you address formally. Model:
   a) *Teidän täytyy maksaa tämä lasku. – Maksakaa tämä lasku!*
   b) *Te ette saa tehdä niin. – Älkää tehkö niin!*
2. A little review of adjectives. Give the opposite of:

   pieni, vanha, hyvä, halpa, helppo, kylmä, pitkä, hidas, köyhä, laiska, painava, vaalea, lihava, musta, ulkomainen, kevyt, suuri, uusi, ahkera, lyhyt, tumma, kuuma, kallis, rikas, huono, valkoinen, kotimainen, nopea, laiha, iso, vaikea, lämmin, paha, raskas.
3. Are these statements true of false? Correct the false ones.

   Intiaanit ovat vaaleampia kuin suomalaiset. Puuvillapuku on liian lämmin talvella. Pidän pop-musiikista yhtä paljon kuin sinfoniamusiikista. Suomalaiset tytöt ovat yhtä hauskoja kuin oman maani tytöt. Amerikkalaiset autot ovat pienempiä, hitaampia ja halvempia kuin eurooppalaiset. Keltainen väri on kauniimpi kuin vihreä. Lapset pitävät enemmän punaisesta kuin harmaasta. Pikkukaupunki on rauhallisempi ja siistimpi kuin suurkaupunki. Suomalainen on tavallisesti italialaista vilkkaampi. Lihavat ihmiset ovat mukavampia kuin laihat.
4. Model: *New York, Rooma – vanha. Rooma on vanhempi kuin New York/Rooma on New Yorkia vanhempi.*

   Helsinki, Lontoo – suuri. Televisio, radio – kallis. Miehen puku, naisen puku – halpa. John, Bruce – tavallinen nimi. Oma lapsi, toisen lapsi – rakas. Espanja, Lappi – lämmin. Junamatka, lentomatka – hauska. Isoisä, pojanpoika – nuori. Puuvillapaita, nailonpaita – hyvä. Suomi, ranska – vaikea kieli.

5. Look at the picture and form short sentences of comparison, using as many of the adjectives indicated as possible.

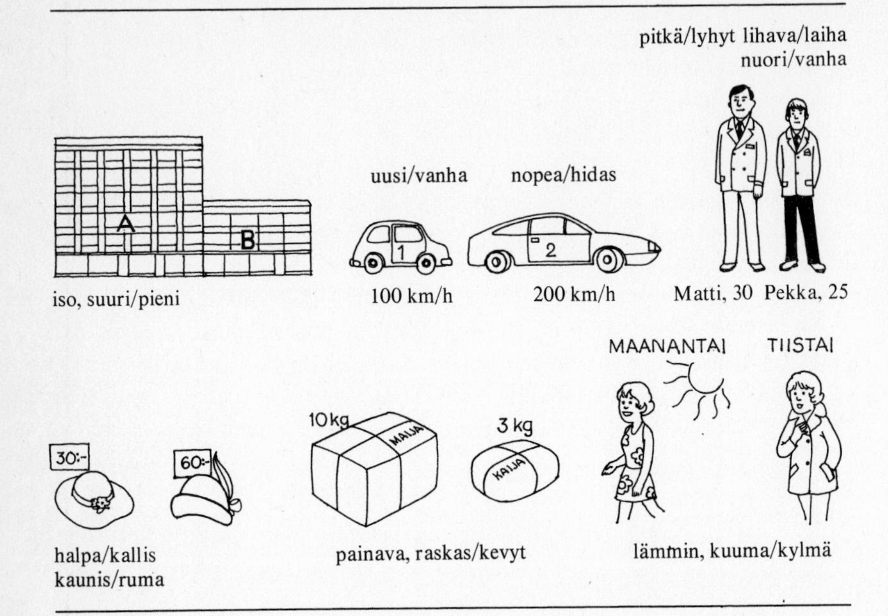

6. Use the word italicized in the first sentence properly inflected in the other sentences of each set below.

Suomelat ovat *suomalainen* perhe. Tapaamme usein tämän ...... perheen. Pidämme kovasti tästä ...... perheestä. Tunnetteko te monta ...... perhettä? Kyllä, me tunnemme aika paljon ...... perheitä.

Punainen on kaunis väri. Minulla on kolme ...... pukua. Suomessa näkee maalla paljon ...... puutaloja. Pidättekö te ...... väristä? Asumme pienessä ...... talossa. Mihin Pekka meni? Tuohon ...... taloon.

Matti on *tavallinen* nimi. Monet haluavat antaa lapselleen melko ...... nimen. Toiset taas eivät tahdo antaa lapselleen liian ...... nimeä. Ritva, Kirsti ja Liisa ovat ...... naisen nimiä Suomessa.

Tuolla on rouva *Oksanen*. Antakaa tämä paketti rouva ......! Aion kysyä rouva ......, voiko hän tulla meille kahville lähipäivinä. Rouva ...... lapset ovat vielä pieniä. Katsokaa rouva ......, eikö hänellä olekin kaunis hattu?

7. Word review.

Kun Aili M. oli 17-vuotias, hän oli sievä, ... tyttö (paino 50 kg), mutta nyt hän on keski-ikäinen ja melko ...... (paino 80 kg). Kun hän ostaa vaatteita, hänen täytyy tavallisesti ...... monta pukua, ennenkuin hän löytää ...... numeron. Silloin hän aina ajattelee: »Minun täytyy syödä ...... kuin tähän saakka.» Tällä kertaa Aili ostaa mustan hameen ja valkoisen ...... – Minkä ...... tämä hame on? hän tiedustelee myyjältä. – Ja voinko maksaa teille? – Ei, maksakaa ......, pakkaamo on sen takana.

Vocabulary

A

alus/vaate-vaatteen-vaatetta -vaatteita (usu. pl.)	underwear
enemmän (comp. of *paljon*)	more
hieno-n-a-ja	fine, elegant
hintai/nen-sen-sta-sia	of a certain price, costing ......
hoikka hoikan hoikkaa hoikkia	slim, slender, thin
housut (pl.) housuja	trousers, pants, slacks
juuri	just, exactly
kenkä kengän kenkää kenkiä	shoe
koko koon kokoa kokoja (cf. *koko* indecl. whole, entire)	size
koti/mainen-maisen-maista-maisia	domestic, made in one's own country
kreppi/nailon	stretch nylon
kumi-n-a kumeja	rubber, india rubber
käsine-en-ttä-itä	glove
laatu laadun laatua laatuja	quality
lakki lakin lakkia lakkeja	cap
malli-n-a malleja	model; pattern; style
melko (= *aika*)	rather, fairly, quite
molemmat (pl.) molempia	both, the two
oikea-n-a oikeita	right, correct; genuine, true
osasto-n-a-ja	section, department
paita paidan paitaa paitoja	shirt
puu/villa-n-a	cotton
saapas saappaan saapasta saappaita	boot
saman/lainen-laisen-laista-laisia	similar
solmio-n-ta-ita	tie
sukka sukan sukkaa sukkia	stocking, sock
takki takin takkia takkeja	coat, jacket
talvi talven talvea talvia	winter
tumma-n-a tummia	dark(-colored)
vaalea-n-a vaaleita	light(-colored)
vaate vaatteen vaatetta vaatteita (usu. pl)	garment; pl. clothes, clothing

vaatet/us-uksen-usta	clothing, apparel
vali/ta valitsen valitsi	to choose, pick, select, elect
varma-n-a varmoja	sure, certain
villa-n-a villoja	wool
villa/paita	men's sweater
väri-n-ä värejä	color, hue, tint, dye
yllä(än); olla yllä (colloq. *päällä*)	to have on, wear
Värejä:	Colors:
harmaa-n-ta harmaita	grey
keltai/nen-sen-sta-sia	yellow
musta-n-a mustia	black
punai/nen-sen-sta-sia	red
vaalean/punainen	pink
ruskea-n-a ruskeita	brown
sini/nen-sen-stä-siä	blue
valkoi/nen-sen-sta-sia	white
vihreä-n-ä vihreitä	green

B

eri/lainen-laisen-laista-laisia	different, various
hame-en-tta-ita	skirt
kassa-n-a kassoja	fund(s); cashier's booth
kirkas kirkkaan kirkasta kirkkaita	bright, clear
koetta/a koetan koetti (+ *part.*)	to try, attempt; to try on
kuin	as; than
laiha-n-a laihoja (≠ *lihava*)	thin, lean, meager
lihava-n-a lihavia	fat, plump, corpulent
manne/kiini-n-a mannekiineja	fashion model
minu/sta	in my opinion, to my taste, I think
näköi/nen-sen-stä-siä	looking like something
ollenkaan (= lainkaan): ei o.	not at all
pakkaamo-n-a-ja	wrapping department
puku puvun pukua pukuja	suit; dress
pusero-n-a puseroita	blouse
sievä-n-ä sieviä	pretty
sovitta/a sovitan sovitti *(= koettaa)*	to try on
sovitus/huone-en-tta-ita	fitting-room
taivas taivaan taivasta taivaita	sky; heaven

turkki turkin turkkia turkkeja	fur-coat
täll ai/nen-sen-sta-sia	this kind of, such
uudelleen	again, anew
vill a/pusero	lady's sweater
vill a/takki	cardigan

X

aine-en-tta-ita	matter, substance, material
ikä iän ikää ikiä	age
ikäi/nen-sen-stä-siä	aged so-and-so
kokoi/nen-sen-sta-sia	(of) the size of ......
puu-n-ta puita	wood; tree
ulko/mainen-maisen-maista-maisia	foreign
väri/nen-sen-stä-siä	(of) the color of ......

18

A. Hillit vuokraavat huoneiston

Huoneiston eteinen. Talonmies tulee herra ja rouva Hillin kanssa.

1. T. Tämä on oikein hyvä huoneisto. Kolme suurta huonetta ja keittiö. Tässä on olohuone. (Tulevat olohuoneeseen.)
2. Rouva H. Täällä on hauska iso ikkuna. Ja sen ulkopuolella on parveke.
3. Hra H. Kirjoituspöytä on hyvällä paikalla ikkunan edessä. Täällä on kirjahyllykin.

A. The Hills are renting an apartment

The entrance hall of the apartment. The janitor comes in with Mr. and Mrs. Hill.

1. J. This is a very good apartment. Three large rooms and a kitchen. Here's the living-room. (They come into the living-room.)
2. Mrs. H. There's a nice large window here. And outside the window there is a balcony.
3. Mr. H. The (writing-)desk is in a good place in front of the window. There's a book-shelf too.

4. Rouva H. Tuo nojatuoli tuossa on minusta kauhean ruma.
5. Hra H. Huonekalut ovat kuitenkin hyvässä kunnossa.
6. Rva H. Missä lamput ovat? Sohvapöydän yläpuolella on yksi.
7. Hra H. Ja kirjoituspöydän luona toinen.
8. Rva H. Haluaisin katsoa keittiötä. Onko täällä sähkö- vai kaasuhella?
9. T. Sähköhella.
10. Hra H. Täällä on paljon komeroita. Ja jääkaappi.
11. Rva H. Astianpesukonetta ei ole, mutta onneksi on pieni pakastin. Mehän käytämme niin paljon pakasteita. Missä kylpyhuone on?
12. T. Täällä keittiön ja makuuhuoneen välissä. Kylpyhuone ja WC.
13. Rva H. Suihku on, ja amme on siisti.
14. Hra. H. Sitten makuuhuone. Seinät ovat vähän tummat.
15. Rva H. Voi miten kapeat sängyt! Mutta ne ovat melko mukavat.
16. Hra H. Se on hyvä asia, minä en osaa nukkua epämukavassa sängyssä.
17. Rva H. Vauva nukkuu täällä meidän kanssamme. Tuohon voimme panna vauvan vuoteen. Ja tuosta toisesta huoneesta tulee sopiva lastenhuone.
18. Hra H. Ajatellaan asiaa vielä, mutta kaipa me tämän otamme. Paljon kiitoksia teille!

4. Mrs. H. That armchair there is awfully ugly, I think.
5. Mr. H. However, the furniture is in good condition.
6. Mrs. H. Where are the lamps? There's one above the coffee-table.
7. Mr. H. And another by the writing-desk.
8. Mrs. H. I'd like to have a look at the kitchen. Is there an electric or a gas stove?
9. J. An electric stove.
10. Mr. H. There are many closets here. And a refrigerator.
11. Mrs. H. There's no dishwasher, but fortunately there is a small freezer. We use such a lot of frozen foods. Where is the bathroom?
12. J. Here, between the kitchen and the bedroom. The bathroom and toilet.
13. Mrs. H. There is a shower, and the tub looks all right.
14. Mr. H. Then the bedroom. The walls are a bit dark.
15. Mrs. H. How narrow the beds are! But they are fairly comfortable.
16. Mr. H. That's good, I can't sleep in an uncomfortable bed.
17. Mrs. H. The baby will sleep here with us. We can put the baby's bed right there. And that other room will make a good children's room.
18. Mr. H. Let's think about it some more, but we'll very probably take this (apartment). Thank you very much, Mr. Lipponen.

Kal. huoneisto

valoisa, 3 h., k., kh., 70 m². Pitkäk. 10 B 6. Talonmies näyttää, puh. 987 654.

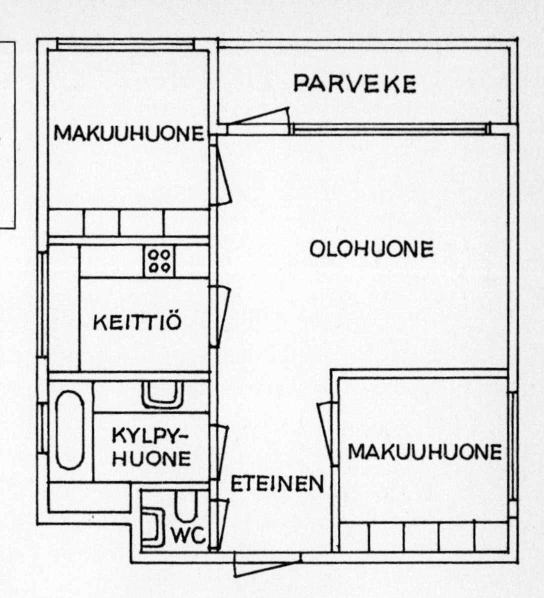

huone – huoneis**to**
kirja – kirja**sto**
huonekalu – (huone)kalu**sto**

mukava ≠ **epä**mukava
varmasti ≠ **epä**varmasti
kunnossa ≠ **epä**kunnossa

yksiö = 1 huoneen huoneisto
kaksio = 2 huoneen huoneisto

missä? **tässä** **tuossa**
mistä? **tästä** **tuosta**
mihin? **tähän** **tuohon**

me **makaamme** sängyssä (= vuoteessa); sänky (vuode) on **makuu**huoneessa

---

asunto voi olla

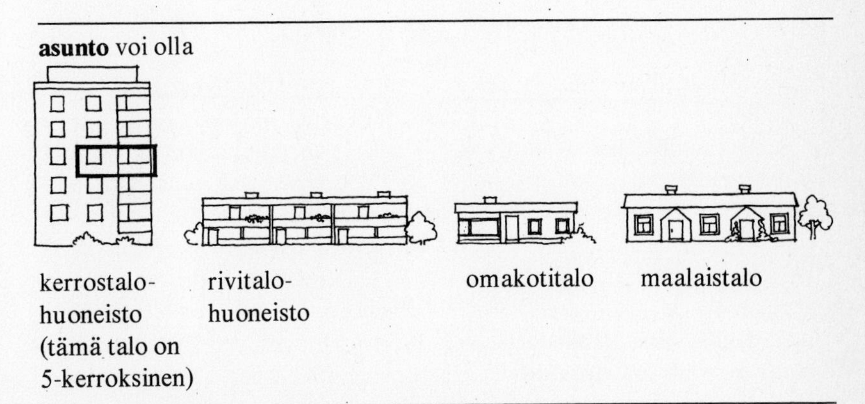

kerrostalohuoneisto (tämä talo on 5-kerroksinen) | rivitalohuoneisto | omakotitalo | maalaistalo

---

B. Opiskelija etsii huonetta

B. A student is looking for a room

James Brown soittaa ovikelloa. Harmaatukkainen rouva avaa oven.

James Brown rings the door bell. A grey-haired lady opens the door.

1. J. Hyvää päivää, minä tulen ...

1. J. Good afternoon, madam, I'm coming ...

2. R. Minä arvaan kyllä. Pankaa takkinne tähän. Tätä tietä, olkaa hyvä. (Katsovat eräästä ovesta sisään.)

2. L. Yes, I can guess. Put your coat here. This way, please. (They look in at a door.)

3. J. Onpa valoisa ja kodikas huone. Näin paljon tilaa, ja kauniita vanhoja esineitä.

3. J. What a light and pleasant room! So much space, and beautiful old things!

4. R. Niin, mutta entäs televisio?

4. L. Yes, but what about the TV?

5. J. En minä tarvitse televisiota, minä tulen hyvin toimeen ilman.

5. J. I don't need a TV; I can manage very well without one.

6. R. Nyt minä en käsitä. Ettekö te olekaan tv-teknikko? Meidän tv on epäkunnossa. Minä luulin, että te tulitte korjaamaan sitä.

6. L. Now I don't understand. Aren't you a TV-repairman? Our TV doesn't work. I thought that you had come to repair it.

7. J. Ei, minä etsin huonetta. Tehän ilmoititte lehdessä. Onko huone vielä vapaa?

7. J. No, I'm looking for a room. You advertised in the paper. Is the room still free?

8. R. On se. Se on tuo seuraava huone. Se on pimeämpi, mutta siisti ja lämmin. Vuokra on ...... markkaa kuussa.

8. L. Yes, it is. It's the next room. It's darker, but neat and warm. The rent is ...... marks a month.

9. J. Saako täällä keittää ja pestä vaatteita?

9. J. Is it possible to cook and wash clothes here?

10. R. Saa keittää kahvia ja teetä. Kylpyhuoneessa voi pestä paitoja ja sukkia. Naapuritalossa on baari ja pesula.

10. L. You may make coffee and tea. You may wash your shirts and socks in the bathroom. There is a cafeteria and a laundry next door.

11. J. Haluatteko vuokran etukäteen?

11. J. Do you want the rent paid in advance?

12. R. Kyllä, aina kuukauden ensimmäisenä päivänä. Irtisanomisai-

12. L. Yes, always on the first of the month. There is a month's

ka on kuukausi. Mutta kuulkaapas, poltatteko te? Minä en tykkää tupakansavusta.

notice. But listen, do you smoke? I don't like cigarette smoke.

13. J. En minä polta. Ja minä käytän hyvin vähän alkoholia.

13. J. I don't smoke. And I don't have a drink very often.

14. R. Minä en haluaisikaan vuokralaista, joka tulee kotiin humalassa. Käykö teillä paljon vieraita?

14. L. Well, I wouldn't like a lodger who comes home drunk. Will you have a lot of visitors?

15. J. Eihän minulla ole paljon tuttavia Helsingissä.

15. J. Well, I don't have many friends in Helsinki.

16. R. Soitatteko te musiikkia kovaa?

16. L. Do you play music loud?

17. J. En koskaan. Minulla on kasettinauhuri, soitan sitä aivan hiljaa.

17. J. Never. I have a cassette tape recorder; I play it very low.

18. R. Saatte huoneen. Te olette järkevä nuori mies, vaikka olettekin ulkomaalainen.

18. L. You can have the room. You are a sensible young man, even though you are a foreigner.

19. J. Kiitos kohteliaisuudesta! Milloin minä voin muuttaa?

19. J. Thanks for the compliment. When can I move in?

20. R. Milloin vain, huone on heti vapaa.

20. L. Any time; the room is free right away.

Anssi **soittaa** ovikelloa (soittaa).

Ovikello **soi** (soida).

Menen ovesta sisään.

Katson ikkunasta ulos.

-kin — -kaan (-kään)

Minäkin pidän hänestä ("too").

En minä**kään** pidä hänestä ("not . . . either").

myös(kin) – **ei** myös**kään**
ainakin – **ei** aina**kaan**
kuitenkin – **ei** kuiten**kaan**

milloin? tänään, huomenna, ensi viikolla – **milloin vain**
missä? täällä, ravintolassa, kotona – **missä vain**
kuka? sinä, minä, Kalle, neiti Y. – **kuka vain**

Structural notes

1. Postpositions with genitive

Päivällise/n jälkeen.	After dinner.
Rouva Salo/n kanssa.	With Mrs. Salo.
Tamperee/n kautta.	Via Tampere.

The English language has a large number of prepositions (literally, ”words placed before another word”, e.g. ”after”, ”with”. The Finnish language also has a few, but it has far more **postpositions** (”words placed after another word”), e.g. *jälkeen, kanssa.*

The noun that precedes a postposition is most often in the *genitive* (sometimes in *partitive,* see lesson 21:2).

Among postpositions with genitive are:

aikana during
alla under
alapuolella below, underneath
edessä in front of
jälkeen after
kanssa (together) with
kautta through, via
keskellä in the middle of
luona at, by, near
lähellä near, close to
ohi(tse) past, by
poikki across
päällä on top of
sisällä (sisässä) in, inside
sisäpuolella inside
takana behind
ulkopuolella outside
vieressä by, next to
välillä (välissä) between
yli(tse) over, across
yläpuolella above
ympärillä around

Some of these postpositions may be used as prepositions as well, e.g. *ohi, poikki, yli: kadu/n poikki = poikki kadu/n* across the street etc.

When a postposition with gen. is preceded by a pers. pronoun, a possessive suffix must also be used:

(minun)	*kanssa/ni*	with me	*(meidän)*	*kanssa/mme*	with us
(sinun)	*kanssa/si*	with you	*(teidän)*	*kanssa/nne*	with you
hänen	*kanssa/nsa* *(kanssa/an)*	with him/her	*heidän*	*kanssa/nsa* *(kanssa/an)*	with them

2. ”there is” in Finnish

Huoneessa on iso ikkuna.	There is a large window in the room.
Puistossa on kukkia ja puita.	There are flowers and trees in the park.

”There is”, ”there are” is in Finnish **on** (negative **ei ole**).
Note the word-order in the Finnish expression:

1. place	2. ”there is”	3. the thing that is there
Huoneessa	*on*	*iso ikkuna.*

Negative:

Keittiössä ei ole jääkaappi/a. There is no refrigerator in the kitchen.

The thing that is *not* there appears in Finnish in the partitive.
Question:

Onko keittiössä	*jääkaappi?*	Is there a refrigerator in the kitchen?
	jääkaappia?	
Eikö keittiössä ole jääkaappia?		Is there no refrigerator in the kitchen?

3. More about the ”into” case (maahan – taloon – huoneeseen).

a)	*Tä/hän maa/han.*	To this country.
	Yö/hön saakka.	Until night.
	Tiistaista torstai/hin.	From Tuesday to Thursday.

Monosyllabic words – or longer words or stems ending in a diphthong – have in the ”into” case the ending *h* + *last vowel of the word stem + n.*

Irregular is the pronoun *se: se aika – sii/hen aika/an* at the time, at that time.

b)	*Suomalaise/en kylä/än.*	To a Finnish village.
	Panin ilmoituksen lehte/en.	I put an ad in the paper.

'Longer words with gen. stem ending in a short vowel have in the ”into” case the ending *prolongation of this vowel + n.* There is always *strong grade.*

c)	*Kaunii/seen huonee/seen.*	Into a beautiful room.
	Porvoo/seen, Lontoo/seen.	To Porvoo, to London.

Longer words with gen. stem ending in a long vowel have in the "into" case the ending *-seen*. (Words in *-e* will belong here, as they have *-ee-* in their gen.stem: *huone, huonee/n – huonee/seen, liike, liikkee/n – liikkee/seen* etc.)

Reader

Kaupungeissa suomalaiset asuvat tavallisesti kerrostaloissa. Ne eivät ole kovin korkeita, 3–10-kerroksisia. On kuitenkin myös rivitaloja ja omakotitaloja. Pitkän, kylmän talven aikana suomalainen tarvitsee lämpimän ja mukavan asunnon. Siinä täytyy olla keskuslämmitys, kylpyhuone tai sauna ja moderni keittiö.

Asunnot ovat kuitenkin usein liian pieniä. Koska ihmiset muuttavat koko ajan maalta kaupunkiin, Helsingissä ja muissa suurissa kaupungeissa ei ole kovinkaan helppo löytää asuntoa. Oma asunto maksaa paljon, mutta vuokrat ovat myös korkeat. Vuokrahuone on tavallisesti kalustettu, mutta jos vuokraa koko huoneiston, se on melkein aina kalustamaton (unfurnished).

Esko ja Raija ovat nuori pari, joka (who, which) asuu vuokrahuoneistossa 5-kerroksisessa talossa vähän kaupungin ulkopuolella. He maksavat siitä (for it) kuussa vuokraa ...... markkaa. Siinä on kaikki melko hyvässä kunnossa, vaikka talo ei olekaan enää kovin uusi. Huoneisto on kaksio, mutta siinä on kyllä tarpeeksi tilaa kahdelle hengelle. Olohuone on tilava ja kodikas, vaikka huonekalut eivät olekaan kalliita. Yhdellä seinällä on iso kirjahylly ja kirjahyllyn vieressä televisio. Sohva on kaunis, mutta kova ja epämukava. Ikkunan edessä on kirjoituspöytä; sen ja sohvan välissä on nojatuoli. Keittiössä on sähköhella. Makuuhuoneessa on vuoteet, yöpöydät ja pari vaatekomeroa. Parveketta heillä ei ole. Heidän kylpyhuoneensa on liian pieni, mutta talossa on hyvä sauna, missä kaikilla on oma saunavuoro kerran viikossa. Kun Eskon ja Raijan palkat nousevat vähän, he ehkä ostavat oman osakehuoneiston, jossa on kolme tai neljä huonetta ja keittiö.

Exercises

1. Describe your own room (kitchen, bedroom, study, or apartment), using as many postpositions as possible.

2. Look at the picture and answer the following questions, using postpositions in your answers.

Missä sohva on? Missä sohvapöytä on? Missä ovi on? Missä parveke on? Missä kirjoituspöytä on? Missä pikku tuolit ovat? Missä lamput ovat? Missä kirjahylly on? Istuuko äiti nojatuolissa yksin? Onko tämä nojatuoli lampun alla?

3. Answer the following questions (also based on the picture), using complete sentences. Repeat the expression of place included in the questions and place it first in your answer.
Onko huoneessa sohvapöytä? – jääkaappi? – astianpesukone? Onko kirjoituspöydän edessä tuoli? Onko ikkunan yläpuolella kirjahylly? Onko kirjoituspöydän luona lamppu? Onko huoneen keskellä sänky? Onko kirjoituspöydän vieressä nojatuoli? Montako tuolia (lamppua, mattoa, ihmistä, koiraa, kissaa) huoneessa on?

4. Add the missing poss. suffixes.
Suomelat asuvat aivan meidän lähellä... Liisa tulee minun kanssa... kaupunkiin. Lamppu, joka (which) on sinun yläpuolella..., on hyvin kaunis. Naiset menevät ensin ovesta ja herrat heidän jälkeen... Ovatko lapset, jotka ovat kuvassa teidän edessä..., teidän lapsianne?

5. Complete:
a) Ihmiset nousevat (lentokone). He matkustavat (Lontoo). Huomenna aiomme mennä (Porvoo). Suomelat ovat ostoksilla; he menivät juuri (tuo liike). Hillit menivät talonmiehen kanssa (olohuone). Liisa Lahtinen meni naimisiin (ruotsinkielinen perhe).
b) Milloin saavuitte (tämä maa)? Mihin aikaan menette aamulla (työ)? Montako sokeripalaa panette tavallisesti (tee)? Aiomme käydä Turussa ja olla siellä tiistaista (perjantai). (Mikä koulu) poikanne menee ensi vuonna?

6. Model: *Tuoli ei ole mukava; se on epämukava.*
Huone voi olla siisti tai ......, kodikas tai ...... Asia voi olla selvä tai ......, varma tai ...... Elokuva voi olla romanttinen tai ...... Tarjoilija voi olla ystävällinen tai ...... Kysymys voi olla suora tai ...... Henkilö voi olla normaali tai ....

7. A word review.

Tässä huoneistossa on kolme huonetta ja ...... Siellä on sähkö......, jää...... ja paljon isoja ja pieniä ......, mutta astiat täytyy pestä käsin, koska siellä ei ole ...... Olohuoneen ...... on suuri parveke. ...... vuoteet ovat kovat ja ......, mutta olohuoneen tuolit, pöydät ja muut ...... ovat uudet ja hyvässä ...... Huoneiston ...... on x markkaa kuussa.

Vocabulary

A

amme-en-tta-ita	tub
astia-n-a astioita	dish, vessel
epä-	un-, in-, dis-, non-
etei/nen-sen-stä-siä	entrance hall
hella-n-a helloja *(= liesi)*	stove
huoneisto-n-a-ja	apartment, flat
huone/kalu-n-a-ja	piece of furniture; pl. furniture
hylly-n-ä-jä	shelf
jää-n-tä jäitä	ice
jääkaappi -kaapin -kaappia -kaappeja	refrigerator
kaappi kaapin kaappia kaappeja	cupboard
kaasu-n-a-ja	gas
kapea-n-a kapeita *(≠ leveä)*	narrow
kauhea-n-a kauheita	terrible, horrible, awful
keittiö-n-tä-itä	kitchen
kirjoitus/pöytä -pöydän -pöytää -pöytiä	writing-desk
komero-n-a-ja (komeroita)	closet
kylpy/huone-en-tta-ita	bathroom
käyttä/ä käytän käytti	to use; to run, operate
lamppu lampun lamppua lamppuja	lamp
lasten/huone	children's room, nursery
luona (+ *gen.*)	at, by, near
makuu/huone	bedroom
noja/tuoli-n-a -tuoleja	arm-chair, easy chair
olo/huone-en-tta-ita	living room
pakaste-en-tta-ita	frozen food
pakast/in-imen-inta-imia	freezer

parveke parvekkeen parveketta parvekkeita	balcony
pesu-n-a-ja	wash(ing)
ruma-n-a rumia *(≠ kaunis)*	ugly, plain
seinä-n-ä seiniä	wall
suihku-n-a-ja	shower, jet
sähkö-n-ä-jä	electricity
sänky sängyn sänkyä sänkyjä	bed
talon/mies -miehen -miestä -miehiä	janitor, caretaker (of a house)
ulko/puolella (+ *gen.*)	outside
valoisa-n-a valoisia *(≠ pimeä)*	light, bright, well-lighted
vauva-n-a vauvoja	baby
WC WC:n WC:tä	toilet, restroom
vuode vuoteen vuodetta vuoteita	bed
vuokra/ta vuokraan vuokrasi	to rent, hire, let, lease
välissä (+ *gen.*)	between
ylä/puolella (+ *gen.*)	above, over

B

alkoholi-n-a	alcohol, spirits, liquor
arva/ta arvaan arvasi	to guess
ava/ta avaan avasi *(≠ sulkea)*	to open
epä/kunnossa	out of order, not working
etsi/ä etsin etsi	to look for, search
etu/käteen	in advance, beforehand
hiljaa *(≠ kovaa)*	silently, low, still; slowly
humala-n-a	intoxication, state of drunkenness
ilman (+ *part.*)	without
ilmoitta/a ilmoitan ilmoitti	to announce, let know; to advertise
irti/sanomis/aika -ajan -aikaa -aikoja	notice (when discontinuing service, vacating a room etc.)
joka jonka jota joita *(relat.pron)*	who, which, that
järkevä-n-ä järkeviä	sensible, reasonable
-kaan (-kään) (in negative sentences)	not ... either; often just an emphatic suffix
kasetti kasetin kasettia kasetteja	cassette
keittä/ä keitän keitti	to cook, boil
kodi/kas-kkaan-kasta-kkaita	homelike, cozy

kohteliaisu/us-uden-utta-uksia	compliment
korja/ta korjaan korjasi	to mend, repair; to correct
kovaa *(≠ hiljaa)*	loud; fast, at high speed
kuu/kausi-kauden-kautta-kausia	month
käsittä/ä käsitän käsitti	to conceive, grasp, understand
muutta/a muutan muutti	to change; to move (in, out)
nauhuri-n-a nauhureita (from *nauha* ribbon, tape)	tape recorder
ovi/kello-n-a-ja	door-bell
pes/tä pesen pesi	to wash
pesula-n-a pesuloita	laundry
pimeä-n-ä pimeitä *(≠ valoisa)*	dark, obscure
poltta/a poltan poltti	to burn; to smoke
savu-n-a-ja	smoke
siinä ("in" case of *se)*	in it, there
teknikko teknikon teknik/koa-koja	technician
tila-n-a tiloja	space, room; condition, state
tukka tukan tukkaa	hair (of the head)
tykä/tä tykkään tykkäsi (+ -sta) (colloq.)	to like, be fond of
vain (preceded by interrogatives):	
milloin (koska) vain	any time, no matter when
missä vain	anywhere, no matter where
vuokra-n-a vuokria	rent
vuokralai/nen-sen-sta-sia	tenant, lodger

X

(huone)kalusto	furniture
kaksio-n-ta-ita	2-room apartment
kirjasto-n-a-ja (kirjastoita)	library
maalais/talo-n-a-ja	farmhouse
maa/ta makaan makasi	to lie (down), be in bed
oma/koti/talo	one-family house
osake/huoneisto-n-a-ja (*osake* share)	owner-occupied apartment
rivi/talo	rowhouse, semi-detached house
tilava-n-a tilavia	spacious, large
valo-n-a-ja	light
yksiö-n-tä-itä	1-room apartment

19

A. Kun bussi ei tullut

Olen ulkomaalainen, asun Helsingissä. Saanko kertoa, mitä minulle eilen tapahtui?
Seisoin bussipysäkillä. Odotin ja odotin. Bussi ei tullut.

Paitsi minua pysäkillä seisoi vain vanhahko herra, jota en tuntenut. En tiennyt, paljonko kello oli, koska minulla ei ollut kelloa. Lopulta en voinut enää odottaa. Kysyin vanhalta herralta:

"Anteeksi, paljonko kello on?".
Hän ei vastannut. Joko hän ei kuullut tai ei ymmärtänyt, tai ehkä hän vain ei halunnut vastata.

Toistin kysymykseni selvästi, hitaasti ja kohteliaasti. Tällä kertaa herra katsoi minuun ja hymyili, mutta ei sanonut mitään.
Miksi en huomannut sitä heti? Ehkä hän ei osannut suomea. Jotkut vanhat helsinkiläiset eivät osanneet suomea.
Toistin kysymykseni ruotsiksi. Ei auttanut. Kohtelias hymy, mutta ei vastausta.
"Tik tak", sanoin. "Mitä? Tik tak."

Mitään ei tapahtunut.
En kestänyt enää. Huusin – englan-

A. When the bus did not come

I am a foreigner living in Helsinki. May I tell you what happened to me yesterday?
I was standing at a bus stop. I waited and waited. The bus did not come.

Besides me, there was only an elderly gentleman, whom I did not know, standing at the stop. I did not know what the time was because I had no watch. Finally I could not wait any longer. I asked the old gentleman,

"Anteeksi, paljonko kello on?"
He did not answer. Either he did not hear or did not understand, or perhaps he just did not want to answer.

I repeated my question distinctly, slowly, and politely. This time the gentleman looked at me and smiled but didn't say anything.
Why didn't I notice it at once? Perhaps he didn't speak Finnish. Some old Helsinki people did not know any Finnish.
I repeated my question in Swedish.
It didn't help. A polite smile, but no answer.
"Tick-tock", I said. *"Mitä?* Tick-tock."
Nothing happened.
I couldn't stand it any longer. I

niksi – jotain, jota en halua tässä toistaa.
Herra katsoi minuun taas. Hän ei enää hymyillyt. Hän sanoi vihaisesti:
"Tyypillinen amerikkalainen nuorimies!"
Englanniksi. Erittäin brittiläisesti.
Bussi tuli. Me kaksi anglosaksia nousimme siihen. Mutta emme istuneet samalla penkillä. Emmekä keskustelleet toistemme kanssa.

shouted – in English – something that I don't want to repeat here.
The gentleman looked at me again. He wasn't smiling any longer. He said, angrily,
"A typical young American!"

In English. In a very British way.
The bus came. We two Anglo-Saxons got on. But we did not sit on the same bench. Neither did we talk to each other.

---

mihin?

Bussiin nousee ihmisiä. **Siihen** nousee 3 ihmistä.

missä?

Bussissa istuu ihmisiä. **Siinä** istuu monta henkeä.

mistä?

Bussista lähtee ihmisiä. **Siitä** nousee 2 miestä.

---

vanha**hko** = melko, aika vanha
nuore**hko,** suure**hko,** piene**hkö**

en**kä** = **ja** en
et**kä** = ja et
ei**kä** = ja ei
jne.

älkää**kä** = ja älkää
älä**kä** = ja älä

B. Kerrotaanpa juttuja

B. Let's tell stories

I. Hämäläiset ovat kovin vähäpuheisia. Tässä tyypillinen hämäläisvitsi:
Pekka ja Paavo, molemmat hämäläisiä, kulkivat kylätiellä uuden talon ohi.
"Uusi talo", sanoi Pekka.
Pari viikkoa myöhemmin Paavo

I. Häme people do not talk much. Here's a typical joke about them:

Pekka and Paavo, both of them from Häme, were passing a new house on the village road.
"A new house", said Pekka.
A couple of weeks later Paavo again

kulki taas saman talon ohitse ja vastasi:
"Niin on."

passed the same house and answered,
"Yes."

II. Itä-Suomessa asuvat vilkkaat savolaiset, jotka ovat suuria humoristeja. He itse kertovat Savoon tulostaan seuraavasti:
Kauan sitten, kun suomalaiset muuttivat Suomeen, he tulivat kerran tienristeykseen. Risteyksessä oli tienviitta, jossa luki SAVOON.

Ne, jotka osasivat lukea, kääntyivät sille tielle.

II. The lively Savo people, who are great humorists, live in eastern Finland. They themselves tell about their arrival in Savo as follows:
A long time ago, when the Finns settled in Finland, they came one day to a cross-roads. There was a road-sign at the cross-roads, saying TO SAVO.
Those who could read turned up that road.

III. Laihialla, joka sijaitsee Pohjanmaalla lähellä Vaasaa, asuvat Suomen skotlantilaiset.
Laihian Matti päätti muuttaa Amerikkaan. Atlantilla nousi kuitenkin kova myrsky, ja Matin hyttitoveri pelkäsi kovasti. Matti ei pelännyt, hän vain nauroi ja sanoi:

"Mitä sinä itket, hullu mies? Eihän tämä laiva ole meidän, ja onneksi ostimme vain menolipun."

III. Finland's Scots live at Laihia, which is situated near Vaasa in Ostrobothnia.
Matti from Laihia decided to go to America. In the Atlantic, however, a violent storm arose, and Matti's cabin mate was very frightened. Matti was not; he just laughed and said,
"What are you crying about, you silly man? This isn't our ship, and luckily we only bought a one-way ticket."

Structural notes

1. Past tense negative

sano/a to say				*näh/dä* to see			
(minä) en *(sinä) et* *hän ei*	*sano/nut*	I you he/she	did not say	*(minä) en* *(sinä) et* *hän ei*	*näh/nyt*	I you he/she	did not see
(me) emme *(te) ette* *he eivät*	*sano/neet*	we you they	did not say	*(me) emme* *(te) ette* *he eivät*	*näh/neet*	we you they	did not see

Negative question:

enkö (minä) sano/nut?	did I not say?
emmekö (me) näh/neet?	did we not see?

Of the negative past note the following points:

– The negation is the same as in the present tense;

– The verb itself appears in a form called **past participle.** It is formed by adding the ending *-nut (-nyt)* in the sing., *-neet* in the pl., to a stem taken from the basic form of the verb: *sano/a – sano/nut, sano/neet, näh/dä–näh/nyt, näh/neet.* From now on, the past participle of each verb will be listed in the vocabulary along with the principal parts proper.

When *te* is used in formal speech to refer to one person, the past participle must appear in the sing. form:

(te) ette näh/nyt	you (one person) did not see
(te) ette näh/neet	you (many persons) did not see

Verbs ending in *-la, -ra* in the basic form have the ending *-lut (-leet), -rut (-reet)* in the past participle:

kuunnel/la	to listen	*ette kuunnel/leet*	you did not listen
sur/ra	to worry	*hän ei sur/rut*	he did not worry

Verbs ending in *-s + ta* in the basic form have the ending *-sut (-seet)* in the past participle:

nous/ta	to get up	*etkö nous/sut?*	did you not get up?
juos/ta	to run	*emme juos/seet*	we did not run

An irregular past participle in addition to the regular one has the verb *tietää* to know: *tietä/nyt* or *tien/nyt,* the latter being more commonly used.

Verbs ending in *vowel + ta* in the basic form have the ending *-nnut (-nneet)* in the past participle:

vasta/ta	to answer	*hän ei vasta/nnut*	she did not answer
tarvi/ta	to need	*ette tarvi/nneet*	you did not need

2. Relative pronoun "joka"

Tyttö, joka tulee tuolla, on serkkuni.	The girl who (that) is coming there is my cousin.

Poika, jo/n/ka nimi oli Martti, soitti sinulle.	A boy whose name was Martti called you.
Kirja, jo/sta pidän.	A book which (that) I like.
Tytöt, jo/t/ka tulevat tuolla, ovat serkkujani.	The girls who (that) are coming there are my cousins.
Kuvat, joi/ta katselitte.	The pictures you were looking at.

The relative pronoun in Finnish is *joka* (in English "who", "which", "that").

The pronoun *joka* agrees in number with the noun to which it refers: *tyttö, joka tulee – tytöt, jotka tulevat; kuva, jota katson – kuvat, joita katson.*

joka has a regular declension except that the second syllable *-ka* disappears in all cases but three (basic form sing. and pl. and gen. sing.): *joka, jo/n/ka, jo/ta, jo/ssa, jo/sta, jo/hon, jo/lla, jo/lta, jo/lle,* pl. *jo/t/ka, joi/ta.*

The interrogative pronoun *mikä* may also be used relatively, except when referring to people. Example: *Maa, mi/ssä (= jo/ssa) asumme, on pohjoisessa.* The country in which we live is in the north.

(It should be noted that *joka* in the sense "every" is an indeclineable indefinite pronoun. Example: *joka maa/ssa* in every country.)

Reader

Olitko eilen illalla kotona? – En ollut, olin Jalavalla, siellä oli paljon vieraita. – Oliko sinulla kivaa? – Ei ollut. – No, kai sinä puhuit siellä paljon suomea? – En puhunut. Siellä oli paljon ulkomaalaisia eri maista. Halusin kovin keskustella jonkun kanssa suomen kielellä, mutta en löytänyt keskustelutoveria. Pari itävaltalaista kysyi minulta, puhuinko saksaa. Sanoin, etten (= että en) valitettavasti osannut saksaa; he taas eivät osanneet kuin pari sanaa englantia. Sitten koetin keskustella erään kreikkalaisen kanssa, mutta hän ei ymmärtänyt suomea eikä englantia. Enkä nähnyt lähelläni yhtään suomalaista. – Mutta ainakin ystävämme Jussi Luoto oli siellä, tiesitkö sen? – En tiennyt. En tavannut yhtään tuttavaa. Lopulta en kestänyt enää, lähdin aivan hiljaa ovesta ulos – en sanonut hyvästiäkään – ja menin kotiin.

Exercises

1. Model: *Tänään* | *(minä) luin lehden, mutta eilen en lukenut.*
(sinä)...... ....
hän...... ....
(me)..:.... *emme lukeneet.*
(te)...... ....
he...... ....

Conjugate similarly:
Kuuntelin tänään radiota, mutta eilen ....
Tapasin tänään tuttavia, mutta eilen ....
Nousin tänä aamuna myöhään, mutta eilen ....

2. Model: *Soiko ovikello? – Ei soinut.*
Nousitko tänä aamuna kuudelta? Joitko kahvia? Menitkö työhön? Teitkö ahkerasti työtä? Lähditkö kolmelta? Kävitkö ostoksilla? Tapasitko tuttavia? Ostitko lihaa ja vihanneksia? Söitkö päivällistä perheesi kanssa? Oliko ruoka hyvää? Soititko päivällisen jälkeen äänilevyjä? Kuuntelitko radio-ohjelmaa? Piditkö siitä? Katsoitko tv:tä? Näitkö vanhoja filmejä? Luitko jotain? Kirjoititko? Tapahtuiko muuta?

3. When completing the following sentences, consider whether *te* refers to one person or more persons.
Herra Lehtovuori, te ette ymmärtä..., mitä minä kysyin. Lapset, te ette eilen muista..., mitä sanoin teille. Ettekö koetta... pukua, neiti Salo? Ettekö juo... maitoa loppuun, Pekka ja Mikko? Miksi ette pitä... elokuvasta, tohtori Metsä? Miksi ette vastan..., kun huusin teille, pojat?

4. Model: *Odotitko bussia kauan? – Etkö odottanut bussia kauan?*

Olinko oikeassa?	Arvasimmeko oikein?
Kerroinko asian sinulle?	Pesittekö ikkunat?
Löysitkö tulitikkuja?	Menittekö nukkumaan ajoissa?
Huomasitko mitään erikoista?	Aioitteko tulla kokoukseen?
Näkikö hän, mitä tapahtui?	Oliko heillä tarpeeksi rahaa?

5. Model: *En nukkunut hyvin. – Nukuin hyvin.*

Nuo ihmiset eivät puhuneet suomea.	Kalle ei maksanut liikaa.
Lapset eivät auttaneet äitiä.	Hän ei kuunnellut meitä.
En nähnyt eilen Suomeloita.	Emme olleet lauantaina työssä.
Liisa ei tiennyt, mitä tapahtui.	Hän ei ymmärtänyt asiaa oikein.
Äiti ei käynyt maitokaupassa.	Emme tarvinneet rahaa.

6. Model: *Ville on poika. Hän ei pelkää mitään. – Ville on poika, joka ei pelkää mitään.*
Tuolla tulee Riitta Vuorio. Riitan äiti on englantilainen.
Savon pääkaupunki on Kuopio. Kuopiossa voi nähdä paljon savolaisia.
Kadulla seisoi poliisi. Häneltä kysyin, missä Sibelius-puisto on.
Meillä on kaunis vanha tuoli. Pidämme tuolista kovin.
Kuvassa on isoäitini. Rakastan häntä suuresti.
Merellä on laivoja. Katselen niitä joka päivä.
Tunnetko nuo lapset? He juoksevat pihalla.

7. a) Se, mitä joku *kysyy,* on *kysymys.* Se, mitä joku *kertoo,* on .... Se, mitä joku *aikoo* tehdä, on..... Se, mitä joku *toivoo,* on .... Kun joku *hakee* paikkaa, hänen täytyy kirjoittaa .... Kun A ja B *sopivat* jostakin asiasta, se on ....

b) Lapsi *pelkää* koiraa; se on aika tavallinen *pelko*.
Laiva *lähtee;* sen ...... aika on kello 18.30. Ritva *lentää* Ouluun; kauanko ...... kestää? Poika *soittaa* viulua; onko viulun ...... vaikeaa? Hra Vanhanen *näkee* ja *kuulee* huonosti; hänellä on huono ...... ja ...... Ihmiset *menevät* työhön ja *tulevat* työstä; työhön ...... ja työstä ...... ovat vilkasta ruuhka-aikaa. Minä *luulen* niin; onkohan se oikea vai väärä ......? Minulla on paha *olla*. – Ota aspiriini, jos sinulla on kovin paha ....

8. Word review.
Vieläkö sinä seisot ja ...... bussia? Ota nyt jo taksi!
Otan teistä kuvan. ...... nyt oikein kauniisti!
Laina K. ei ole enää aivan nuori, mutta kuitenkin vielä ....
Kuka tuolla seisoo Annelin kanssa? En ole varma, se on ...... Jaakko ...... Lassi.
Opettaja oli niin ......, että hän ...... pojalle: ”Ulos täältä!”
Tapiola ...... (= *on*) aivan Helsingin lähellä.
Voi voi, minä niin ......, että nousee myrsky!
Haluatteko maksaa nämä tavarat heti vai vähän ......?

Vocabulary

A

anglo/saksi-n-a -sakseja	Anglo-Saxon
huoma/ta huomaan huomasi huomannut	to notice, note, become aware
huuta/a huudan huusi huutanut	to shout, cry
hymy-n-ä-jä	smile
hymyil/lä hymyilen hymyili hymyillyt	to smile
joko ...... tai	either ...... or
kerto/mus-muksen-musta-muksia	story, tale, narrative, report
kohteli/as-aan-asta-aita	polite
-kä (added to negation): enkä, etkä, eikä etc.	and not, neither, nor
meillä *ei* ole aikaa *eikä* rahaa	we have neither time nor money
lopulta (= *lopuksi*)	at last, in the end, finally
penkki penkin penkkiä penkkejä	bench
toistemme kanssa	with each other
tyypilli/nen-sen-stä-siä	typical
vanhahko-n-a-ja	elderly
vihai/nen-sen-sta-sia	angry, cross

B

hullu-n-a-ja	crazy, mad
hytti hytin hyttiä hyttejä	cabin
itke/ä itken itki itkenyt	to weep, cry
(cf. *itku* weeping, crying)	
juttu jutun juttua juttuja	story, anecdote; affair
kulke/a kuljen kulki kulkenut	to go, travel, move
myrsky-n-ä-jä	storm
myöhemmin (≠ *aikaisemmin*)	later
naura/a nauran nauroi nauranut	to laugh
(cf. *nauru* laughter)	
ohi(tse) (+ *gen.*)	past, by
onni onnen onnea	happiness; luck, fortune
onneksi	fortunately
pelä/tä pelkään pelkäsi pelännyt	to fear, be afraid
lapsi pelkää koira/a	the child is afraid of the dog
(cf. *pelko* fear)	
päättä/ä päätän päätti päättänyt	to decide, make up one's mind; to
(cf. *päätös* decision)	end, finish
riste/ys-yksen-ystä-yksiä	crossing, crossroads
(= *tien r.*)	
sijai/ta sijaitsen sijaitsi sijainnut	to lie, be located, be situated
sitten: kaksi päivää, viikko s.	ago (two days, a week ago)
viitta viitan viittaa viittoja	road-sign
(= *tien/v.*)	
vitsi-n-ä vitsejä	joke
vähä/puhei/nen-sen-sta-sia	not talkative, taciturn

20

Vuodenajat, kuukaudet, sää — Seasons, months, weather

1. Linda Hill. Kuinka mones päivä tänään on?
2. Annikki Miettinen. Tänään on helmikuun ensimmäinen.
3. L. Aivan niin, nyt muistan: eilen-

1. Linda Hill. What's the date today?
2. Annikki Miettinen. Today is the first of February.
3. L. That's right, now I remember:

Lappi on kevättalvella hiihtäjän paratiisi

hän oli tammikuun viimeinen. Aika kova pakkanen!	yesterday was the last day of January. Pretty cold today!
4. A. Taitaa olla viisitoista astetta pakkasta. Celsiusta, tarkoitan.	4. A. Minus fifteen, I guess. Centigrade, I mean.
5. L. Ja vielä tällainen kauhea tuuli.	5. L. And such a terrible wind, too.
6. A. Mehän asumme meren rannalla, täällä tuulee paljon. Helsingin ilmasto on myös melko kostea.	6. A. We live by the sea; it is very windy here. The Helsinki climate is also quite humid.
7. L. Mutta sumua on harvoin.	7. L. But there is seldom a fog.
8. A. Se on totta. Muuten, harvoin Helsingissä on näin paljon pakkasta. Huomenna voi taas sataa vettä – taikka räntää. Mutta sisämaassa, Keski- ja Pohjois-Suomessa on oikea talvi, kylmä, mutta kuiva, ja sataa paljon lunta.	8. A. That's true. By the way, it's seldom that we have so many degrees of frost in Helsinki. Tomorrow it may rain again – or sleet. But inland, in Central and Northern Finland they have real winter, cold, yet dry, and it snows a lot.
9. L. Taitaa olla paras lähteä Lappiin, jos haluaa todella hiihtää.	9. L. Better go to Lapland, I guess, if you really want to ski.
10. A. Mutta ei vielä. Lapissa on paras hiihtoaika maalis- ja huhtikuussa. Aurinko paistaa, eikä päivä ole enää niin lyhyt.	10. A. But not yet. The best skiing season in Lapland is in March and April. The sun shines and the days are no longer so short.
11. L. Kuinka pitkä talvi on täällä Etelä-Suomessa?	11. L. How long is winter here, in the south of Finland?
12. A. Marras- tai joulukuusta maaliskuuhun. Huhtikuussa lumi sulaa, tulee kevät.	12. A. From November or December to March. The snow melts in April; spring arrives.
13. L. Kukat alkavat kukkia ja tulee lämmin?	13. L. The flowers start coming out and it gets warm?
14. A. Vähitellen. Keväällä on kuitenkin vielä aika viileää.	14. A. Gradually. It is still fairly cool in spring, however.
15. L. Minkälainen ilma kesällä on? Onko milloinkaan todella kuuma?	15. L. What's the weather like in summer? Is it ever really hot?
16. A. Joskus voi olla vähän yli 30 ° lämmintä.	16. A. It can sometimes be a little over thirty plus.
17. L. Varjossako?	17. L. In the shade?
18. A. Varjossa. Silloin seuraa kylläkin usein ukkosilma.	18. A. In the shade. But then a thunderstorm often follows.
19. L. Joku sanoi, että te suomalai-	19. L. Somebody told me that you

set olette aivan erilaisia kesällä ja talvella. Saa nähdä, onko se totta.

Finns are entirely different in summer and in winter. We'll see whether it is true.

20. A. Millä tavalla erilaisia?

20. A. Different in what way?

21. L. Iloisia kesällä, surullisia talvella.

21. L. Gay in summer, sad in winter.

22. A. Hm, enpä tiedä. Voi olla. Talvihan on pimeä ja kylmä, kesä ihana, vaikkakin lyhyt. Silloin kaikki ovat lomalla, uivat ja ottavat aurinkoa – ja ovat hyvällä tuulella.

22. A. Hm, I don't know. Maybe. The winter *is* dark and cold, the summer lovely, although it's short. Everybody is on vacation then, swimming and sunbathing – and they are in a good mood.

23. L. Kuinka pitkät kesälomat teillä yleensä on?

23. L. How long are summer holidays in general in Finland?

24. A. Työntekijän vuosiloma on kuukausi tai enemmän. Koulut loppuvat toukokuun lopussa ja alkavat elokuussa, yliopistot syyskuussa.

24. A. An employee's annual leave is a month or more. The schools break up in May and start in August; the universities in September.

Aurinko paistaa. Päivä on aurinkoinen.

Taivaalla on pilviä. Päivä on pilvinen.

On sumua. Päivä on sumuinen.

Tuulee kovasti. On pohjoistuuli. On tuulinen päivä.

Sataa. On kova sade. On sateinen päivä.

Talvella tulee lumisade tai räntäsade.

+ 100 ° Celsius**ta** = + 212 ° Fahrenheit**ia**

Hiihtäjällä on **sukset** ja **sauvat.**
Hiihtäjän tie on **latu.**

Structural notes

1. Word type "huone"

Sinulla on kaunis huone.	You've got a pretty room.
Tässä näette Ritvan huonee/n.	Here you see Ritva's room.
Meillä on neljä huone/tta.	We have four rooms.
Tässä talossa on paljon huonei/ta.	This house has many rooms.
Katsoitteko kylpyhuonee/seen?	Did you look into the bathroom?

Finnish nouns and adjectives ending in *-e* in the basic form follow in their inflection the pattern shown above: *-ee-* in gen. sing., a longer ending *-tta* in part. sing., and the ending *-seen* in the "into" case sing.

k p t changes in this word type:

osoite	address	*Tiedätkö Matin osoitteen?*	Do you know M's address?
		En tiedä Matin osoitetta.	I don't know M's address.

Words ending in *-e* used to end in a consonant. The basic form sing. therefore still has weak grade.

Other examples: *tiede* science – *tieteen* – *tiedettä* – *tieteitä; tunne* feeling, emotion – *tunteen* – *tunnetta* – *tunteita; aie* intention – *aikeen* – *aietta* – *aikeita.*

Note. Among the very few words in *-e* that are not inflected like *huone* are *nukke* doll *(nuken nukkea nukkeja), itse* self *(-n-ä), kolme* three *(-n-a),* and a few first names (*Kalle, Ville, Anne* etc.).

2. Third person singular of the verb used impersonally

Koiria ei saa tuoda myymälään.	It is not allowed ("One must not") bring dogs into the store.
Lapissa voi hiihtää.	One can ski in Lapland.
Kun on väsynyt, unohtaa helposti asiat.	When one is (we, you, people are) tired, one easily forgets things.

The 3rd pers. sing. of the verb can be used impersonally, not referring to any specific subject. The verb is, then, used without any subject-word in Finnish, whereas the corresponding English expression has a subject like "one", "we", "you", "they", "people".

The use of a formal subject-word is, in general, unknown in Finnish, as shown in the examples below where English uses the subject "it":

Sataa. On kuuma.	It is raining. It is hot.
On helppo sanoa niin.	It's easy to say so.

(Cf. also Lesson 18: 2 on the word "there".)

3. Date and other expressions of time

15.9.1972 = | *syyskuu/n viidestoista (päivä) (vuonna) 1972* Sept. 15, 1972
viidestoista (päivä) syyskuu/ta

(The ordinals were listed in Lesson 8: 2.)

Vuodenaika:		*milloin?*	
kevät	spring	*kevää/llä*	in spring
kesä	summer	*kesä/llä*	in summer
syksy	autumn, fall	*syksy/llä*	in autumn, fall
talvi	winter	*talve/lla*	in winter

Kuukausi:		*milloin?*	
tammi/kuu	January	*tammi/kuu/ssa*	in January
marras/kuu	November	*marras/kuussa*	in November

4. Verbs ending in vowel + ta

a) Basic form		Present	Past	Past participle	Imperative
haluta	to want	*haluan*	*halusi*	*halunnut*	*halutkaa!*
huomata	to notice	*huomaan*	*huomasi*	*huomannut*	*huomatkaa!*
tavata	to meet	*tapaan*	*tapasi*	*tavannut*	*älkää tavatko!*

Most verbs in *vowel + ta* show the same peculiarities in their conjugation as the examples above:

- The present tense has an "extra" *-a- (-ä-);*
- The past has an "extra" *-s-;*
- The past participle has an "extra" *-n-;*
- The imperative pl. has an "extra" *-t-*.

As regards k p t changes, these verbs follow the pattern shown by *tavata* above: weak grade in the basic form (and all forms using its stem), strong grade all through present and past (and all forms using the stem of the present).

b) Basic form		Present	Past	Past participle	Imperative
valita	to choose	*valitsen*	*valitsi*	*valinnut*	*valitkaa!*
merkitä	to mean	*merkitsen*	*merkitsi*	*merkinnyt*	*merkitkää!*

Most verbs in *i* + *ta* are conjugated like *valita* and *merkitä:* they have *-ts-* in the entire present and past but the same "extra" elements as the verbs of (a) in the rest of their forms.

k p t changes: the same grade as in the basic form all through the conjugation.

Reader

Englantilaiset keskustelevat paljon ilmasta. Niin suomalaisetkin, koska myös Suomessa sää on vaihteleva (changeable), eikä aamulla voi koskaan varmasti tietää, millainen ilma on illalla, sataako vai paistaa.

Koska Suomi on melko pohjoisessa, monet luulevat, että Suomen ilmasto on kauhean kylmä. Suomi on kuitenkin paljon lämpimämpi maa kuin esim. Alaska, joka on yhtä pohjoisessa kuin Suomi, koska Golf-virta, joka tulee Meksikon lahdesta Pohjois-Atlantille, lämmittää Pohjois-Euroopan maita.

Helsingissä, joka sijaitsee meren rannalla, kesät ovat yleensä vähän viileämpiä ja talvet vähän lämpimämpiä kuin Keski- ja Pohjois-Suomessa. Ensi lumi sataa tavallisesti marraskuussa, mutta Lapissa lunta voi nähdä jo loka-, joskus syyskuussakin. Talvi on pohjoisessa paljon pitempi. Esimerkiksi Helsingissä on huhti-toukokuussa jo kaunis kevät, aurinko paistaa, maa on vihreä ja kevätkukat kukkivat. Mutta Lapissa on huhtikuussa paras hiihtokausi, koska päivät eivät ole enää niin lyhyet kuin keskitalvella, ja joskus Pohjois-Lapissa voi hiihtää vielä kesäkuussakin. On hyvin tavallista matkustaa Lappiin hiihtolomalla. Jos taas ei halua mennä pohjoiseen talvella, voi käydä siellä kesälomallaan. Silloin Lapissa on melko lämmin, mutta ei milloinkaan kuuma, ja yötä siellä ei keskikesällä ole lainkaan (at all).

Exercises

1. Complete the following sentences.

Tunnetteko Metsän (perhe)? En, en tunne Metsän (perhe). Käyn usein Suomelan (perhe). Lomamatkalla Norjassa tapasimme paljon suomalaisia (perhe).

Saanko (savuke) ja tulitikkuja? Paljonko (savuke) ja tulitikut maksavat? Rva Hill ostaa paljon (vaate), esim. kolme paria (käsine) ja kaksi (hame). Meillä ei ole (parveke). On hauska istua (parveke), kun aurinko paistaa. Sisareni sai tänä aamuna viisi (kirje). Hän kirjoittaa itsekin paljon (kirje). Pidätkö tästä (huone)? Onko Kaisa (olohuone)? Ei, hän meni juuri (makuuhuone). Montako (huone) asunnossanne on?

Tänään on kaksi (aste) pakkasta. Eilen oli muutamia lämpö(aste). Kävin eilen Seutulan lentokentällä ja näin paljon (lentokone). Ihmiset nousivat juuri Lontoon (kone). Mikä teidän (osoite) on? Onko asialla kiire? Ei, sillä ei ole vielä (kiire).

2. Translate into Finnish.

It is not good to eat too much sugar. It rains a great deal in October. It is sometimes hot in Lapland too. It is possible that it takes a long time in Helsinki before one finds a suitable place to live. You can do what you really want. One cannot have *(saada)* everything. If you love, you forgive *(antaa anteeksi)*.

3. a) Read aloud the following dates.

4.3.1946, 16.8.1962, 20.2.1958, 25.6.1879, 31.10.1972, 6.12.1917, 1.5.1975, 9.9., 14.1., 30.4., 22.7., 28.11.

It is very common to use an ordinal number in the part. instead of the name of the month, for instance, *neljäs kolmat/ta (= neljäs maalisku/ta)*. Read the above dates once more, using ordinals for months also.

b) Kuinka mones päivä on tänään? – ylihuomenna? Monesko päivä oli toissapäivänä? Monesko päivä on joulupäivä? – uudenvuoden päivä? – Suomen itsenäisyyspäivä (*itsenäisyys* independence)? – teidän oma syntymäpäivänne?

c) Tapasimme Hillit (maanantai), viime (viikko), ja he sanoivat, että he aikovat käydä Moskovassa (talvi), ehkä (joulukuu). Etelä-Euroopassa on paras käydä (kevät) tai (syksy), koska siellä on liian kuuma (kesä). Lapissa talvi kestää (lokakuu) (toukokuu).

4. a) Model: *Pekka lainaa aina rahaa. – Niin hän lainasi taas, eikö lainannutkin?*

Ystäväni haluaa aina elokuviin.
Tuula arvaa aina oikein.
Kaarina varaa aina liput ajoissa.
Jim häiritsee aina kaikkia.
Eila valitsee hyvin sanansa.
Aino tapaa aina tuttavia.
Irma pelkää ukkosta.
Risto huomaa aina, mikä on parasta.
Kalle tarvitsee aina rahaa.

b) Model: *Palaa kotiin! – Palatkaa kotiin, teidän täytyy palata.*

Vastaa minulle heti!
Vuokraa tämä asunto!
Pakkaa tavarat ajoissa!
Korjaa tuo virhe!
Lainaa meille nämä kirjat!
Avaa ovi!
Varaa pöytä nyt heti!
Tilaa jo taksi!
Huomaa, mistä on kysymys!

5. Word review.

Onko Helsingin ilmasto kuiva vai ......? Onko siellä yhtä paljon ...... kuin esim. Lontoossa, kaupunkihan on ...... rannalla? – Ei ole, mutta sataa kyllä usein; kesällä ja ...... sataa vettä, talvella sataa ...... taikka ......

...... päivä tänään on? – Maaliskuun kahdeskymmenes. Ei ole enää talvi, on melkein ...... Maassa on vielä lunta, mutta pian se alkaa ......, varsinkin jos aurinko ...... lämpimästi muutaman päivän.

Montako ...... pakkasta tänään on? – Katsotaan: ei olekaan pakkasta, on seitsemän .... – Kiva! Kuule, lähdetään Lappiin ...... ensi viikolla, minulla on uudet sukset. – Hyvä ajatus, mutta minä ......, ettemme saa enää huoneita. Lappi on kevättalvella hiihtäjän ......, ja huoneet täytyy varata pitkän aikaa etukäteen.

Vocabulary

aste-en-tta-ita	degree, grade
aurinko auringon aurinko/a-ja	sun
enemmän	more
etelä-n-ä	south
harvoin *(≠ usein)*	seldom, rarely
hiihto hiihdon hiihto/a-ja	skiing
hiihtä/ä hiihdän hiihti hiihtänyt	to ski
ilmasto-n-a-ja	climate
iloi/nen-sen-sta-sia (cf. *ilo* joy)	glad, gay, merry, jolly, happy
keski-	middle, mid-, central
kevät kevään kevättä keväitä	spring
kostea-n-a kosteita	damp, humid, moist
kuiva-n-a kuivia	dry
kukki/a kukin kukki kukkinut	to flower, blossom
loppu/a lopun loppui loppunut	to end, come to an end, cease
lumi lumen lunta lumia	snow
sataa lunta	to snow
meri meren merta meriä	sea
milloinkaan (ei m.)	ever (never)
muista/a muistan muisti muistanut	to remember, recall
muuten	otherwise; by the way
paista/a paistan paistoi paistanut	to shine; to roast, fry
pakka/nen-sen-sta-sia	frost, temperature under freezing-point
pohjoi/nen-sen-sta-sia (in compounds *pohjois-*)	north, northern
räntä rännän räntää	sleet, wet snow, slush
sata/a (sadan) satoi satanut	to rain
seura/ta seuraan seurasi seurannut	to follow, ensue, result, come next
sisä- *(≠ ulko-)*	inner, inside, interior, indoor
sula/a sulan suli sulanut	to melt, thaw
sumu-n-a-ja	fog
surulli/nen-sen-sta-sia (cf. *suru* sorrow, grief)	sad, melancholy, dreary
sää-n-tä säitä	weather
taikka *(= tai)*	or

taita/a taidan taisi tainnut (taitanut)	may, be likely, probably do; to know how to
tarkoitta/a tarkoitan tarkoitti tarkoittanut	to mean
tuuli tuulen tuulta tuulia	wind; mood, humor, temper
tuul/la (tuulen) tuuli tuullut	to be windy, to blow
työn/tekijä-n-ä -tekijöitä	employee
ui/da uin ui uinut	to swim
ukko/nen-sen-sta-sia	thunder, thunderstorm
varjo-n-a-ja	shadow, shade
viileä-n-ä viileitä	cool
viimei/nen-sen-stä-siä *(≠ ensimmäinen)*	last
vuoden-aika -ajan -aikaa -aikoja	season
vähitellen	gradually, by and by, by degrees
yleensä	in general

Kuukaudet:

tammi/kuu-n-ta	January
helmi/kuu (*helmi* pearl)	February
maalis/kuu	March
huhti/kuu	April
touko/kuu (*touko* sowing; crop)	May
kesä/kuu (*kesä* summer)	June
heinä/kuu (*heinä* hay)	July
elo/kuu (*elo* harvest)	August
syys/kuu *(syys = syksy)*	September
loka/kuu (*loka* mud, dirt)	October
marras/kuu (*marras* obsol. dead)	November
joulu/kuu (*joulu* Yule, Christmas)	December

X

latu ladun latu/a-ja	ski track, trail
pilvi pilven pilveä pilviä	cloud
sade sateen sadetta sateita	rain
sateen/varjo-n-a-ja	umbrella
sauva-n-a sauvoja	(ski) staff, stick, pole
suksi suksen suksea suksia	ski, one of a pair of skis

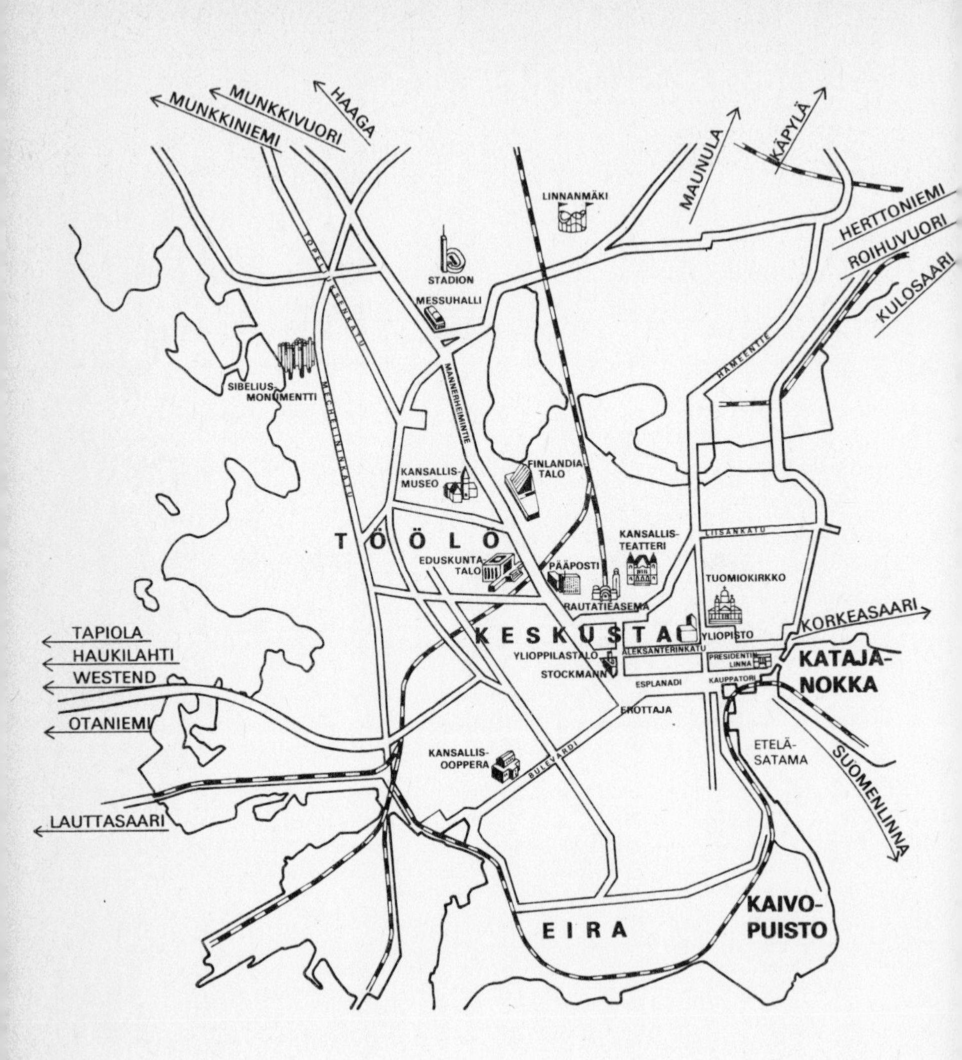
MUNKKINIEMI
MUNKKIVUORI
HAAGA
MAUNULA
KÄPYLÄ
HERTTONIEMI
ROIHUVUORI
KULOSAARI
LINNANMÄKI
STADION
MESSUHALLI
SIBELIUS-MONUMENTTI
MANNERHEIMINTIE
MECHELININKATU
HÄMEENTIE
KANSALLIS-MUSEO
FINLANDIA-TALO
TÖÖLÖ
EDUSKUNTA-TALO
PÄÄPOSTI
KANSALLIS-TEATTERI
LIISANKATU
TUOMIOKIRKKO
RAUTATIEASEMA
KORKEASAARI
KESKUSTA
YLIOPISTO
YLIOPPILASTALO
ALEKSANTERINKATU
PRESIDENTIN LINNA
KATAJA-NOKKA
STOCKMANN
ESPLANADI
KAUPPATORI
EROTTAJA
TAPIOLA
HAUKILAHTI
WESTEND
OTANIEMI
KANSALLIS-OOPPERA
BULEVARDI
ETELÄ-SATAMA
SUOMENLINNA
LAUTTASAARI
EIRA
KAIVO-PUISTO

Paavo Nurmen patsas Stadionin edessä

21

Katselemme Helsinkiä	We look at Helsinki
Kalle Oksanen ja James Brown katselevat Helsinkiä Stadionin tornista.	Kalle Oksanen and James Brown are looking at Helsinki from the Stadium Tower.
1. K. No niin, täällä me nyt olemme Helsingin katolla. Tämä on Helsingin korkein rakennus.	1. K. Well, here we are now, on the roof of Helsinki. This is the highest building in Helsinki.
2. J. Täältä on sitten varmaankin paras ja kaunein näköala yli koko pääkaupungin. Missä päin etelä on?	2. J. Then we are likely to have the best and prettiest view of the whole capital from here. Which direction is south?
3. K. Tuolla. Etelässä on meri,	3. K. Over there. In the south is the

Helsingin keskustaa. Edessä Kauppatori ja presidentin linna, takana Senaatintori, tuomiokirkko ja yliopisto

Suomenlahti. Se on osa Itämerta. Tuolla on siis pohjoinen, tuolla itä ja tuolla länsi.

4. J. Katso tuonne alas, aivan Stadionin lähelle. Mikä tuo suuri matala rakennus on?

5. K. Messuhalli. Siellä on suuria näyttelyjä, juhlia ja urheilukilpailuja.

6. J. Silloin tuo katu on tietysti Mannerheimintie.

7. K. Niin on, Helsingin pisin katu. Jos kuljemme sitä pitkin Töölöstä keskustaa kohti, on vasemmalla puolella Finlandia-talo, pääkaupungin konsertti- ja kongressitalo.

sea, the Gulf of Finland. It is part of the Baltic. So there is north, there is east, and there is west.

4. J. Look down there, very near the Stadium. What's that big low building?

5. K. The Exhibition Hall. There are big exhibitions, festivities, and sports events there.

6. J. Then that street is of course Mannerheim Road.

7. K. Yes, the longest street in Helsinki. If we go along it from Töölö towards the center, Finlandia Hall, the capital's concert and congress hall, is on the left.

Finlandia-talo. Vasemmalla Eduskuntatalo, oikealla Kansallismuseon torni

8. J. Anna minun jatkaa. Sitä vastapäätä on Kansallismuseo. Siellä täytyy joskus käydä.	8. J. Let me go on. Across the street from Finlandia Hall is the National Museum. We must go there some time.
9. K. Vähän matkaa Kansallismuseosta eteenpäin on Eduskuntatalo.	9. K. A little further on from the National Museum is the Parliament Building.
10. J. Ja sitten olemmekin aivan keskustassa. Ahaa, tuolla on rautatieasema. Tunnen sen tornin.	10. J. And then we are right in the Center. Ah, there's the Railroad Station. I recognize its tower.
11. K. Mannerheimintieltä vasemmalle lähtee Aleksanterinkatu.	11. K. To the left of Mannerheim Road runs Alexander Street.
12. J. Helsingin tärkein liikekatu, vai kuinka?	12. J. The most important business street in Helsinki, isn't it?
13. K. Eiköhän. Mutta tärkeä on myös Esplanadi. Sen toisessa pääs-	13. K. I guess so. The Esplanade, however, is important too. At its

Tapiolan puutarhakaupunkia

sä, meren rannassa, on Kauppatori.

14. J. Tiedän. Siellä on myös Eteläsatama ja tulli. Sinne minunkin laivani saapui.

15. K. Tuo laaja vihreä alue on Kaivopuisto.
16. J. Siellä on useita ulkomaiden lähetystöjä. Ja presidentin linna.

17. K. Ei, presidentin linna on tuolla Eteläsataman ja tuomiokirkon välillä. Tuomiokirkon ympäril-

other end, by the sea, is the Market Square.

14. J. I know. That's where the South Harbor is, too, and the Customs Office. That's where my boat arrived.

15. K. That large green area is Kaivopuisto Park.
16. J. There are several foreign embassies there. And the President's Castle.

17. K. No, the President's Castle is over there, between the South Harbor and the Cathedral. The

lä sijaitsevat yliopisto, yliopiston kirjasto ja Suomen pankki.

University, the University Library, and the Bank of Finland are located around the Cathedral.

18. J. Vähän tuomiokirkon pohjoispuolella on pari siltaa.

18. J. A little north of the Cathedral there are a couple of bridges.

19. K. Siellä päin on Helsingin suurin teollisuusalue. Itäisiä ja pohjoisia kaupunginosia ovat Herttoniemi, Kulosaari, Käpylä, Etelä- ja Pohjois-Haaga. Lännessä taas ovat Munkkiniemi, Munkkivuori ja Lauttasaari. Juuri pääkaupungin ulkopuolelle jäävät Tapiola, Otaniemi, Westend ja Haukilahti.

19. K. In that direction is Helsinki's largest industrial area. Among the eastern and northern districts are Herttoniemi, Kulosaari, Käpylä, South and North Haaga. In the west again are Munkkiniemi, Munkkivuori, and Lauttasaari. Just outside the capital lie Tapiola, Otaniemi, Westend, and Haukilahti.

20. J. Niistä Tapiola on tunnetuin.

20. J. Tapiola is the best known of them.

21. K. Aivan. Siellä käy ihmisiä joka puolelta maailmaa. Otaniemessä sijaitsee Teknillinen korkeakoulu.

21. K. You're right. People from all parts of the world come and visit it. The Institute of Technology is in Otaniemi.

22. J. Onko Helsingissä eläintarhaa?

22. J. Does Helsinki have a Zoo?

23. K. On, Korkeasaari, tuolla. Sen takana ovat Suomenlinnan saaret. Suomen rannikolla on yleensä paljon saaristoa.

23. K. Yes, Korkeasaari, there. Beyond it are the islands of Suomenlinna. There are, in general, plenty of islands on the Finnish coast.

24. J. Helsinki on kauniilla paikalla. Se on minusta vilkas ja miellyttävä kaupunki.

24. J. Helsinki is beautifully situated. I think it is a pleasant, busy city.

25. K. Ja se kasvaa koko ajan. Jo nyt yli 15 prosenttia Suomen kansasta asuu Helsingissä ja sen ympäristössä.

25. K. And it keeps growing all the time. Even now over 15 per cent of the Finnish people live in Helsinki and its vicinity.

Lappalaiset asuvat **Pohjois**-Suomessa ("in the north of Finland"). Kemi on Oulu**sta** **pohjoiseen** (päin) tai Oulu**n** **pohjoispuolella** (»to the north of»).

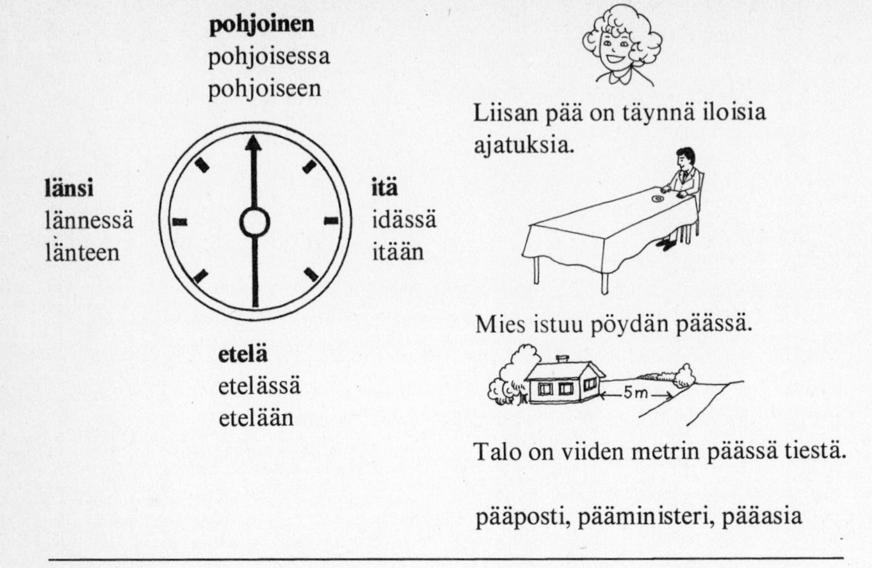

pohjoinen
pohjoisessa
pohjoiseen

länsi
lännessä
länteen

itä
idässä
itään

etelä
etelässä
etelään

Liisan pää on täynnä iloisia ajatuksia.

Mies istuu pöydän päässä.

Talo on viiden metrin päässä tiestä.

pääposti, pääministeri, pääasia

Puutarhassa on puita ja kukkia.
Eläintarhassa on villejä eläimiä, esim. tiikeri, leijona, kirahvi, elefantti, karhu, susi, kettu.
Kotona on kotieläimiä, esim. koira, kissa, lehmä, hevonen, lammas, sika, kana, kukko.

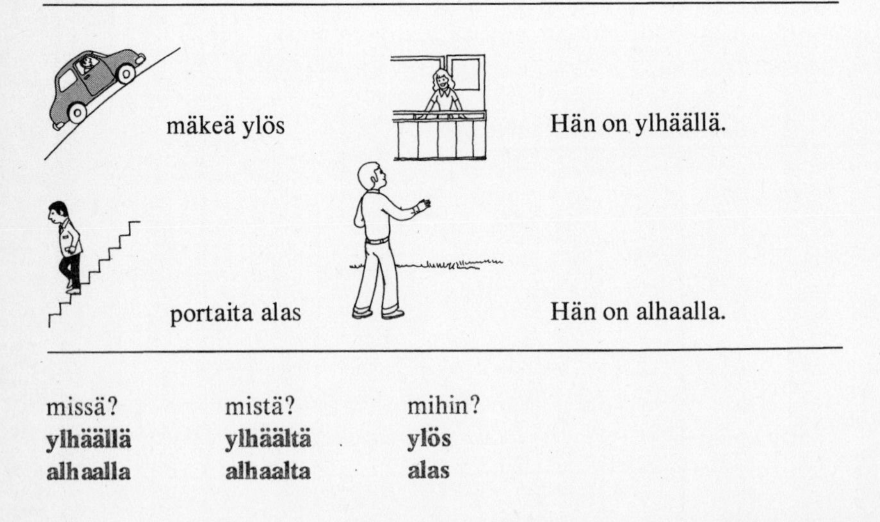

mäkeä ylös

Hän on ylhäällä.

portaita alas

Hän on alhaalla.

---

missä?	mistä?	mihin?
ylhäällä	**ylhäältä**	**ylös**
alhaalla	**alhaalta**	**alas**

Structural notes

1. Superlative of adjectives

Tämä on hieno/in pukuni.	This is my finest dress/suit.
Maailman korke/in rakennus.	The highest building in the world.
Kaikkein suur/in.	The biggest of all, the very biggest.

The superlative of adjectives is formed with the suffix *-in*.

As in the comparative (see Lesson 17:2), the stem for forming the superlative is obtained from the genitive. The final vowel of the stem may undergo some changes:

The final *-a, -ä, -e* is dropped before the suffix *-in* is added:

halpa	*halva/n*	cheap	(comp.	*halvempi*)	*halv/in*	cheapest
rakas	*rakkaa/n*	dear		*(rakkaampi)*	*rakka/in*	dearest
vihreä		green		*(vihreämpi)*	*vihre/in*	greenest
pieni	*piene/n*	small		*(pienempi)*	*pien/in*	smallest
vihainen	*vihaise/n*	angry		*(vihaisempi)*	*vihais/in*	angriest
terve	*tervee/n*	healthy		*(terveempi)*	*terve/in*	healthiest

The final *-i(i)* of the stem changes into *-e-*:

siisti	*siisti/n*	clean	(comp.	*siistimpi*)	*siiste/in*	cleanest
kaunis	*kaunii/n*	beautiful		*(kauniimpi)*	*kaune/in*	most beautiful

The following superlatives do not follow these rules:

hyvä		good	(comp.	*parempi*)	*paras (parhain)*	best
pitkä		long		*(pitempi)*	*pisin*	longest
uusi	*uude/n*	new		*(uudempi)*	*uusin*	newest
(and other adjectives in *-si*)						
lyhyt	*lyhye/n*	short		*(lyhyempi, lyhempi)*	*lyhyin, lyhin*	shortest

The superlative is inflected like all adjectives. The principal parts are, for instance, *halvin – halvimman – halvinta – halvimpia*

(Note here also the adverbs *paljon (enemmän) eniten* most, *vähän (vähemmän) vähiten* least.)

2. Post- and prepositions with partitive

A number of postpositions with genitive were listed in Lesson 18:1. There are also pre- and postpositions with partitive.

Postpositions:
kohtaan to, toward(s)
varten for (the purpose of)
vastaan (against)

Post- or prepositions:
ennen before, prior to
kohti toward(s), in the direction of

Prepositions:
ilman without
paitsi except; besides
pitkin along
vailla without, lacking
vastapäätä opposite, on the opposite side of

Note. *keskellä* and *lähellä* are used either as postpositions with gen. or prepositions with part.:

piha/n keskellä = *keskellä piha/a* in the middle of the yard
Helsingi/n lähellä = *lähellä Helsinki/ä* near Helsinki

Reader

Helsinki, Suomen pääkaupunki, "Itämeren tytär", on samalla myös maan suurin kaupunki. Siellä on yli 500 000 asukasta. Siellä asuu siis noin 10 % Suomen asukkaista. Se on myös maan tärkein teollisuus-, kauppa- ja satamakaupunki. Se on noin 400 vuotta vanha. Helsinki on Suomenlahden rannalla, ja kaupungin lähellä ja itse kaupungissakin on paljon niemiä, lahtia ja saaria. Näköalat Helsinkiin ja sen ympäristöön esim. Stadionin tornista ovat hyvin kauniit.

Helsingissä on useita satamia. Eteläsatamaan saapuvat matkustajalaivat ulkomailta. Täällä etelässä on kaupungin vanhin osa. Täällä sijaitsevat presidentin linna, yliopisto, tuomiokirkko, Suomen pankki jne. Yliopiston ja tuomiokirkon edessä on Senaatintori. Kauppatorilta, jossa joka aamu näkee satoja ja tuhansia helsinkiläisiä ostoksillaan, lähtee Mannerheimintielle päin Esplanadi, joka on Aleksanterinkadun jälkeen Helsingin ehkä tärkein liikekatu.

Kaupungin vilkkainta osaa ovat myös Mannerheimintien alkupää ja rautatieaseman ympäristö. Siellä on suuria tavarataloja ja liikkeitä, mutta on paljon muutakin: Ruotsalainen teatteri (Erottajalla), pääpostin suuri keltainen rakennus, Ateneum, Kansallisteatteri ja valkoinen, marmorinen Finlandia-talo. Mannerheimintien länsipuolella on Eduskuntatalo. Sen jälkeen alkaa Töölö, Helsingin laajin asuntokaupunginosa, jossa sijaitsevat myös Messuhalli ja Stadion – niiden lähellä on pääkaupungin huvipuisto Linnanmäki – Sibelius-monumentti sekä (as well as) paljon sairaaloita.

Jos kuljemme yliopistolta pohjoiseen päin pitkin Fabianinkatua, tulemme pian vanhalle Pitkällesillalle, jonka toisella puolella alkavat teollisuuskaupunginosat, kuten Kallio, Sörnäinen ja Vallila. Täällä on tunnettu Arabian posliinitehdas.

Helsinki kasvaa, uusia lähiöitä (*lähiö* neighborhood center) nousee sen ympäristöön koko ajan. Aivan Helsingin vieressä sijaitsee Espoon kaupunki, jossa on toistasataatuhatta asukasta. Osa Espoota on Tapiola, ulkomaillakin tunnettu kaunis "puutarhakaupunki". Helsingin pohjoinen naapuri on Vantaa. Kolmas, näitä paljon pienempi kaupunki lähellä Helsinkiä on Kauniainen.

Exercises

1. Answer these questions:

Mikä on maailman suurin kaupunki? – maailman korkein rakennus? – maailman kaunein kaupunki? – korkein vuori? – suurin maa/eläin? – suurin järvi? – pisin joki? Mikä on Suomen tärkein kaupunki ja miksi? Mikä on oman kotimaanne vanhin/suurin kaupunki? Mikä on maanne kaunein paikka? Minkälaisesta musiikista pidätte eniten?

2. Model: *Elefantti, tiikeri, kirahvi – iso; Tiikeri on iso, kirahvi isompi, mutta elefantti on isoin.*

Pariisi, Lontoo, New York – suuri
Tanska, Sveitsi, Monaco – pieni
Matti 19 v., Jorma 15 v., Kalle 12 v. – nuori
Touko-, kesä-, heinäkuu – lämmin
Jussi 180 cm, Niilo 185 cm, Urho 190 cm – pitkä
Turku, Wien, Rooma – vanha
Helsinki, Tukholma, Chicago – vilkas
Tulppaani, ruusu, narsissi – kaunis
Auto, radio, televisio – kallis
Puku, paita, solmio – halpa
Liisa, Matti, Pekka – hyvä matematiikassa

3. Model: *Pentti on pienempi kuin kaikki muut pojat. – Pentti on kaikkein pienin.*

Tuo kirja on hauskempi kuin kaikki muut.
Tämä kysymys on vaikeampi kuin kaikki muut.
Tämä asunto on sopivampi kuin kaikki muut.
Tämä tarjoilija on ystävällisempi kuin kaikki muut.
Tämä matkalaukku on raskaampi/painavampi kuin kaikki muut.
Tuo rakennus on komeampi kuin kaikki muut.
Tämä uutinen on tärkeämpi kuin kaikki muut.
Tämä huone on valoisampi ja kodikkaampi kuin kaikki muut.
Tuo tie on lyhempi ja nopeampi kuin kaikki muut.

4. Complete:

Menimme (Esplanadi) pitkin (satama) kohti. (Mikä) varten neiti B. opiskelee suomea? Ei ole hauska elää ilman (ystävät). Teidän täytyy tulla kotiin ennen (neljä), lapset. Kenkäkauppa on (tuo suuri tavaratalo) vastapäätä. Mikko-setä on aina hyvin ystävällinen (minä) kohtaan. Lähellä (rautatieasema) on Kansallisteatteri, ja myös (asema) lähellä, mutta sen toisella puolella, on Ateneum. Mannerheimin patsas (statue) on keskellä (Helsinki).

5. Word review.

Stadionin ...... on korkea paikka, josta on kaunis ...... yli Helsingin. Etelässä päin on meri, Suomen...... Matkustajalaiva saapuu juuri mereltä Etelä...... Helsingin vanhassa keskustassa on ......kirkko, yliopisto jne. Tuo moderni valkoinen rakennus Kansallismuseota ...... on konserttitalo. Me olemme täällä ylhäällä; katso tuonne ......, niin näet, miten raitiovaunut ...... keskustasta päin Mannerheimintietä ...... Töölöä ...... Jos haluat näyttää lapsille leijonia, karhuja ja muita ......, mene laivalla Korkeasaareen, jossa on Helsingin ...... – Sinä asut kerrostalossa; kuljetko ...... ja alas hissillä vai jalan? Tiedätkö, montako prosenttia omasta kansastasi asuu pääkaupungissa ja sen ......? Suomi on ......-Euroopassa, Brasilia on ......-Amerikassa, Kiina on ......-Aasiassa ja Senegal on ......-Afrikassa.

Vocabulary

alas (≠ *ylös*)	down
alue-en-tta-ita	area, region
anta/a annan antoi antanut	(also:) to allow, let
edus/kunta -kunnan -kuntaa -kuntia	Diet, (Finnish) parliament
eläin eläimen eläintä eläimiä	animal, beast
eläin/tarha-n-a tarhoja	zoo
itä idän itää	east
jatka/a jatkan jatkoi jatkanut	to continue, go on
juhla-n-a juhlia	feast, festival; celebration; entertainment, party
kaikkein (+ *superlat.*)	of all
kansa-n-a kansoja	people, nation
kasva/a kasvan kasvoi kasvanut	to grow, grow up; to increase
katto katon kattoa kattoja	roof, ceiling
kaupungin/osa-n-a -osia	city district
kilpailu-n-a-ja	competition, contest; match, race
kohti (+ *part.*)	toward(s), in the direction of
kongressi-n-a kongresseja	congress
laaja-n-a laajoja	large, extensive, wide
lähetystö-n-ä-jä	legation, embassy
länsi lännen länttä	west
maailma-n-a maailmoita	world

matala-n-a matalia (≠ *korkea*)	low
messu-n-a-ja	mass; pl. also: fair, exhibition
miellyttävä-n-ä miellyttäviä	pleasant, agreeable
näkö/ala-n-a -aloja	view
näyttely-n-ä-jä	exhibition, exposition, fair
osa-n-a osia	part
pitkin (+ *part.*)	along
puisto-n-a-ja	park, public garden
rakenn/us-uksen-usta-uksia (from *rakentaa* to build, construct)	building
rannikko rannikon rannikko/a-ja	coast
saaristo-n-a-ja	archipelago, group of islands
satama-n-a satamia	harbor, port
silta sillan siltaa siltoja	bridge
suur/lähetystö	embassy
teollisu/us-uden-utta-uksia	industry, manufacturing
torni-n-a- torneja	tower
tulli-n-a tulleja	custom(s); custom-house; duty
tunnettu tunnetun tunnettu/a-ja	well-known
tuomio/kirkko -kirkon -kirkko/a-ja	cathedral
urheilu-n-a-ja	athletics, sport(s)
usea-n-a useita (usu. pl.)	several
varmaan(kin)	likely, probably, certainly
vasta/päätä (+ *part.*)	(on the) opposite (side of)
ympärillä (+ *gen.*)	around
ympäristö-n-ä-jä	surroundings, neighborhood; environment

X

alhaalla (≠ *ylhäällä*)	down
hevo/nen-sen-sta-sia	horse
kana-n-a kanoja	hen, chicken
kukko kukon kukko/a-ja	cock, rooster
lammas lampaan lammasta lampaita	sheep; mutton
lehmä-n-ä lehmiä	cow
leijona-n-a leijonia	lion
porras portaan porrasta portaita	step, stair; pl. stairs, stairway

puu/tarha-n-a -tarhoja	garden
sika sian sikaa sikoja	pig, hog; pork
villi-n-ä villejä	wild
ylhäällä (≠ *alhaalla*)	up
ylös (≠ *alas*)	up, upward

22

Mikko Laakso saa flunssan

Mikko Laakso catches the flu

Mikko tulee koulusta kotiin.	Mikko comes home from school.
1. M. Hei, äiti.	1. M. Hi, Mommy.
2. Ä. Hei, Mikko. Mitä kouluun kuuluu?	2. Mother. Hi, Mikko. How's school going?
3. M. Siinähän se menee.	3. M. Well, OK.
4. Ä. Etkö sinä tullut tavallista aikaisemmin? Kello on vasta yksi.	4. Mother. Didn't you come earlier than usual? It's only one o'clock.
5. M. Joo, minä tapasin matkalla Risto-sedän...	5. M. Yes, I met Uncle Risto on my way...
6. Ä. Kenet tapasit?	6. Mother. Whom did you meet?
7. M. Risto-sedän. Hän toi Jannen ja minut autolla kotiin.	7. M. Uncle Risto. He brought Janne and me home by car.
8. Ä. Risto oli kiltti, kun otti teidät mukaan. Mutta kuule, sinä näytät vähän sairaalta. Kuinka sinä voit?	8. Mother. Risto was nice to take you along. But listen, you look a little ill. How are you?
9. M. Ihan hyvin, ei minua mikään vaivaa. Minä olen vain pikkuisen väsynyt, siinä kaikki.	9. M. Just fine, there's nothing wrong with me. I'm just a little tired, that's all.
10. Ä. Ainakin sinussa on kova nuha. Voi, älä käytä enää tuota nenäliinaa, sehän on ihan likainen. Tässä on paketti paperinenäliinoja. Minun pitää antaa sinulle lääkettä.	10. Mother. At least you have a bad cold (in the nose). Oh dear, don't use that handkerchief any more, it's quite dirty. Here's a packet of paper handkerchiefs. I must give you some medicine.

11. M. Mutta yskänlääke maistuu niin pahalta. Sitäpaitsi se on lopussa.

11. M. But the cough medicine tastes so bad. Besides, there isn't any left.

12. Ä. Lapsi kulta, minähän ostin juuri apteekista uuden pullon. Sitten sinun pitää ottaa pari vitamiinitablettia. Haenko kuumemittarin?

12. Mother. Dear child, I just bought a new bottle at the pharmacy. You must also take a couple of vitamin pills. Shall I go and get the thermometer?

13. M. Älä viitsi, äiti, en minä usko, että minussa on kuumetta. Mutta minua väsyttää kyllä aika lailla.

13. M. Don't bother, Mommy, I don't believe I'm running any temperature. But I do feel quite a bit tired.

14. Ä. Sitten minä taidan panna sinut vuoteeseen. Ja paras joka tapauksessa mitata kuumekin. Kai sinä olet vain vähän vilustunut. Mutta on hyvä olla varovainen, nyt on niin paljon flunssaa liikkeellä.

14. Mother. Then I guess I'll put you to bed. And better take your temperature too, anyway. I suppose you've just caught a slight cold. But it's good to be careful, there's so much flu around now.

Seuraavana aamuna rouva Laakson täytyy soittaa lääkärille.

On the following morning Mrs. Laakso has to call the doctor.

15. Rva L. Onko tohtori Pöntynen? Täällä on rouva Laakso. Pyydän anteeksi, että soitan tähän aikaan, mutta meidän Mikko-poika on sairastunut. – On, hänellä on korkea kuume, lähes 40 astetta. – Eilenkö? Ei muuta kuin paha nuha, annoin hänelle aspiriinia ja panin hänet vuoteeseen. Nyt hänellä on kova päänsärky, ja kurkku on kipeä. – Sairaalaanko? Ei, toivottavasti hänen ei tarvitse lähteä kotoa. Kuinka pian voitte tulla, tohtori? – Hyvä on, näkemiin, kiitos!

15. Mrs. L. Dr. Pöntynen? This is Mrs. Laakso. I apologize for calling you at this time, but our son Mikko is ill. – Yes, he's got a high temperature, nearly 40 degrees. – Yesterday? Nothing but a bad cold; I gave him some aspirin and put him to bed. Now he's got a bad headache, and a sore throat. – To the hospital? No, let's hope he needn't go away from home. How soon can you come, doctor? – Good, see you soon, thanks!

sinä **näytät** sairaa**lta**	("look like")	(impressions through
ruoka **maistuu** hyvä**ltä**	("taste like")	our senses: **-lta)**

Mitä (sinu**lle**) **kuuluu?** Kiitos hyv**ää,** entä(s) sinulle? Mitä koti**in** kuuluu? Mitä Rovaniemelle kuuluu?	asking about one's general news
Kuinka voit? **Miten(kä) jaksat?** Kiitos **hyvin.**	asking about one's health

---

Mikä sinua vaivaa?

Pääni on kipeä.

Kurkkuni on kipeä.

Vatsani on kipeä.

Jalkani on kipeä.

---

minua väsyttää ("tunnen että olen väsynyt")
minua nukuttaa ("tunnen, että haluaisin nukkua")
minua naurattaa ("tunnen halua nauraa")

lailla = tavalla
millä tavalla/lailla
tällä, sillä lailla
aika tavalla/lailla

---

pitää

Hän pitää kynää vasemmassa kädessä.

Me pidämme ruokatavaraa jääkaapissa.

He pitävät kokouksen.

Hän pitää puheen.

Minun pitää mennä nukkumaan.	He pitävät hauskaa.	Minna pitää Annasta.

missä?	koto**na**	ulko**na**	kauka**na**	taka**na**
mistä?	koto**a**	ulko**a**	kauka**a**	taka**a**
mihin?	kotiin	ulos	kauas	**taa(kse)**

Structural notes

1. Object forms of personal pronouns and "kuka"

Affirmative sentence				Negative sentence			
Kene/t Eeva näki?		Whom did E. see?		*Ke/tä Eeva ei nähnyt?*		Whom did E. not see?	
Eeva näki	*minu/t*	E. saw	me	*Eeva ei nähnyt*	*minu/a*	E. did not see	me
	sinu/t		you		*sinu/a*		you
	häne/t		him/her		*hän/tä*		him/her
	meidä/t		us		*mei/tä*		us
	teidä/t		you		*tei/tä*		you
	heidä/t		them		*hei/tä*		them

The personal pronouns and the pronoun *kuka?* who? have a special object form **(accusative),** which ends in *-t*. It is used when, as a direct object in a similar sentence, a noun would appear in the genitive or the basic form; compare, for instance, the following sentences:

Vein	*Liisan elokuviin.*	I took	Liisa to the cinema.
	hänet		her
Vie	*Liisa elokuviin!*	Take	Liisa to the cinema!
	hänet		her

However, when the direct object of a noun is in the partitive, the pers. pronoun will also be in the partitive:

Minä rakastan	*Liisaa*	I love	Liisa.
	häntä.		her.

(Note that, as the direct object in a negative sentence is always in the part., *minut, sinut* etc. only occur in affirmative sentences.)

2. täytyy, pitää, tarvitsee, on pakko

Meidän täytyy lähteä heti.	We must leave at once.
Kallen täytyi vaihtaa kengät.	Kalle had to change the shoes.
Sinun pitää ottaa lääkettä.	You must take some medicine.
Eikö Eilan pitänyt auttaa sinua?	Wasn't E. supposed to help you?
Tänään Irjan ei tarvitse mennä ostoksille.	Today Irja need not go shopping.
Onko minun pakko hyväksyä nämä ehdot?	Do I have to accept these terms?

With verbs denoting obligation to do something *(täytyä* must, have to; *pitää* shall, must, ought to, be supposed to; *tarvita* need to, be necessary to; *olla pakko* must, be compelled to):

– the person who has to do something appears in the genitive;

– the verb denoting obligation always appears in the 3rd pers. sing.;

– as with other auxiliaries, the other verb which completes their meaning appears in the basic form.

Note the direct object in *täytyy* sentences:

Hän tekee tämän työn heti.	He'll do this job immediately.
But:	
Hänen täytyy tehdä tämä työ heti.	He must do this job immediately.
Note: *En tarvitse rahaa (tarvita* followed by a noun).	I do not need money.
Minun ei tarvitse mennä pankkiin (tarvita followed by a verb).	I need not go to the bank.

Reader

Toissapäivänä minulla oli kova päänsärky. Aspiriinitabletit olivat lopussa kylpyhuoneen lääkekaapista. Menin soittamaan Suomelan perheen ovikelloa. Muistatko heidät? He asuvat samassa talossa kuin minä. – No, mutta sinäpä näytät sairaalta, sanoi rouva Suomela. Kuinka sinä voit? – En oikein hyvin, vastasin, pääni on kauhean kipeä. Onko teillä aspiriinia? – Voi, ei meillä ole, loppui juuri. Tiedätkö, meilläkin vain minä olen terve. Matti ei voinut mennä työhön tänä aamuna, hänessä oli kuumetta lähes 39 astetta. Leenan kurkku on kipeä ja Heikissä on paha nuha ja yskä. Panin heidätkin vuoteeseen. Toivottavasti minun ei tarvitse sairastua. Mutta odotapas hetkinen, keittiössä taitaa olla pari aspiriinia. Ota nämä, ole hyvä. Matti sanoo, että hän haluaisi antibiootteja, mutta luuletko sinä, että ne auttavat flunssaviruksiin? – En minä usko. Minulle ne eivät ainakaan sovi, minä olen allerginen penisilliinille. Kiitos näistä tableteista, hyvä ystävä! Toivottavasti teidän kaikkien flunssa menee pian ohi!

Palasin omaan asuntooni, otin tabletit ja menin vuoteeseen. Mutta seuraavana aamuna kuumemittari näytti 39,3 astetta, ja iltapäivällä minun oli pakko soittaa lääkärille. Hän sanoi, että minun piti olla vuoteessa ainakin kolme neljä päivää, mutta että minun ei tarvinnut lähteä sairaalaan. Toivottavasti lääkkeet, joita hän antoi, auttavat pian.

Exercises

1. Use personal pronouns instead of the nouns in italics.

   Tapaan *Kirstin* usein ja ajattelen *Kirstiä* aina.
   Odotamme *Pekka ja Kaija Vuorelaa* kylään. Tunnetko sinäkin *Vuorelat?*
   Älä häiritse *isää,* hän on puhelimessa. – Ei ole, näin *isän* pihassa.
   Katselen usein *noita lapsia;* tunnen *nuo lapset* kaikki.
   Jätätkö *Timon* yksin vai koetatko auttaa *Timoa?*
   Otammeko *Jannen ja Jaanan* mukaan retkelle (*retki* excursion, picnic)?
   – Emme, pikku Pirjo pelkää *Jannea ja Jaanaa,* he ovat liian villejä.

2. Complete:

   Saanko tavata (te) uudelleen? Vanha opettajani muisti (minä) vielä. Reposet kutsuivat (me) kylään. Saanko esitellä (sinä) näille ystävilleni? (Kuka) näit iltakävelyllä Aleksilla? (Minäkö?) Et voinut nähdä (minä), olin eilen Turussa. Herra Möttönen, en usko (te), tunnen (te) liian hyvin.

3. Model: *He lainaavat rahaa/täytyä – Heidän täytyy lainata rahaa.*

   Menen nukkumaan/*täytyy*. Te annatte vastauksenne huomenna/*täytyy*. Liisa hymyili tuolle kauhealle ihmiselle/*olla pakko*. Me panemme asiat kuntoon/*pitää*. Hän tarjoaa kaikille kahvit/*pitää*. Jokainen kuolee kerran/*olla pakko*. Miksi tuo mies juo niin paljon?/*pitää*. Oletko ylityössä tänäänkin, Heikki?/*tarvita*

4. a) Model: *Älä syö liikaa makeisia. – Sinun ei pidä syödä liikaa makeisia.*

   Älä luule, että annan sinulle anteeksi. Älä käsitä minua väärin. Älä sairastu ennen tätä tärkeää matkaa. Älä vaivaa päätäsi tällä pikkuasialla. Älkää vuokratko liian kallista asuntoa. Älkää seuratko Kallen esimerkkiä. Älkää lukeko liian pimeässä. Älkää nukkuko, jos vain voitte toimia.

b) Model: *Älä odota minua. – Sinun ei tarvitse odottaa minua.*

Älä lähde kauppaan, meillä on kaikkea. Älä arvaa, kerron sinulle oikean vastauksen. Älä pese pukua vielä, sehän on puhdas. Älä juokse, ei juna tule vielä. Älkää sanoko mitään, jos ette voi puhua totta. Älkää ottako lääkkeitä tämän päivän jälkeen. Älkää huutako, kuulemme puheenne kyllä. Älkää kirjoittako minulle, soittakaa joskus.

5. Word review.

Ystävä ...... (= rakas ystävä), sinä ...... vähän sairaalta, miten sinä ......? – Kai minä olen kunnossa, olen vain vähän ......, on niin paljon töitä. – Niin mutta äänesi on tavallista matalampi, ehkä kurkkusi on ......? – Ei ole, mutta ...... minussa on, nenäliinoja menee paljon. Luulen, että kun menen kotiin, etsin ...... ja mittaan ...... – Niin, parasta olla ......, kun flunssaviruksia on näin kovasti ...... Minäkin olen menossa ......, täytyy ostaa yskänlääkettä. – Nyt on syyskuu, eikö tämä nuhaepidemia tule normaalisti ...... lokakuussa? – Kyllä minustakin se tuli tänä vuonna tavallista ......

Vocabulary

aikaisemmin (≠ *myöhemmin*)	earlier
apteekki apteekin apteekk/ia-eja	chemist's, pharmacy, drugstore
kiltti kiltin kilttiä kilttejä	well-behaved, good, nice
kipeä-n-ä kipeitä	ill, sick; sore
kotoa	from home
kulta kullan kultaa kultia	gold; dear, darling
kuume-en-tta-ita	fever, temperature
kuume/mittari-n-a -mittareita	(clinical) thermometer
lämpö/mittari	thermometer
lailla (= *tavalla*):	
aika lailla	a great deal, considerably
liikkeellä: olla l.	to be in motion, going around
likai/nen-sen-sta-sia (≠ *puhdas*)	dirty, soiled
lähes	nearly, close to
lääke lääkkeen lääkettä lääkkeitä	medicine, drug
lääkäri-n-ä lääkäreitä	doctor, physician
maistu/a maistun maistui maistunut	to taste (like something)
mita/ta mittaan mittasi mitannut	to measure
nenä-n-ä neniä	nose
nenä/liina-n-a -liinoja	handkerchief ("nose-cloth")
nuha-n-a nuhia	cold (in the nose)
näyttää näytän näytti näyttänyt	(also:) to look (like), seem
näytät tervee/ltä	you look healthy
pikkuisen (= *vähän*)	a little, a bit, not much

pitä/ä (*minun pitää* etc.)	shall; to have to, to be supposed to
puhdas puhtaan puhdasta puhtaita	clean, pure
pyytä/ä pyydän pyysi pyytänyt	to ask, request, beg
pyytää anteeksi	to beg one's pardon, to ask to be forgiven
pään/särky -säryn -särky/ä-jä	headache
sairaala-n-a sairaaloita	hospital
sairas sairaan sairasta sairaita	sick, ill
sairastu/a sairastu/n-i-nut	to fall ill
sitä/paitsi	besides, furthermore
särky säryn särkyä särkyjä	ache, pain
tabletti tabletin tablett/ia-eja	pill
tapa/us-uksen-usta-uksia	event, case, incident
joka tapauksessa	in any case, at any rate, anyway
tohtori-n-a tohtoreita (abbr. *tri* or *toht.*)	doctor (dr.)
toivottavasti	I hope, we hope, let's hope that
usko/a uskon uskoi uskonut (cf. *usko* belief, faith)	to believe
vaiva/ta vaivaan vaivasi vaivannut	to trouble, bother; to be the matter, to be wrong with someone
varovai/nen-sen-sta-sia (cf. *varoa* to beware of)	careful, cautious
vasta	only, not until
viitsi/ä viitsin viitsi viitsinyt	to mind doing, care to do, bother, take the trouble; to feel like doing
vilustu/a vilustun vilustu/i-nut	to catch one's cold
vitamiini-n-a vitamiineja	vitamin
voi/da	(also:) to feel (well, ill)
kuinka voitte?	how are you, how do you feel
väsynyt väsyneen väsynyttä väsyneitä	tired, exhausted
väsyttä/ä väsytän väsytti väsyttänyt	to tire (out), weary, fatigue
minua väsyttää	I feel tired
yskä-n-ä	cough

X

jaksa/a jaksan jaksoi jaksanut	to have the strength; to feel (well, ill)

23

Mäkiset ovat kutsuneet vieraita

The Mäkinens have invited guests

1. Hra Mäkinen. Kuinka kauan te olette ollut Suomessa, herra Lake?
2. L. Kohta kuukauden. Tulin tänne elokuun alussa.
3. Rva. M. No, kuinka te täällä viihdytte?
4. L. Ainakin tähän saakka olen viihtynyt tavattoman hyvin. On ollut vielä kaunista ja lämmintä, ja kaikki on ollut uutta ja mielenkiintoista.
5. Rva. M. Eikö teillä ole ollut koti-ikävä?
6. L. Ei lainkaan. Kaikki ovat olleet kovin ystävällisiä. Minulla on ollut seuraa, minun ei ole tarvinnut olla yksin.
7. Hra M. Sepä hauskaa. Toivottavasti olette saanut hyvän asunnon.
8. L. En vielä. Olen etsinyt koko ajan, olen ilmoittanut ja vastannut ilmoituksiin, mutta en ole löytänyt sopivaa asuntoa.
9. Rva M. Sepä ikävää. Teidän on siis täytynyt asua hotellissa. Hotellihuoneet ovat niin kalliita ja epäkodikkaita.
10. L. Olen samaa mieltä. Mutta jonkinlainen asunto täytyy olla. Ja hyvät asunnot keskikaupungilla ovat kiven takana.
11. Hra M. Muuten, te puhutte suo-

1. Mr. Mäkinen. How long have you been in Finland, Mr. Lake?
2. L. It'll soon be a month. I came here at the beginning of August.
3. Mrs. M. Well, how do you like it here?
4. L. At least so far I have liked it very much indeed. It has been fine and warm still, and everything has been new and interesting.
5. Mrs. M. Haven't you been homesick?
6. L. Not at all. Everybody has been very kind. I've had company, I haven't had to be alone.
7. Mr. M. That's nice. I hope you have got a good apartment.
8. L. Not yet. I've been looking for one all the time; I've advertised and answered ads, but I haven't found a suitable apartment yet.
9. Mrs. M. That's too bad. So you've had to stay at a hotel. Hotel rooms are so expensive and impersonal ("not cozy").
10. L. I agree. But one must have some kind of apartment. And good apartments in the center are awfully hard to get.
11. Mr. M. By the way, you speak

mea erittäin sujuvasti. Missä te olette oppinut sitä?

12. L. Kotona Yhdysvalloissa. Minä olen aina harrastanut kieliä. Olen asunut koko ikäni paikkakunnalla, jossa on paljon amerikansuomalaisia. Ja opiskeluaikana eräs huonetoverini oli suomalainen vaihto-opiskelija. Olemme olleet kirjeenvaihdossa siitä lähtien.

13. Rva M. No, mitä mieltä te olette: onko suomen kieli niin mahdotonta oppia kuin sanotaan?

14. L. Ei tietystikään. Mutta kyllä minä olen sitä mieltä, että se vaatii ahkeraa työtä ja hyvää muistia. Muuten, oletteko te käyneet Amerikassa?

15. Rva M. Emme ole vielä.

16. Hra M. Mutta me olemme juuri suunnitelleet matkaa Yhdysvaltoihin lähiaikoina.

Muut vieraat saapuvat ja tervehtivät isäntää ja emäntää.

17. Hra M. Päivää päivää, tervetuloa! Herra ja rouva Vuori ovat vanhoja ystäviämme. Herra Lake on Yhdysvalloista. Olemme kertoneet teille hänestä.

18. Rva V. Päivää, herra Lake. Kauanko te olette ollut maassamme?

19. Hra V. Ja miten te täällä viihdytte?

Finnish very fluently. Where did you learn it?

12. L. At home in the States. I've always been interested in languages. I've lived all my life in a community with many Finnish Americans. And in college one of my room-mates was a Finnish exchange student. We've been corresponding ever since.

13. Mrs. M. Well, what's your opinion: is Finnish as impossible to learn as they say?

14. L. Of course not. But I am definitely of the opinion that it takes hard work and a good memory. By the way, have you been to America?

15. Mrs. M. No, we haven't yet.

16. Mr. M. But we've just been planning a trip to the U.S. in the near future.

The other guests arrive and greet the host and hostess.

17. Mr. M. Hello, nice to have you here! Mr. and Mrs. Vuori are old friends of ours. Mr. Lake is from the United States. We've told you about him.

18. Mrs. V. How do you do, Mr. Lake. How long have you been in our country?

19. Mr. V. And how do you like it here?

mieli (= **mielipide**) opinion
Mitä mieltä olette asiasta?
Olen **sitä mieltä,** että ...
Olen **samaa mieltä** kanssanne "I agree" ≠ olen **eri mieltä**

ikävä (adj.) ≠ hauska, kiva, mielenkiintoinen
ikävä (noun)
Minulla on ikävä sinua. "I miss you"
Minulla on (koti-)ikävä Suomeen

N.N. asuu **kaupungissa** (ei maalla),
mutta ei keskikaupungi**lla** (= kaupungin keskustassa).
Myös: mennä kaupungi**lle** "go downtown (on business)"

Structural notes

1. Perfect tense

näh/dä to see

Affirmative				Negative			
olen	*näh/nyt*	I have	seen	*en*	*ole näh/nyt*	I have	not seen
olet		you have		*et*		you have	
on		he/she has		*ei*		he/she has	
olemme	*näh/neet*	we have		*emme*	*ole näh/neet*	we have	
olette		you have		*ette*		you have	
ovat		they have		*eivät*		they have	

Question:

olenko (minä) näh/nyt? etc. — have I seen? etc.

Negative question:

enkö (minä) ole näh/nyt? etc. — have I not seen? etc.

The structure of the perfect tense:
– The auxiliary, which is always *olla,* is in the present tense;
– The main verb is in the past participle (see 19:1): sing. *näh/nyt,* pl. *näh/neet.*

The perfect tense is used very much in the same way in Finnish as in English. Sometimes, however, Finnish (feeling that the action of the verb continues influencing the present) uses the perfect where English would prefer the past tense. Examples:

Huomenta, Raili, oletko nukkunut hyvin? — Good morning, Raili, did you sleep well?
Mistä olet ostanut tuon huivin? — Where did you buy that scarf (which you go on wearing)?
Missä te olette oppineet suomea? — Where did you learn Finnish (which you still speak)?

Seitsemän veljestä on kirjoittanut Aleksis Kivi.	*Seven Brothers* was written by Aleksis Kivi (the book is still with us).
Tuomas on syntynyt v. 1950.	T. (living person) was born in 1950.

2. Complement of the verb "olla"

Examples in the plural:

Kari ja Anu ovat vielä lapsia.	Kari and Anu are children still.
Nämä ovat veitsiä, haarukoita ja lusikoita.	These are knives, forks, and spoons.
Nuo lääkärit ovat kirurgeja.	Those doctors are surgeons.
Mutta:	
Nuo lääkärit ovat sairaalan ainoat kirurgit.	Those doctors are the only surgeons at this hospital.

When stating **what people or things are,** the **partitive pl.** is used except when speaking about a definite number (cf. *the* in English).

Taulut ovat kalliita.	Pictures are expensive.
Millaisia suomalaiset ovat? Ujoja.	What are Finns like? Shy.
Viime viikot ovat olleet kylmiä.	The past few weeks have been cold.
Mutta:	
Kätesi ovat kylmät.	Your hands are cold.
Tytön posket olivat punaiset.	The girl's cheeks were red.
Nämä tuolit ovat mukavat (mukavia).	These chairs are comfortable.

When stating **what people or things are like,** the **partitive pl.** is used except when speaking about a very closely defined number, particularly the different parts of body.

Examples in the singular:

N.N. on valtion virkamies.	N.N. is a civil servant.
Mikä tuo on? Se on kitara/pallo/paperipala.	What is that? It is a guitar/a ball/a piece of paper.
Mutta:	
Mitä tuo on? Se on musiikkia/jalkapalloa/käärepaperia.	What is that? It is music/football/wrapping-paper.

When stating **what a person or a thing is,** the **basic form** is used except when speaking of uncountables (abstract words, words denoting substance or material) in a general sense (cf. the lack of article in English: *paper, music* etc.).

		Mutta:	
Pannu on kuuma.	The pot is hot.	*Tee on kuumaa.*	Tea is hot.
(Se on kuuma.	It is hot.	*Se on kuumaa.*	It is hot.)
Kysymys on vaikea.	The question is a difficult one.	*Elämä on vaikeaa.*	Life is hard.
Pukusi on uusi.	Your dress is new.	*Kaikki on uutta.*	Everything is new.
Ilma on kaunis.	The weather is fine.	*On ollut kaunista.*	It has been beautiful.
Menetelmä ei ole mahdollinen.	The method is not possible.	*Onko mahdollista käyttää tätä menetelmää?*	Is it possible to use this method?
Onpa hän ikävä!	He certainly is boring.	*On ikävä(ä), ettet voi odottaa.*	It is too bad you cannot wait.

When stating **what a person or a thing is like,** the **basic form** is used except when the subject of the verb *olla* is an uncountable (normally used without article in English), or otherwise indefinite, or when there is no subject.

Note, however, that **hyvä** always remains in the basic form if followed by an infinitive or an *että* clause: *(On) hyvä, että tulet mukaan.* It is good that you are coming along. *Onpa hyvä olla taas kotona!* It's nice to be home again!

Reader

Kirje, jonka juuri olen saanut eräältä ystävältäni.

New Yorkissa 15.10.72

Hyvä ystävä!

Anna minulle anteeksi, etten ole kirjoittanut Sinulle ennen. Minulla ei todellakaan ole ollut aikaa. Tosin (= on totta, että) olen ollut tässä suurkaupungissa jo lähes kaksi viikkoa, mutta minulla on ollut tavattoman paljon ohjelmaa koko ajan. Viime päivinä olen sitäpaitsi etsinyt asuntoa, mutta en ole vielä löytänyt oikein sopivaa. Hyvät asunnot ovat kalliita, halvat asunnot huonoja. Tähän saakka olen siis asunut pienessä hotellissa. Huoneeni on siisti, mutta tietystikin kallis ja epäkodikas.

Kysyt varmaankin, miten olen viihtynyt täällä Atlantin toisella puolella. Olen viihtynyt tavattoman hyvin eikä minulla ole ollut lainkaan koti-ikävä. Olen tavannut pari maanmiestäkin, Hannu Ahosen ja Pauli Siron, jotka Sinäkin kai tunnet, ja olemme yhdessä katselleet tätä maailmankaupunkia. Hannu ja Pauli ovat olleet täällä jo puoli vuotta. Olemme käyneet kerran teatterissa ja olemme koettaneet saada lippuja oopperaankin, mutta näyttää siltä, että se on aika vaikeaa.

Minulla on siis ollut seuraa, varsinkin kun olen myös saanut useita amerikkalaisia tuttavia, joiden kanssa minun on ollut pakko puhua englantia. Vaikka en itse vielä puhukaan kovin sujuvasti, ymmärrän jo hyvin tavallista puhekieltä. Mutta kyllä minä vieläkin olen sitä mieltä, että tämä Amerikan englanti on vaikeampaa ymmärtää kuin Englannin englanti, jota koulussa opimme. Joka kerta kun lähden kaupungille, otan muuten sanakirjat mukaan, käytän niitä ahkerasti ja olenkin tällä tavalla oppinut paljon uutta sanastoa.

Kun kirjeeni saapuu sinne, siellä on varmaankin jo syksyistä ja kylmää. Täällä on ollut vielä melko lämmintä, mutta olen kuullut, että talvi voi olla hyvinkin ikävä, kylmä ja kostea. No, kyllä kai pohjoismaalainen sen kestää, varsinkin kun huoneet ovat yleensä lämpimiä.

Minusta täällä siis kaikki on ollut mielenkiintoista ja olen voinut hyvin – kuten toivottavasti Sinäkin. Kirjoita nyt lähiaikoina ja kerro kotimaan tapahtumista.

Terveisin
Risto.

P.S. Oletko antanut osoitteeni Pentti Koskiselle? Olen odottanut häneltä kirjettä. Jos et ole muistanut, ole kiltti ja soita hänelle heti!

Exercises

1. Answer the following questions, using complete sentences.

Kuinka kauan olette asunut Helsingissä (Turussa, Lontoossa, Bostonissa etc.)? Kuinka olette viihtynyt siellä? Oletteko käynyt suomalaisessa saunassa? Oletteko käynyt Lapissa? Oletteko tavannut Suomen presidentin? Oletteko syönyt kalakukkoa/Karjalan piirakoita/rapuja (*rapu* crayfish)? Oletteko ollut tällä viikolla konsertissa tai teatterissa? Oletteko ostanut vai vuokrannut asunnon, joka teillä nyt on? Oletteko ollut tänään laiska vai ahkera/iloinen vai surullinen/järkevä vai hassu? Missä olette oppinut suomea? Mitä muita vieraita kieliä olette harrastanut?

2. Model: *Eilen (viime viikolla/viime vuonna) olin onnellinen. – Tänään (tällä viikolla/tänä vuonna) olen ollut onnellinen.*

Eilen hiihdin monta tuntia.
Eilen aurinko paistoi ihanasti.
Taisin saada eilen nuhan.
Eilen työ maistui puulta.
Eilen minua väsytti kovasti.
Eilen suunnittelimme lomanviettoa.
Eilen jatkoimme työtämme.
Eilen Smithit aloittivat suomen kielen opiskelun.
Voitko eilen hyvin?
Ajattelitko asiaa eilen?

Viime viikolla satoi joka päivä.
Viime viikolla etsimme asuntoa.
Viime viikolla nousimme aikaisin.
Viime viikolla lumi alkoi sulaa.
Tapasitko viime viikolla tuttavia?
Olitteko viime viikolla ylityössä?
Viime vuonna asuin vuokrahuoneessa.
Viime vuonna kävimme kielikurssia.
Opiskelitko ahkerasti viime vuonna?
Vietitkö viime vuonna viikonloput maalla?

3. Model: *Pidätkö sipulista* (onion)? – *Pidän, mutta en ole aina pitänyt.*

Viihdytkö Suomessa?
Ymmärrätkö hyvin toisia ihmisiä?
Tuletko toimeen suomen kielellä?
Tiedätkö paljon Suomesta?

Seuraatko urheilua?
Poltatko tupakkaa?
Osaatko laittaa ruokaa?
Pesetkö itse likaiset vaatteesi?

4. a) Mitä ovat Helsinki, Tukholma ja Rooma? – Iso Britannia, Islanti ja Kypros? – Kalle, Liisa, Mikko ja Ville? – tuoli, pöytä ja sohva? – koira, karhu ja kärpänen (fly)? – omena, meloni ja päärynä (pear)? – ruusu, neilikka (carnation) ja orvokki (violet)? – punainen, violetti ja oranssi? – maanantai ja keskiviikko?

Millaisia ovat televisiofilmit? – hyvin pohjoiset alueet? – pilvenpiirtäjät (skyscrapers)? – amerikkalaiset autot? – hotellihuoneet? – hyvät asunnot? – ihmiset, jotka eivät tahdo tehdä työtä? – pariisilaispuvut?

b) Millaista on kahvi? – amerikkalainen/englantilainen/suomalainen ruoka? – lumi? – Välimeren (*Välimeri* Mediterranean) vesi? – jäätelö? – suomen kieli? – elämä?

5. Complete.

a) Nuo tytöt ovat (opiskelija). He ovat vielä hyvin (nuori). Ovatko suomalaiset (ujo)? Hm, eivät kai he ole kovinkaan (vilkas). Suomessa asunnot ovat melko (kallis), vaikkakin (pieni), mutta ne ovat (lämmin) ja (siisti). Ovatko tv:n sarjaohjelmat (*sarja* series) teistä (hyvä) vai (huono)? Nti Leivo ja nti Sorsa ovat (lento/emäntä). He ovat hyvin (hauskannäköinen).

b) Pentti, ovatko korvasi varmasti (puhdas)? Pikku Merjan jalat ovat vähän (kylmä). Antakaa suurempi numero, nämä kengät ovat liian (pieni). Ovatko Liisan silmät (harmaa) vai (sininen)? En tiedä, mutta (kaunis) ne ovat. Tämän huoneen ikkunat ovat aivan (likainen).

6. Word review.

Kuinka sinä ...... uudessa asunnossasi, Ilmari? Huonosti? Sepä ......! Mitä ...... te olette Tapiolan arkkitehtuurista? Oletko kuullut, miten ...... Bob jo puhuu suomea? Olen, mutta Bob onkin ikänsä ...... vieraita kieliä. Olen ...... Irman kanssa. Viime kirjeessään hän kirjoittaa, ettei viihdy Kemissä; hänellä on vieläkin ...... Helsinkiin.

Vocabulary

alku alun alkua alkuja (≠ *loppu*)	beginning, start
emäntä emännän emäntää emäntiä	hostess; landlady; farmer's wife
harrasta/a-n harrasti harrastanut (*part.*)	to take an (active) interest in, go in for, devote oneself to, pursue
ikävä-n-ä ikäviä	tedium, longing, yearning; dull, boring, tedious, unpleasant
isäntä isännän isäntää isäntiä	host; landlord; farmer
jonkin/lai/nen-sen-sta-sia	some kind of
keski/kaupunki	downtown area, center
kirjeen/vaihto -vaihdon -vaihtoa	correspondence
kivi kiven kiveä kiviä	stone, rock
kohta (= *pian*)	soon, presently
koti-ikävä-n-ä	home-sickness
kutsu/a kutsun kutsui kutsunut	to call, invite
lainkaan (= *ollenkaan*)	at all
lähi/aikoina	in the near future, soon
lähtien (= *asti, saakka*)	from, since, ever since
kesästä lähtien	ever since the summer
mahdo/ton-ttoman-tonta-ttomia	impossible
mieli mielen mieltä mieliä	mind, soul, spirit; mood; opinion
mielen/kiintoi/nen-sen-sta-sia (cf. *mielen/kiinto* interest)	interesting
muisti-n-a muisteja	memory (ability to remember)
opiskelu-n-a	study, studying, studies
paikka/kunta -kunnan -kuntaa -kuntia	community, place
seura-n-a seuroja	company; society
sujuva-n-a sujuvia	fluent
suunnitel/la suunnittelen suunnitteli suunnitellut (cf. *suunnitelma* plan)	to plan
tava/ton-ttoman-tonta-ttomia	extraordinary, exceeding, extreme
tervehti/ä tervehdin tervehti tervehtinyt	to greet
vaati/a vaadin vaati vaatinut	to require, call for, demand
vaihto vaihdon vaihtoa vaihtoja	change, exchange
viihty/ä viihdyn viihtyi viihtynyt	to feel at home, like living somewhere

Yhdys/vallat -valtojen -valtoja (pl.)	United States
Yhdys/valloissa, -valloista, -valtoihin	in, from, to the U.S.
yksin	alone, by oneself

X

mieli/pide -piteen -pidettä piteitä	opinion

24

Heikki ja Betty menevät illalla ulos

Heikki and Betty are going out for the evening

1. H. Kuule Betty, sinä olet liian ahkera. Sinun pitäisi vähän huvitellakin. Etkö tulisi kanssani ulos tänä iltana?

1. H. Look here, Betty, you're working too hard. You ought to have some fun too. Why don't you come out with me tonight?

2. B. Mielelläni. Se tekisi varmasti hyvää. Minä tulen ihan hulluksi, kun aina vain luen ja luen. Mutta mihin me menisimme?

2. B. I'd love to. It would certainly do me good. I'll go completely crazy if I just study and study all the time. But where should we go?

3. H. Otan tämän päivän lehden, niin näemme eri mahdollisuudet.

3. H. I'll get today's paper so we can see the different things we could do.

Tutkivat yhdessä sanomalehteä.

They study the newspaper together.

4. H. Lähtisitkö mieluummin teatteriin vai elokuviin?

4. H. Would you rather go to the theater or to the cinema?

5. B. Teatteriin kai. Riippuu tietysti myös ohjelmasta.

5. B. To the theater, I think. Depends, of course, on the program also.

6. H. Kansallisteatterissa menee *Kesäyön unelma.*

6. H. *A Midsummer Night's Dream* is on at the National Theater.

7. B. Ei, ei, en tahtoisi nähdä Shakespearea, haluaisin nähdä suomalaisen näytelmän. Jotain semmoista kuin Kiven *Seitsemän veljestä,* vaikka en sitä kokonaan ymmärtäisikään.	7. B. No no, I wouldn't like to see Shakespeare; I'd like to see a Finnish play. Something like Kivi's *Seven Brothers,* even if I wouldn't understand all of it.
8. H. Onpa meillä huono onni! Vain Kaupunginteatterin suurella näyttämöllä on kotimaista. Mutta se on ensi-ilta, ja esitys on loppuunmyyty.	8. H. Well, we do have bad luck! Only the Big Stage of the City Theater has got something Finnish. But it's a première, and the performance is sold out.
9. B. Entä konsertit? Olen kuullut, että Helsingin musiikkielämä on talvisin hyvin vilkasta.	9. B. What about the concerts? I hear that Helsinki has a lot going on music-wise during the winter.
10. H. Hetkinen... Kuuluisa sellistimme Arto Noras pitää konsertin Konservatoriossa... Kaupunginorkesterin sinfoniakonsertti Finlandiatalossa... Orkesteria johtaa Okko Kamu, solistina Martti Talvela, joka laulaa Sibeliuksen lauluja.	10. H. Wait a moment... Arto Noras, the famous Finnish cellist, will give a concert at the Conservatory... A symphony concert given by the City Orchestra is at Finlandia Hall... Conductor, Okko Kamu; soloist, Martti Talvela, who will sing some songs by Sibelius.
11. B. Sehän kuulostaa lupaavalta. Minä ihailen suuresti Sibeliusta.	11. B. That sounds promising, doesn't it? I greatly admire Sibelius.
12. H. Ei mutta olenpa minä hölmö! Nämä konsertit ovat vasta ensi viikolla!	12. H. Oh, but aren't I stupid! These concerts will only be next week!
13. B. No, ei se mitään tee. Tehdään jotain muuta. Mitähän oopperassa on tänään? En ole nähnyt oopperaa pitkään aikaan.	13. B. Well, never mind. Let's do something else (instead). I wonder what's on at the Opera today? I haven't seen any opera for a long time.
14. H. Kansallisooppera... Siellä on baletti-ilta.	14. H. The National Opera... There's a ballet evening.
15. B. Voi, sinne minä menisin mielelläni!	15. B. Oh, I'd love to go there!
16. H. Hyvä on, tilaan liput Lippupalvelusta. Mitä voisimme tehdä baletin jälkeen?	16. H. Good, I'll book the tickets at the "Ticket Service". What could we do after the ballet?

17. B. Mitä sinä ehdottaisit?
18. H. Mitä jos söisimme illallista jossakin ravintolassa? Oletko sinä ollut Majesteetissa?
19. B. En, mutta olen kyllä kuullut siitä. Mennään sinne!
20. H. Siellä on aina hauska ohjelma ja tanssia. Ja paljon kansaa, varsinkin lauantaisin ja sunnuntaisin. Minun pitää varata pöytä heti paikalla.

17. B. What would you suggest?
18. H. What if we had dinner at some restaurant? Have you been to the "Majesteetti"?
19. B. No, I haven't, but I've heard about it. Let's go there!
20. H. They always have a nice show and dancing. And lots of people, especially on Saturdays and Sundays. I must reserve the table right now.

milloin? minä päivänä? tänään, huomenna, eilen

mutta:

Tämä päivä on tärkeämpi kuin	**huominen** (päivä) tai (huomis/päivä)	**eilinen** (päivä). (eilis/päivä)

Tämän päivän lehti.
Konferenssi kestää **tästä päivästä huomiseen** (päivään).

sunnuntai**sin** (= aina sunnuntaina), keskiviikkoi**sin**; arki**sin** (arkipäivi**sin**), pyhäi**sin**; aamui**sin**, iltai**sin**, öi**sin**; keväi**sin**, kesäi**sin**

minkä**lainen** mil**lainen**	= mim**moinen?**	täl**lainen** = täm**möinen** tuol**lainen** = tuom**moinen** sel**lainen** = sem**moinen**

Tulen hullu**ksi!**
Jokainen tulee vanha**ksi.**
Pirjo sai kirjeen. Hän tuli kovin iloise**ksi.**

Structural notes

1. Direct object

The basic rules for the direct object in affirmative sentences and the final rule for it in negative sentences were learned in Lesson 13:1. In this lesson the quality of the direct object in *affirmative* sentences will be examined in more detail.

The direct object is either *total* or *partial.* The object is **partial** when the speaker wants to express

– that the action of the verb affects the object only partially (see Ex. 1a below);

– that the action of the verb is continuous or incomplete (Ex. 2a).

The object is **total** when the speaker wants to express

– that the action of the verb affects the object in its entirety (Ex. 1b);

– that the action of the verb is complete (Ex. 2b).

Partial		**Total**	
Sing.		Sing.	
1a. *Ostan maa/ta.*	I'll by some land (indefinite part of a larger entity).	1b. *Ostan maa/n.*	I'll buy the land (the entire piece of land).
2a. *Hän luki kirja/a.*	He was reading a book.	2b. *Hän luki kirja/n.*	He read the book.
Pl.		Pl.	
Hän luki kirjoj/a.	He was reading (the) books/He read some books.	*Hän luki kirja/t.*	He read the books.

Rule: The partial object is always in **partitive.**	Rule: The total object is – in **genitive** in **sing.** – in **basic form** in **pl.**

Exceptions: None	Exceptions: **Basic form** also in **sing.** – with imperative: *Lue kirja!* – with *täytyy* (and synonyms): *Minun täytyy lukea kirja.* – in impersonal phrases of the type *On aika tehdä se; on hauska tehdä se* (impers. verb, usu. olla + noun/adj. + inf. + its obj.).

Note 1. The accusative of pers. pronouns and *kuka* (*kenet; minut, sinut,* etc., see Lesson 22:1) is always total, for example: *Vien hänet (= Liisan) teatteriin – Vie hänet (= Liisa) teatteriin! – Minun täytyy viedä hänet (= Liisa) teatteriin* etc.

Note 2. Some verbs are thought of as inherently denoting continuous or incomplete action. Their direct object, consequently, is normally in the partitive. Among such verbs are most verbs indicating emotion: *rakastaa* to love, *vihata* to hate, *ihailla* to admire etc.; most verbs in *-ella: katsella* to watch, look, *kuunnella* to listen, *ajatella* to think; and a large number of others, for instance *auttaa* to help, *etsiä* to look for, *koettaa* to try (on), *odottaa* to wait.

2. Conditional present

Affirmative		Negative			
sano/isi/n	I should (would, I'd) say	*en*	*sano/isi*	I should	not say
sano/isi/t	you would (you'd) say	*et*		you would	
sano/isi	he/she would(he'd) say	*ei*		he/she would	
sano/isi/mme	we should (would, we'd) say	*emme*		we should	
sano/isi/tte	you would (you'd) say	*ette*		you would	
sano/isi/vat	they would (they'd) say	*eivät*		they would	

Question: *sano/isi/ko hän?* would he say? etc.

Negative question: *eikö hän sano/isi?* would he not say? etc.

The conditional present is formed by inserting *-isi-* between the stem and the personal ending.

The personal endings are the same as in the ordinary present tense except that the 3rd pers.sing. has no ending.

The stem is obtained from the 3rd pers.sing. present tense by dropping the last vowel:

(sanoa)	*sanoo*	he says	*sano/isi*	he would say
(tilata)	*tilaa*	he orders	*tila/isi*	he would order
(löytää)	*löytää*	he finds	*löytä/isi/mme*	we'd find

If the 3rd pers. sing. present tense ends in *-ee* or *-(i)i,* drop both before adding *-isi-:*

(nähdä)	*näkee*	he sees	*näk/isi/n*	I should see
(oppia)	*oppii*	he learns	*opp/isi/tte*	you would learn
(voida)	*voi*	he can	*vo/isi*	he could

The conditional of the following verbs does not follow these main rules:

(olla)	*on*	he is	*ol/isi*	he would be	(cf. *oli*)
(käydä)	*käy*	he visits	*käv/isi*	he would visit	*(kävi)*
(juoda)	*juo*	he drinks	*jo/isi*	he would drink	*(joi)*
(syödä)	*syö*	he eats	*sö/isi*	he would eat	*(söi)*
(viedä)	*vie*	he takes somewhere	*ve/isi*	he would take somewhere	*(vei)*

tuoda to bring, *suoda* to give, grant, *luoda* to create, are similar to *juoda; lyödä* to beat, strike, is similar to *syödä.*

"If" clauses

Jos minulla olisi rahaa, ostaisin talon.	If I had money, I'd buy a house.
Jos tietäisitte kaiken, ymmärtäisitte häntä.	If you knew everything, you would understand her.

The Finnish language uses the conditional also in the *jos* (if) clause of a conditional sentence. (Note that English normally uses the simple past tense instead.)

Reader

Sille, joka haluaa huvitella, Helsinki ei tietystikään tarjoa samanlaisia mahdollisuuksia kuin suuret maailmankaupungit. Kulttuuri- ja huvielämä on kuitenkin talvisin erittäin vilkasta. Kaupungissa toimii useita teattereita, ooppera ja kaksi sinfoniaorkesteria, joiden konserteissa vierailee usein kuuluisia solisteja maailman eri musiikkikeskuksista. On elokuvateattereita, tanssiravintoloita ja diskoteekkeja, on muutamia yökerhojakin, ja se, joka ei näistä välitä, voi mennä katsomaan urheilukilpailuja Stadionille, Messuhalliin tai Jäähalliin. Valitkaa, mitä tahdotte, ja pitäkää hauskaa!

Eräänä päivänä Mäkiset soittivat Steve Lakelle ja sanoivat, että he kutsuisivat hänet mielellään ulos jonakin iltana. – Kiitos, sehän olisi mukavaa. – Lähtisittekö mieluummin konserttiin vai teatteriin? Jälkeenpäin voisimme istua iltaa jossakin ravintolassa. – Minusta kaikki on mielenkiintoista. Kuuntelen mielelläni musiikkia, mutta käyn yhtä mielelläni teatterissakin. Riippuu tietysti myös ohjelmasta – ja ennen kaikkea siitä, mitä te itse harrastatte. – Olemme tutkineet lehtiä ja huomanneet, että tällä viikolla on monenlaisia mahdollisuuksia. Huomenillalla on Kaupunginteatterin suurella näyttämöllä amerikkalainen musikaali ja pienellä kotimainen komedia. Kansallisessa (= Kansallisteatterissa) on Molièrea ja Tshehovia. Radio-orkesterin solistina on tunnettu ranskalainen tenori, ja Oopperassa on huomenna balettinäytös ja ylihuomenna Sevillan parturi. Mitä mieltä olette? Teidän pitäisi nyt valita. – Hm, kuulostaa lupaavalta. Tuota tuota – jos teillä ei ole mitään sitä vastaan, valitsisin kyllä mieluimmin sen suomalaisen näytelmän. En ole ollut teatterissa pitkään aikaan, ja olisi hauska nähdä suomalainen näytelmä, vaikken sitä ehkä kokonaan ymmärtäisikään. – Hyvä, voimme siis tilata liput heti kohta. Meidän täytyy myöhemmin sopia kanssanne siitä, missä ja milloin tapaamme. Kuulemiin tällä kertaa!

Exercises

1. Translate:

I'll buy some bread. I'll buy a loaf of bread.
We ate some fish. We ate a big fish.
Mr. Yrjölä bought some land. He bought the land but not the house.
I need some letter stationery. I'll go and buy the stationery now.
Near the village, we saw some people and animals; we saw the people and the animals from a distance.
I often meet Americans in Helsinki. I know those Americans over there.
James reads Finnish papers. He often reads the morning papers in the library.
Mother always writes letters. She wrote all these letters today.
Did you (already) pack the suitcases? Not yet, I'm packing the suitcases right now.

2. a) Complete:

Uskotko (se)? Sinun täytyy uskoa (se). Osaatteko kertoa meille (jokin hauska juttu)? Teidän pitäisi kertoa meille (jokin hauska juttu), herra Vuorinen! Anna minulle (tuo lehti)! Jonkun pitäisi antaa minulle (tuo lehti). Mikko antaa minulle (tuo lehti). Meidän tarvitsee tilata (pöytä) heti. Tilaan (pöytä) heti. On paras tilata (pöytä) heti, muuten emme ehkä saa lainkaan (pöytä).

b) Sirkka etsi (hattu) kauan aikaa ja lopulta hän löysi oikein (kaunis hattu). Haluaisin koettaa (tuo puku) ja myös (tämä villatakki). (Kuka) odotatte? Katselimme (Helsinki) Stadionin tornista; aivan lähellä näimme (Messuhalli). Eilen illalla kuuntelimme (radio); kuulimme Sibeliuksen (toinen sinfonia). Ihailetteko te (tuo näyttelijä)? Monet ihmiset rakastavat (maalaiselämä) ja vihaavat suurkaupungin (liika kiire) ja (stressi).

3. Model: *Olisinko onnellinen? – Enkö olisi onnellinen?*

Haluaisitteko kahvia?
Lepäisitkö hetken?
Odottaisimmeko vielä vähän?
Toisitko minulle kylmää vettä, Pekka?
Saisinko auttaa teitä?
Voisiko James asua teillä?
Kertoisitko minulle, mikä sinua vaivaa?
Tulisivatko Suomelat mukaan?

4. Model: *Luen romaaneja. – Jos minulla olisi aikaa, lukisin romaaneja.*

Kirjoitan kirjeitä.
Kutsun enemmän vieraita.
Nukun enemmän.
Soitan pianoa.
Valitsen uusia äänilevyjä.
Menen hiihtämään.
Keskustelen politiikasta.
Otan ranskan tunteja.
Katson televisiota.
Teen työtä puutarhassa.
Maksan kaikki laskut.
Harrastan joogaa.
Tapaan vanhoja ystäviä.
Uin joka päivä.

5. Model: *Jos haluat, voit auttaa meitä. – Jos haluaisit, voisit auttaa meitä.*

Jos syöt vitamiineja, et sairastu. Jos aurinko paistaa, lumi sulaa. Jos en ole väsynyt, käyn Pirkon luona. Jos lapset sairastuvat, äiti ei voi mennä työhön. Jos lähdemme ajoissa, emme myöhästy (*myöhästyä* to be late). Jos he asuvat keskikaupungilla, he eivät tarvitse autoa. Jos tarvitsen rahaa, pyydän sitä sinulta.

6. a) Model: *Minusta on hauska tanssia. – Tanssin mielelläni.*

Minusta on hauska nukkua myöhään/maistaa uusia ruokia.
Hänestä on hauska hiihtää/ajaa polkupyörällä.
Meistä on hauska auttaa sinua/käydä autokilpailuissa.
Heistä on hauska tehdä automatkoja/istua ravintolassa.
Onko sinusta hauska käydä kylässä/olla illalla kotona?
Onko teistä hauska lentää/seurata maailman tapahtumia?

b) Model: *Matkustan mielelläni junalla, mieluummin autolla ja mieluimmin (mieluiten) lentokoneella.*

Tapaan uusia ihmisiä/vanhoja tuttavia/omia sukulaisiani.
Luen salapoliisi(detective)kirjoja/matkakirjoja/sanomalehtiä.
Hra Saari katsoo tv:tä/urheilukilpailuja/tanssiesityksiä.
Vietämme lomaa järven rannalla/saaristossa/vuoristossa.
Menemme elokuviin/jazz-konserttiin/huvipuistoon.
Suomalaiset, jotka muuttavat maasta, menevät Australiaan/Amerikkaan/Ruotsiin.

7. Model: *Sinun täytyy vastata kyllä tai ei. – Vastaus on ei.*

Voitteko *korjata* puvun? – Kyllä; ...... maksaa kuusi markkaa.
Olen *kirjoittanut* asiasta lehteen, lue. – Hm, tämä on hyvä ......
Liisa, anna minun *selittää!* – Tuo oli huono ......, en usko sitä.
N.N. *opettaa* ulkomaalaisille suomea. Milloin suomen kielen ...... alkaa?
Mitähän tämä sana voisi *merkitä?* Tietääkö joku, mikä sen ...... on?
Sinä *ymmärrät* kaiken helposti, sinulla on todella hyvä ......
Ehdotan, että pidämme kokouksen torstaina. – Se on hyvä ......
Varaamme paikan junaan. Emme jää ilman paikkoja, jos meillä on paikka ......

8. Word review.

– Hei, Paula, lähetkö kanssani ulos huomenillalla?
– ...... Mutta minne?
– Lähtisitkö ...... tanssimaan vai teatteriin?
– ...... ohjelmasta. En ole kylläkään ollut teatterissa ....
– Ehkäpä olisi kiva nähdä se uusi musikaali Kaupunginteatterin suurella ......, jos ...... ei vain ole loppuunmyyty. Pääosassa on kuuluisa ......, joka myös laulaa useita uusia ......
– Sehän ...... lupaavalta, sinne minä menisin kauhean ...... Ei mutta olenpas minä ......! Huomenna on torstai, ja minähän olen aina torstai... lapsenvahtina (babysitter) naapuriperheessä. Mutta ylihuomenna minulle kyllä sopii.

Vocabulary

ehdotta/a ehdotan ehdotti ehdottanut	to suggest, propose
ensi-ilta -illan -iltaa -iltoja	opening night, first night, première
esit/ys-yksen-ystä-yksiä (cf. *esittää* to present; perform)	presentation, performance
huvitel/la huvittelen huvitteli huvitellut	to amuse oneself, seek entertainment
hölmö-n-ä-jä	fool, foolish
ihail/la ihailen ihaili ihaillut	to admire
ihailen tä/tä henkilö/ä	I admire this person
illalli/nen-sen-sta-sia	late dinner; supper
johta/a johdan johti johtanut	to lead, direct, conduct
kokonaan	wholly, entirely, altogether
kuulosta/a-n kuulosti kuulostanut	to sound like
ehdotus kuulostaa hyvä/ltä	the proposal sounds good
kuuluisa-n-a kuuluisia	famous, celebrated
laula/a laulan lauloi laulanut	to sing
laulu-n-a-ja	song, air; singing
lupaava-n-a lupaavia (cf. *luvata lupaan* to promise)	promising
mahdollisu/us-uden-utta-uksia	possibility, chance
mielellä/ni-si-än-mme-nne-än	with pleasure, willingly
tehdä mielellään	to like to do, like doing
luen mielelläni	I like to read
mieluummin (comp. of *mielellään*)	rather, more willingly, preferably
tehdä mieluummin	rather do, prefer doing
mieluimmin = mieluiten (superl.)	with most pleasure
näytelmä-n-ä näytelmiä	(theater) play
näyttämö-n-ä näyttämöitä	stage
orkesteri-n-a orkestereita	orchestra
paikalla: heti p.	immediately, right then and there
palvelu-n-a-ja (cf. *palvella* to serve)	service
riippu/a riipun riippui riippunut	to hang; to depend on, be up to
riippuu asianhaaroista	it depends (on circumstances)
sellisti-n-ä sellistejä (cf. *sello* cello)	cellist
pianisti-n-a pianisteja (cf. *piano*)	pianist

semmoi/nen-sen-sta-sia (= *sellainen*)	such, like that
sinfonia-n-a sinfonioita	symphony
solisti-n-a solisteja	soloist
tutki/a tutkin tutki tutkinut	to study, examine, investigate, do research
unelma-n-a unelmia	dream
yhdessä	together (with)

X

näytel/lä näyttelen näytteli näytellyt	to play, act (in the theater)
näyttelijä-n-ä näyttelijöitä	actor
näyttelijä/tär-ttären-tärtä-ttäriä	actress

25

Kahvikutsut

1. Rva Lahtinen (puhelimessa). Ja sitten, neiti Christie, voisitteko te tulla meille iltapäiväkahville sunnuntaina neljältä? Voisitte tutustua muutamiin ystäviimme.
2. C. Kiitos kutsusta, tulen oikein mielelläni. Kuten tiedätte, olen erikoisen kiinnostunut suomalaisista kodeista. Näkemiin sunnuntaina!

*

3. L. Tervetuloa, neiti C.! Terveisiä mieheltäni, hänen täytyikin matkustaa vanhempiensa luo Joensuuhun.

A coffee party

1. Mrs. Lahtinen (on the phone). And then, Miss Christie, could you come and have afternoon coffee with us at four on Sunday? You could meet some friends of ours.
2. C. Thank you for the invitation, I'd love to come. As you know, I'm particularly interested in Finnish homes. See you on Sunday!

*

3. L. It was good of you to come, Miss C.! My husband wants to be remembered to you; he had to go to see his parents in Joensuu.

4. C. Kuinka suuri perhe teillä on, rouva Lahtinen?

5. L. Meitä on kuusi, kolme lasta ja kolme aikuista. Minun äitini asuu myös meillä. Tulkaapa nyt, niin esittelen teidät muille. – Herra ja rouva Ahola, tohtori Puranen, neiti Karjalainen. Neiti Christie on lehtinainen, hän kirjoittaa amerikkalaisiin naistenlehtiin artikkelisarjaa Euroopan eri maista.

6. Rva A. Ai miten jännää!

7. Tri P. Saanko kysyä, minkälaisista asioista te kirjoitatte?

8. C. Kaikenlaisista: naisten asemasta ja merkityksestä yhteiskunnassa, perhesuhteista, tavoista, kulttuurielämästä...

9. P. Entä kahvikutsuista?

10. C. Ehkä niistäkin, saa nähdä.

11. L. No mutta kukas tuolta tulee? Juha, tulepas sanomaan päivää vieraille. Juha on nuorin meidän lapsista.

12. C. Päivää, Juha. Kuinka vanha sinä olet?

13. J. Mä oon viis vuotta. Mut mä täytän huomenna kuus.

14. C. No onneksi olkoon!

15. K. Toivottavasti sinä saat kivoja lahjoja.

16. J. Kai mä jotain saan. Kuule äiti, saanks mä mennä pihalle leikkimään kaverien kanssa, Jarmo kysyy.

17. L. Siellä on hiukan märkää, mutta mene vain, jos tahdot. – Ottakaapa nyt kahvia, hyvät ystävät. Ja kahvileipää. Se on kotona leivottua.

4. C. How big is your family, Mrs. Lahtinen?

5. L. We are six, three children and three grown-ups. My mother lives with us too. Do come along now, I'll introduce you to the others. – Mr. and Mrs. Ahola, Dr. Puranen, Miss Karjalainen. Miss Christie is a journalist; she is writing a series of articles on different European countries for some American women's magazines.

6. Mrs. A. Oh, how exciting!

7. Dr. P. May I ask you what sort of things you write about?

8. C. All sorts of things; about the position of women and woman's importance in society; about family relations, customs, cultural life...

9. P. And coffee parties?

10. C. Perhaps that too, we'll see.

11. L. Well, who's that coming in? Juha, come and say hello to the guests! Juha is the youngest of our children.

12. C. Hello, Juha. How old are you?

13. J. I'm five. But I'm going to be six tomorrow.

14. C. Well, congratulations!

15. K. I hope you'll get some nice presents.

16. J. I guess I'm going to get something. Mommy, may I go and play in the yard with the boys? Jarmo wants to know.

17. L. It's a bit wet but go ahead if you want. – Do have some coffee now, dear friends, and "coffee bread"! It's home baked.

18. Tri P. Kirjoitatteko te sensaatiojuttuja, neiti Christie? "Sauna ja seksi" tai muuta semmoista? Paras olla varovainen sanoissaan.

18. Dr. P. Do you write sensational stories, Miss Christie? "Sauna and Sex" or something like that? We'd better watch our words.

19. C. Ei, minä kirjoitan tavallisista ihmisistä tavallisille ihmisille. Minä haluaisin antaa lukijoilleni oikeaa tietoa Suomesta. Ulkomaalaisilla, myös amerikkalaisilla, on paljon vääriä käsityksiä teidän maastanne.

19. C. No, I write about ordinary people for ordinary people. I'd like to give my readers correct information about Finland. People in other countries, in America too, have many wrong ideas about your country.

20. K. Kuten että Helsingin kaduilla kävelee jääkarhuja.

20. K. Such as polar bears walking on the streets of Helsinki.

21. Hra A. No kyllä suomalaisillakin on usein se käsitys, että kaikkien amerikkalaisten elämä on samanlaista kuin Hollywoodin filmitähtien.

21. Mr. A. Well, Finns also often think that all Americans live like Hollywood filmstars.

22. K. Mitä te tiesitte Suomesta ennen tänne tuloanne, neiti Christie?

22. K. What did you know about Finland before coming here, Miss Christie?

23. C. Aika paljon. Äitini oli kertonut minulle, hänhän on suomalainen. Ja tietysti minä olin lukenut, että Suomi on puolueeton, demokraattinen maa, jossa on korkea elintaso. Olin nähnyt kuvia ja filmejä Suomesta, olin tavannut suomalaisia ja olin aina puhunut suomea äitini kanssa. Mutta en ollut käynyt Suomessa – ja siksi minä aloitin tämän Euroopan matkani äitini kotimaasta.

23. C. Quite a lot. My mother had told me; she is Finnish, you see. And I had read, of course, that Finland is a neutral, democratic country with a high standard of living. I had seen pictures and films of Finland, I had met Finns, and I had always spoken Finnish with my mother. But I had not been to Finland – and that's why I started this European tour of mine in my mother's homeland.

24. Hra A. No, onko täällä sellaista kuin olitte kuvitellut?

24. Mr. A. Well, are things here as you had imagined them?

25. C. Kyllä, monessa suhteessa. Mutta mielestäni suomalaiset eivät ole niin hiljaisia kuin olin odottanut. Minulle oli yllätys myös se että teillä alkaa olla niin samanlaisia

25. C. Yes, they are, in many respects. But, in my opinion, Finns are not as quiet as I had expected. It was also a surprise to me that you are beginning to have problems so

ongelmia kuin meillä – vaikkapa saasteongelma tai huumeet.

similar to ours – the pollution problem, for instance, or drugs.

26. L. Voi, minä olen aivan unohtanut kaataa lisää kahvia. Saako olla toinen kuppi?

26. L. Oh dear, I've completely forgotten to give you some more coffee. How about another cup?

27. K. Ei kiitos, minulle riittää jo.

27. K. No thank you, that's enough for me.

28. C. Minä otan mielelläni lisää, teidän kahvinne on hirveän hyvää.

28. C. I'll be happy to have some more; your coffee is awfully good.

29. Rva A. Samoin tämä mustikkapiirakka. Se ihan sulaa suussa.

29. Mrs. A. So is this blueberry pie. It really melts in your mouth.

30. L. Lisää piirakkaa sitten, olkaa hyvä, tai pikkuleipiä tai pullaa. Joko kaikki ovat maistaneet tätä kakkua? Saako olla kolmas kuppi?

30. L. Then do have some more pie, or cookies, or *pulla!* Has everybody tasted this cake? How about a third cup?

»play»

Lapsi **leikkii** lelulla.
Leikki on lapsen työtä.

Näyttelijä **näyttelee** Romeota.
Romeo ja Julia on **näytelmä.**

Poika **soittaa** viulua.
Viulun**soitto** on vaikeaa.

Artikkeli**sarja**
Televisiossa on **sarjaohjelmia.**
Lapset lukevat **sarjakuvia** (Mikki Hiiri, Aku Ankka jne.).

Leipuri leipoo leipää.
Missä? **Leipomossa.**

Mustikka on marja; muita tavallisia marjoja ovat **mansikka, puolukka, vadelma, suo/muurain** (= **lakka**). Suomalaiset syövät paljon puolukka/hilloa.

Montako **teitä** on?
– **Meitä** on neljä.

vaikka
Menin työhön, **vaikka** olin sairas (”although, even if”).

– Mitä kukkia haluaisitte?
– **Vaikka(pa)** tulppaaneja (”for instance, let's say”).

– Kuka voisi auttaa minua? – Liisa, rva Suomela, minä – **vaikka kuka** (= **kuka vain**) (with interrogatives: ”no matter who, anyone”).

Structural notes

1. Pluperfect tense

näh/dä to see

Affirmative				Negative			
olin	*nähnyt*	I had	seen	*en*	*ollut nähnyt*	I had	not seen
olit		you had		*et*		you had	
oli		he/she had		*ei*		he/she	
olimme	*nähneet*	we had		*emme*	*olleet nähneet*	we had	
olitte		you had		*ette*		you had	
olivat		they had		*eivät*		they had	

Question:		Negative question:	
Olitko (sinä) nähnyt? etc.	had you seen? etc.	*etkö (sinä) ollut nähnyt?* etc.	had you not seen? etc.

The structure of the pluperfect tense:

– The auxiliary *olla* is inflected in the past tense:
– The main verb is in the past participle (lesson 19 : 1): sing. *näh/nyt,* pl. *näh/neet.*

2. Plural of nouns

The **endings** are, generally speaking, the same in the sing. and pl. For more details see below.

The **stem** for all plural cases – except the basic form pl. – comes from *partitive plural.*

The partitive stem has strong grade but, when used to form other plural cases, is subject to consonant gradation. For examples see below.

The plural stem always ends in the plural marker *-i-*. (Note that it appears as *-j-* between vowels but changes back into *-i-* in other positions: *tyttöj/ä* – pl. stem *tyttöi-*.)

a) **Outer local cases**

Sing.			Pl.	
pöydä/llä	on the table	**(pöyti/ä)**	**pöydi/llä**	on the tables
pöydä/ltä	from the table		**pöydi/ltä**	from the tables
pöydä/lle	onto the table		**pöydi/lle**	onto the tables

Endings: as in the sing. (see Lesson 4 : 1, 7 : 1, 10 : 1.).

b) **Inner local cases**

Sing.			Pl.	
panki/ssa	in the bank	**(pankkej/a)**	**pankei/ssa**	in the banks
panki/sta	out of the bank		**pankei/sta**	out of the banks
pankki/in	into the bank		**pankkei/hin**	into the banks
sota/an	to the war	**(soti/a)**	**soti/in**	to the wars
tehtaa/-seen	into the factory	**(tehtai/ta)**	**tehtai/siin**	into the factories

Endings: "in" and "out of" case: as in the sing. (see 5 : 1, 11 : 1). "into" case: as in the sing. (see 18 : 3), except that the pl. for *-seen* is *-siin* (often also *-hin*).

c) **Genitive**

Sing.			Pl.	
poja/n	the boy's	**(poiki/a)**	**poiki/en**	the boys'
äidi/n	the mother's	**(äitej/ä)**	**äiti/en**	the mothers'

When the part. pl. ends in *-i/a (-i/ä), -ej/a (-ej/ä),* the gen. pl. will end in *-i/en.*

tytö/n	the girl's	**(tyttöj/ä)**	**tyttöj/en**	the girls'

When the part. pl. ends in *-j/a (-j/ä),* the gen. pl. will end in *-j/en.*

tehtaa/n	of the factory	**(tehtai/ta)**	**tehtai/den** **tehtai/tten**	of the factories

When the part. pl. ends in *-ta (-tä),* the gen. pl. will end in *-den* (or *-tten;* this parallel ending is less commonly used).

lapsi	child	part. pl. *lapsi/a* part. sing. **las/ta**	gen. pl.	*lapsi/en* **las/ten**	children's

Words which end in *consonant + ta* in their part. sing. may have a parallel form for the gen. pl.: *part. sing. stem + ten.* This kind of gen. pl. is particularly common with the words *lapsi* **(las/ten),** *mies* **(mies/ten),** and all words ending in *-nen,* for instance, *nainen* **(nais/ten),** *toinen* **(tois/ten),** *englantilainen* **(englantilais/ten).**

Note. Genitive plurals like **poika/in** (= *poiki/en*), **ystävä/in** (= *ystävi/en*), **tyttö/in** (= *tyttöj/en*) – in which the ending *-in* is added directly to the basic form sing. – are rare in standard modern Finnish except for certain phrases and compounds, such as *Yhdys/valtain* = *Yhdys/valtojen, Kansain/liitto* League of Nations, *vanhain/koti* old people's home.

3. How to form the partitive plural

The *stem* is obtained from the genitive sing., but has the strong grade. The plural marker *-i-* (between vowels, *-j-*) may affect certain changes in the final vowel of the gen. sing. stem:

There is no change	– if the end vowel of the stem is a short *-o, -ö, -u, -y:* *(talo) talo/n – talo/j/a; (juttu) jutu/n* story – *juttu/j/a; (radio) radio/n – radio/i/ta.*
The end vowel is dropped	– if it is a short *-e: (lapsi) lapse/n – laps/i/a;* – if it is a short *-ä*: (kynä) kynä/n* pen – *kyn/i/ä;* – if it is a short *-a* and the **first** vowel of the word is *o* or *u*: (muna) muna/n* egg – *mun/i/a.*
The end vowel changes	– A short *-a* changes into *-o-* if the **first** vowel of the word is other than *o* or *u*: (kirja) kirja/n – kirjo/j/a; (herra) herra/n – herro/j/a.* – A short *-i-* changes into *-e-: (lasi) lasi/n – lase/j/a;*
The end vowel is shortened	– if it is long: *(maa) maa/n* country – *ma/i/ta; (tunne) tuntee/n* feeling – *tunte/i/ta; (puu) puu/n* tree – *pu/i/ta.*
The diphthongs *ie, uo, yö*	– become *ei, oi öi: (tie) tie/n* road – *te/i/tä; (suo) suo/n* swamp – *so/i/ta; (yö) yö/n* night – *ö/i/tä.*

*The rule mainly applies to words of two syllables. About longer words in *-a, -ä* see Footnote, Chart 1, p. 230.

4. Nouns with possessive suffix inflected in sing. and pl.

koti, kodi/n, kotej/a home

	Sing.	Pl.
Nom.	*koti/nsa* their home	*koti/nsa** their homes
Gen.	*koti/nsa**	*koti/e/nsa**
Part.	*koti/a/nsa = koti/a/an*	*kotej/a/nsa = kotej/a/an*
"in"	*kodi/ssa/nsa = kodi/ssa/an*	*kodei/ssa/nsa = kodei/ssa/an*
"out of"	*kodi/sta/nsa = kodi/sta/an*	*kodei/sta/nsa = kodei/sta/an*
"into"	*koti/i/nsa**	*kotei/hi/nsa**
"on"	*kodi/lla/nsa = kodi/lla/an*	*kodei/lla/nsa = kodei/lla/an*
"from"	*kodi/lta/nsa = kodi/lta/an*	*kodei/lta/nsa = kodei/lta/an*
"onto"	*kodi/lle/nsa = kodi/lle/en*	*kodei/lle/nsa = kodei/lle/en*

Note that

– the final *-n* and *-t* contained in a case ending disappear before poss. suffixes. The cases involved – marked with an asterisk above – are basic form pl., gen. sing. and pl., and "into" case sing. and pl. (Cf. the forms without poss. suffix: *kodi/t* the homes, *kodi/n* of the home, *koti/en* of the homes, *koti/in* into the home, *kotei/hin* into the homes.)

– of the two parallel poss. suffixes in the 3rd pers. sing. and pl. the *prolongation of vowel + n* is the standard form in modern Finnish.

Reader

Suomalaisten mielestä on joskus kummallista, että ulkomaalaiset tietävät niin vähän heidän maastaan, heidän urheilijoistaan, arkkitehdeistaan, poliitikoistaan jne. Mutta paljonkohan suomalainen itse tietää vaikkapa bulgarialaisista urheilijoista tai sveitsiläisistä poliitikoista? Kaipa asia on joka puolella maailmaa niin, että ihmiset tutustuvat ennen kaikkea suurten, "tärkeiden" valtioiden kansoihin, kieleen ja historiaan.

Kuinka sitten ulkomaalainen, joka on kiinnostunut Suomesta, voi saada tietoja tästä maasta? Monet saavat niitä sukulaisiltaan tai tuttaviltaan, jotka ovat asuneet tai käyneet Suomessa. Ulkomaiden lehdissä on joskus, vaikkakin harvoin, uutisia ja kirjoituksia Suomesta. Valitettavasti vain monilla lehtimiehillä on tapana hakea sensaatioita, eikä heidän artikkeleistaan aina saa oikeaa kuvaa asioista. Karttoja ja esitteitä (*esite* brochure) voi saada suurista matkatoimistoista ja niitä voi tilata Suomen lähetystöistä ja konsulaateista, jotka myös lainaavat lyhytfilmejä. Lapset ja nuoret saavat usein ensimmäiset tietonsa Suomesta suomalaisilta kirjeenvaihtotovereiltaan.

Mitä ulkomaalaiset yleensä tietävät Suomesta? Suomalaisen saunan tuntevat erittäin monet, musiikkimaailma tuntee Jean Sibeliuksen, vanhemmat ihmiset muistavat kuuluisan juoksijan Paavo Nurmen, "lentävän suomalaisen". Monet ovat kuulleet Suomen tuhansista järvistä, metsistä ja valoisista kesäöistä. Monissa Euroopan maissa kadun mieskin tuntee presidentti Kekkosen nimen. Muutamat tietävät, että suomalaiset osaavat tehdä, paitsi paperia, kauniita lasiesineitä, huonekaluja ja tekstiilejä. Nykyisin, kun pahempi ja pahempi saasteongelma vaivaa monia maita, monet ihmiset tietävät myös, että Suomi on niitä alueita, joissa vielä on paljon tilaa, paljon rauhallisia paikkoja, puhdasta vettä ja saastumatonta (unpolluted) luontoa (nature). Ainakin eri maiden poliittiset johtajat tietävät myös, että Suomi on puolueeton pohjoismainen demokratia, jolla on poliittisesti mielenkiintoinen, joskaan ei aina helppo asema lännen ja idän välillä.

Exercises

1. Answer with complete sentences.

Olitko ennen Suomeen tuloasi opiskellut suomen kieltä? – kuullut paljon Suomesta? – nähnyt kuvia tai filmejä Suomesta? – tustustunut saunaan? – ollut kirjeenvaihdossa Suomeen? – tavannut suomalaisia? – koettanut saada tietoja Suomesta? – lukenut suomalaisia kirjoja omalla äidinkielelläsi?

2. Use the pluperfect tense instead of the past tense in the following sentences.

Kirjoitin heille monta kertaa, ennenkuin he vastasivat. *Juoksin* kauan, ennenkuin minua alkoi väsyttää. Sinä *poltit* useita vuosia, ennenkuin teit tupakkalakon (*lakko* strike). Yrjö *käytti* nauhuria monta vuotta, ennenkuin se meni epäkuntoon. *Ajattelimme* asiaa kauan, ennenkuin teimme päätöksemme. He *toivoivat* lasta monta vuotta, ennenkuin heille syntyi poika.

Johtaja D:n murhan (*murha* murder) jälkeen poliisi halusi tietää

– ketkä *kävivät* talossa sinä iltana
– kuka *jätti* käsineensä eteiseen
– kuka *soitti* D:lle ennen murhaa
– *tuliko* D. hyvin toimeen vaimonsa kanssa
– *odottiko* D. vierasta
– *pelkäsikö* D, jotakin
– *oliko* hänellä vihamiehiä
– *olivatko* hänen liikeasiansa kunnossa

3. Complete.

a) Maailmassa on *maita, maissa* on *kaupunkeja,* ...... on rakennuksia, ... on asuntoja, ... on huoneita, ... on kaappeja, ... on laatikkoja, ... on albumeja, ... on valokuvia, ... on ihmisiä; *ihmisillä* on *perheitä,* ...... on ystäviä, ... on lapsia, ... on opettajia, ... on oppilaita, ... on tovereita, ... on serkkuja, ... on tuttavia, ... on kaikenlaisia suunnitelmia.

b) Liisalla on lämmin sydän (heart). *Hän rakastaa ihmisiä ja eläimiä. – Hän pitää ihmisistä ja eläimistä.*

Hän rakastaa nuoria ja vanhoja/komeita miehiä/vanhoja naisia/pieniä tyttöjä/villejä poikia/koiria ja kissoja/hassuja vaatteita.

c) Lehtimies halusi nähdä kaikenlaista. *Hän halusi nähdä metsiä ja järviä. – Hän halusi tutustua metsiin ja järviin.*

Hän halusi nähdä kouluja ja yliopistoja/liikkeitä ja tehtaita/vanhoja kyliä/uusia kaupunkeja/linnoja ja hotelleja/historiallisia paikkoja/yleensä suomalaisia.

d) Teimme mielipide/tutkimusta (opinion poll). *Tapasimme johtajia ja työntekijöitä. – Teimme kysymyksiä johtajille ja työntekijöille.*

Tapasimme maalaisia ja kaupunkilaisia/köyhiä ja rikkaita/professoreita ja opiskelijoita/myyjiä ja asiakkaita/liikemiehiä ja kotirouvia/poliiseja ja koululaisia/taksinkuljettajia ja turisteja.

e) *Haastattelimme* (*haastatella* interview) *myös tarjoilijoita ja kampaajia. – Saimme vastauksia myös tarjoilijoilta ja kampaajilta.*

Haastattelimme elokuvatähtiä ja pop-laulajia/ministereitä ja pankinjohtajia/postivirkailijoita ja talonmiehiä/vuokralaisia ja vuokraemäntiä.

f) *Keskustelimme siis monenlaisten ihmisten kanssa: johtajien ja työntekijöiden,* etc. (Go on with the nouns given in *d* above).

4. What would be the more commonly used forms of the gen. plurals in the following sentences?

Tavaratalossa on tavallisesti *miehien, naisien* ja *lapsien* vaatetusosastot. Minun on vaikeata muistaa *ihmisien* nimiä. *Suomalaisien* ja *ruotsalaisien* historia oli yhteistä vuoteen 1809 saakka. *Eteläeurooppalaisien* temperamentti on erilainen kuin *pohjoiseurooppalaisien.*

5. Kirjat ovat	Otan kirjat	Panen kirjat	Pöydän/*pöytien* hinta on ......
pöydällä/*pöydillä*	pöydältä/......	pöydälle/......	Tuolin/......
tuolilla/......	tuolilta/......	tuolille/......	Auton/......
Pojat istuvat	Pojat lähtevät	Pojat nousevat	Huoneiston/......
junassa/......	junasta/......	junaan/......	Hotellihuoneen/......
autossa/......	autosta/......	autoon/......	Hedelmän/......
bussissa/......	bussista/......	bussiin/......	Savukkeen/......
lento-koneessa/......	lento-koneesta/......	lento-koneeseen/......	Tämän tien/...... ...... kunto on hyvä.
puussa/......	puusta/......	puuhun/......	

6. Complete.

Kävelin asemalle Paavon ja hänen (poika) kanssa. — Kävelin asemalle Paavon ja hänen (pojat) kanssa.

Kerroimme asiasta Liisalle ja hänen (sisar). — Kerroimme asiasta Liisalle ja hänen (sisaret).

Saitko terveisiä rva Oralta ja hänen (tytär)? — Saitko terveisiä rva Oralta ja hänen (tyttäret)?

Pekalla ja hänen (toveri) on aina hauskaa. — Pekalla ja hänen (toverit) on aina hauskaa.

Odotan Raijaa ja hänen (ystävä). — Odotan Raijaa ja hänen (ystävät).

Keskustelimme Sirpasta ja hänen (ongelma). — Keskustelimme Sirpasta ja hänen (ongelmat).

Mitä vikaa on Reinossa ja hänen (suunnitelma)? — Mitä vikaa on Reinossa ja hänen (suunnitelmat)?

7. Model: *Paikka, jossa leipuri leipoo, on leipomo.*
   Paikka, jossa kampaaja *kampaa* asiakkaitaan, on ......
   Paikka, jossa mekaanikko *korjaa* autoja, on auto......
   Paikka, josta *vuokraamme* autoja, on auto......
   Se kaupan osa, jossa joku *pakkaa* ostoksia, on ......
   Se teatterin osa, jossa katsojat *katsovat,* on ......

8. Word review.
   Pikku Veijo Lampinen ...... tänään viisi vuotta. Kaikki sanovat hänelle: ”...... ......!” ja antavat hänelle ...... Sitten Veijo menee ulos ...... toisten lasten kanssa. Rva L. on hyvä perheenemäntä, hän tarjoaa aina vierailleen kotona ...... pullaa, kakkua ja muuta ...... Tänään hän on kutsunut naistenkerhon kahville. He keskustelevat naisten ...... yhteiskunnassa ja tämän hetken monista vaikeista ...... He maistavat myös emännän mustikka......, joka on niin hyvää että se ihan ....

Vocabulary

aikui/nen-sen-sta-sia (≠ *lapsi*) — grown-up, adult
demokraatti/nen-sen-sta-sia — democratic
elin/taso-n-a-ja — standard of living
hiljai/nen-sen-sta-sia — quiet, silent
hirveä-n-ä hirveitä (= *kauhea*) — dreadful, frightful, horrible

huume-en-tta-ita	drug, narcotic
"jännä" = jännittävä-n-ä jännittäviä	exciting, thrilling
jää/karhu-n-a-ja	polar bear
kaata/a kaadan kaatoi kaatanut	to pour; to fell, cut (trees)
kahvi/leipä -leivän -leipää -leipiä	collectively for cakes, scones etc. taken with coffee
kiinnostu/nut-neen-nutta-neita	interested
olla kiinnostunut musiiki/sta	to be interested in music
kulttuuri-n-a kulttuureita	culture
kutsu-n-a-ja	invitation; pl. party
kuvitel/la kuvittelen kuvitteli kuvitellut	to imagine
käsit/ys-yksen-ystä-yksiä	notion, idea
lahja-n-a lahjoja	present, gift
leikki/ä leikin leikki leikkinyt	to play (like children)
leivottu leivotun leivottu/a-ja	baked
lisää	some more
lukija-n-a lukijoita	reader
luo(kse) (+ *gen.*)	to
merkit/ys-yksen-ystä-yksiä	sense, meaning; significance
mielestä: minun mielestäni (= *minusta*)	in my opinion, I think that
mustikka mustikan mustikkaa mustikoita	blueberry
märkä märän märkää märkiä (≠ *kuiva*)	wet
ongelma-n-a ongelmia	problem
piirakka piirakan piirakkaa piirakoita	pie, pasty
pikku/leipä	cookie
pulla-n-a pullia	scone, roll, bun; sweet wheat bread
puoluee/ton-ttoman-tonta-ttomia	neutral, non-party; impartial
riittä/ä riitän riitti riittänyt	to be enough, suffice
saaste-en-tta-ita	pollution
sarja-n-a sarjoja	series, set
suhde suhteen suhdetta suhteita	relation, relationship; ratio
tutustu/a-n-i-nut	to get acquainted, learn to know
tutustua henkilö/ön	to get acquainted with a person
tähti tähden tähteä tähtiä	star

täyttä/ä täytän täytti täyttänyt	to fill, fulfil; complete
hän täyttää 60 vuotta	he'll be 60 years old, turn sixty
ujo-n-a-ja	shy, timid, bashful
unohta/a unohdan unohti unohtanut	to forget
vaikka(pa)	for instance
yhteis/kunta -kunnan -kuntaa -kuntia	society
yllät/ys-yksen-ystä-yksiä	surprise

X

ankka ankan ankkaa ankkoja	duck
hiiri hiiren hiirtä hiiriä	mouse
hillo-n-a-ja	jam
lakka lakan lakkaa lakkoja	cloudberry; lacquer, varnish
mansikka mansikan mansikkaa mansikoita	strawberry
marja-n-a marjoja	berry
puolukka puolukan puolukkaa puolukoita	lingonberry
sarja/kuva-n-a -kuvia	comic strip
suo/muura/in-imen-inta-imia	cloudberry
vadelma-n-a vadelmia	raspberry

1. Inflection of nouns: different types

I. Basic form ends in a vowel other than short -e

Final vowel

1. *-o, -ö, -u, -y*	*talo*	house	talon	taloa	taloja
	valtio	state	valtion	valtiota	valtioita
	puku	suit	puvun	pukua	pukuja
2. *-i*	*pankki*	bank	pankin	pankkia	pankk**e**ja
	nimi	name	nim**e**n	nim**e**ä	nimiä
	tiili	brick	tiil**e**n	tiiltä	tiiliä
	vesi	water	ve**de**n	ve**tt**ä	vesiä
3. *-ä*	*isä**	father	isän	isää	isiä
4. *-a*	*kuva**	picture	kuvan	kuvaa	kuvia
	*kirja**	book	kirjan	kirjaa	kirj**o**ja
5. long vowel	*maa*	country	maan	maata	maita
6. diphth. in *i*	*voi*	butter	voin	voita	(voita)
7. other diphth.	*tie*	road	tien	tietä	t**ei**tä
	yö	night	yön	yötä	**öi**tä

II. Basic form ends in short -e or consonant

Final letter(s)

1. *-e*		*osoite*	address	osoitt**ee**n	osoite**tt**a	osoitteita
2. *-l, -r*		*askel*	step	askelen	askelta	askelia
3. *-n:*	*-en*	*siemen*	seed	siemenen	siementä	siemeniä
	-in	*puhelin*	telephone	puheli**m**en	puhelinta	puheli**m**ia
	-nen	*nainen*	woman	nai**s**en	nai**s**ta	nai**s**ia
	-ton	*koditon*	homeless	koditto**ma**n	koditonta	koditto**m**ia
4. *-s:*	*-as*	*vieras*	guest	viera**a**n	vierasta	vieraita
	-os, -us	*vastaus*	answer	vastau**ks**en	vastausta	vastau**ks**ia
	-(u)us	*kauneus*	beauty	kauneu**d**en	kauneu**t**ta	kauneu**ks**ia
5. *-t:*	*-ut*	*ohut*	thin	ohuen	ohutta	ohuita
	-nut	*väsynyt*	tired	väsyn**ee**n	väsynyttä	väsyn**e**itä

xamples of exceptional or rare paradigms

lapsi	child	lapsen	la**s**ta	lapsia
lumi	snow	lumen	lu**n**ta	lumia
korkeampi	higher	korkeamm**a**n	korkeamp**a**a	korkeampia
korkein	highest	korkei**mma**n	korkeinta	korkei**mpi**a
paras	best	par**h**aan	parasta	par**h**aita
mies	man	mie**h**en	miestä	mie**h**iä
kevät	spring	kev**ää**n	kevättä	keväitä

*Words in *-a, -ä* with more than two syllables:

-ea	*vaikea*	difficult	vaikean	vaikea(t)a	vaikeita
-ia	*astia*	dish	astian	astia(t)a	asti**o**ita
-ja	*myyjä*	clerk	myyjän	myyjää	myyjiä
-ija	*lukija*	reader	lukijan	lukijaa	lukij**o**ita
-la	*kahvila*	cafeteria	kahvilan	kahvilaa	kahvil**o**ita
-ma	*kuolema*	death	kuoleman	kuolemaa	kuolemia
-va	*pätevä*	competent	pätevän	pätevää	päteviä

2. Inflection of verbs: different types

I. Infinitive ends in -a (-ä), -da (-dä)

1. No vowel change in past tense (inf. stem ends in **o, ö, u, y**)

san**o**/a	say	sano/n	san**o**/i	sano/nut
puh**u**/a	speak	puhu/n	puh**u**/i	puhu/nut

2. Vowel change involved (in 2-syllable verbs **-a-** becomes **o** in the past tense if the first vowel of the word is also **a**)

n**aura**/a	laugh	naura/n	naur**o**/i	naura/nut

3. Final vowel disappears in past tense (inf. stem ends in **a** – if not included in (2) – **ä, e, i, diphthong in i, or long vowel**)

n**outa**/a	fetch	nouda/n	nout/i	nouta/nut
naputt**a**/a	knock	naputa/n	naputt/i	naputta/nut
läht**e**/ä	leave	lähde/n	läht/i	lähte/nyt
kest**ä**/ä	last	kestä/n	kest/i	kestä/nyt

ets**i**/ä	look for	etsi/n	ets/i	etsi/nyt
v**oi**/da	be able	voi/n	vo/i	voi/nut
s**aa**/da	get	saa/n	sa/i	saa/nut
m**yy**/dä	sell	myy/n	my/i	myy/nyt

3 a. A few of these verbs have -si instead of -ti in past tense

tunt**e**/a	know	tunne/n	tun**s**/i	tunte/nut
ymmärt**ä**/ä	understand	ymmärrä/n	ymmär**s**/i	ymmärtä/nyt

II. Infinitive ends in -ta (-tä)

1. Most verbs in vowel + ta

halu/ta	want	halu**a**/n	halu**s**/i	halu**n**/nut	halu**t**/kaa!
tava/ta	meet	tapa**a**/n	tapa**s**/i	tava**n**/nut	tava**t**/kaa!
hävi/tä	lose	hävi**ä**/n	hävi**s**/i	hävi**n**/nyt	hävi**t**/kää!

2. Most verbs in -ita

häir**i**/tä	disturb	häiri**tse**/n	häiri**ts**/i	häiri**n**/nyt	häiri**t**/kää!

3. Verbs with -ne-

pae/ta	flee	pake**ne**/n	pake**n**/i	pae**n**/nut	pae**t**kaa!

4. Verbs in -sta

nou**s**/**ta**	rise	nouse/n	nous/i	nou**s**/**s**ut

III. Other infinitive endings

kuunnel/**la**	listen	kuuntele/n	kuuntel/i	kuunne**l**/**l**ut
sur/**ra**	mourn	sure/n	sur/i	su**r**/**r**ut
men/**nä**	go	mene/n	men/i	me**n**/**n**yt

IV. Exceptional verbs

v**ie**/dä	take (somewhere)	vie/n	v**e**/**i**	vie/nyt
j**uo**/da	drink	juo/n	j**o**/**i**	juo/nut

s**yö**/dä	eat	syö/n	s**ö**/**i**	syö/nyt
k**äy**/dä	visit	käy/n	k**äv**/i	käy/nyt
te**h**/dä	do; make	t**ee**/n	te**k**/i	te**h**/nyt
tietä/ä	know	tiedä/n	tie**s**/**i**	tie**n**/**n**yt
				tietä/nyt
juo**s**/ta	run	juo**kse**/n	juo**ks**/i	juo**s**/**s**ut

3. Inflection charts

A. Nouns

The forms with *strong grade* in italics.

	Type I (nouns ending in a short vowel other than -*e*)		Type II (nouns ending in -*e* or a consonant)	
	Sing.	Pl.	Sing.	Pl.
Nominative	*pöytä* (table)	pöydät	tehdas (factory)	*tehtaat*
Genitive	pöydän	*pöytien*	*tehtaan*	*tehtaiden*
Partitive	*pöytää*	*pöytiä*	tehdasta	*tehtaita*
Inessive	pöydässä	pöydissä	*tehtaassa*	*tehtaissa*
Elative	pöydästä	pöydistä	*tehtaasta*	*tehtaista*
Illative	*pöytään*	*pöytiin*	*tehtaaseen*	*tehtaisiin*
Adessive	pöydällä	pöydillä	*tehtaalla*	*tehtailla*
Ablative	pöydältä	pöydiltä	*tehtaalta*	*tehtailta*
Allative	pöydälle	pöydille	*tehtaalle*	*tehtaille*

B. A few important pronouns

Nom.	*minä* I	*me* we	*tämä* this	*nämä* these	*se* it	*ne* they
Gen.	minun	meidän	tämän	näiden	sen	niiden
Acc.	minut	meidät				
Part.	minua	meitä	tätä	näitä	sitä	niitä

Iness.	minussa	meissä	tässä	näissä	siinä	niissä
Elat.	minusta	meistä	tästä	näistä	siitä	niistä
Illat.	minuun	meihin	tähän	näihin	siihen	niihin
Adess.	minulla	meillä	tällä	näillä	sillä	niillä
Abl.	minulta	meiltä	tältä	näiltä	siltä	niiltä
All.	minulle	meille	tälle	näille	sille	niille

tuo that is inflected regularly; *nuo* those follows the pattern of *nämä* and *ne* (*noiden, noita* etc.).

	Sing.	Pl.	Sing.	Pl.	Sing.	Pl.
Nom.	*joka*	*jotka*	*mikä*	*mitkä*	kuka	*ketkä (kutka)*
	who, which,	that	what, which		who	
Gen.	jonka	joiden	minkä		kenen	keiden
Acc.					kenet	
Part.	jota	joita	mitä		ketä	keitä
Iness.	jossa	joissa	missä		kenessä	keissä
Elat.	josta	joista	mistä		kenestä	keistä
Illat.	johon	joihin	mihin		keneen (kehen)	keihin
Adess.	jolla	joilla	millä		kenellä	keillä
Abl.	jolta	joilta	miltä		keneltä	keiltä
All.	jolle	joille	mille		kenelle	keille

In *jokin* some (thing) *jo-* is inflected like *joka* above.
In *joku* somebody both *jo-* and *-ku* are inflected like *joka* (*jonkun, jotakuta, joitakuita* etc.)

C. Verbs

Type I: **ottaa** to take (representing verbs in *-a, -da)*.
Type II: **mitata** to measure (representing verbs in *-ta, -la)*.
The *strong grade* is in italics.
(Only the forms of *ottaa* are translated below.)

Affirmative | Negative

Active Indicative

Present

		Affirmative		Negative		
Sing.	1.	otan *(mittaan)*	I take	en	ota *(mittaa)*	I do not take
	2.	otat *(mittaat)*	you take	et		you do not take
	3.	*ottaa (mittaa)*	he takes	ei		he does not take
Pl.	1.	otamme *(mittaamme)*	we take	emme		we do not take
	2.	otatte *(mittaatte)*	you take	ette		you do not take
	3.	*ottavat (mittaavat)*	they take	eivät		they do not take

Past

		Affirmative		Negative		
Sing.	1.	otin *(mittasin)*	I took	en	*ottanut* (mitannut)	I did not take
	2.	otit *(mittasit)*	you took	et		you did not take
	3.	*otti (mittasi)*	he took	ei		he did not take
Pl.	1.	otimme *(mittasimme)*	we took	emme	*ottaneet*	we did not take
	2.	otitte *(mittasitte)*	you took	ette	(mitanneet)	you did not take
	3.	*ottivat (mittasivat)*	they took	eivät		they did not take

Perfect

Sing.	1.	olen	*ottanut*	I have taken	en ole	*ottanut*	I have not taken
	2.	olet	(mitannut)	you have taken	et ole	(mitannut)	you have not taken
	3.	on		he has taken	ei ole		he has not taken
Pl.	1.	olemme		we have taken	emme ole		we have not taken
	2.	olette	*ottaneet* (mitanneet)	you have taken	ette ole	*ottaneet* (mitanneet)	you have not taken
	3.	ovat		they have taken	eivät ole		they have not taken

Pluperfect

Sing.	1.	olin	*ottanut*	I had taken	en ollut	*ottanut*	I had not taken
	2.	olit	(mitannut)	you had taken	et ollut	(mitannut)	you had not taken
	3.	oli		he had taken	ei ollut		he had not taken

Pl.	1. olimme	*ottaneet*	we had taken	emme olleet	*ottaneet*	we had not taken
	2. olitte	(mitanneet)	you had taken	ette olleet	(mitanneet)	you had not take
	3. olivat		they had taken	eivät olleet		they had not take

Conditional

Present

Sing.	1. *ottaisin (mittaisin)*	I should take	en	*ottaisi*	I should not take
	2. *ottaisit (mittaisit)*	you would take	et	*(mittaisi)*	you would not take
	3. *ottaisi (mittaisi)*	he would take	ei		he would not take
Pl.	1. *ottaisimme (mittaisimme)*	we should take	emme		we should not take
	2. *ottaisitte (mittaisitte)*	you would take	ette		you would not take
	3. *ottaisivat (mittaisivat)*	they would take	eivät		they would not take

Imperative

Sing.	2. ota *(mittaa)*	take!	älä ota *(mittaa)*	do not take!
Pl.	2. *ottakaa* (mitatkaa)	take!	älkää *ottako* (mitatko)	do not take!

4. Key to the exercises

Lesson 1. 5) mikä–on–on–ei ole–millainen–hän–onko

Lesson 2. 7) hyvää–kuuluu–hyvää–oletteko–ulkomaalainen (amerikkalainen, englantilainen etc.) –puhutko–puhun–vain–ja

Lesson 3. 4) poikanne–poikani–iso, radionne–radioni–uusi, televisionne–televisioni–huono, autosi–autoni–vähän, sanakirjasi–sanakirjani–halpa

5) Liisan–Peterin–Megin, Italian–Tansanian–Pakistanin, Irlannin–Hollannin–Neuvostoliiton

6) Mikä kameran hinta on? Mikä kartan–radion–tämän television–tuon auton–tuon ison sanakirjan hinta on?

7) Ville Vaaran–herra Ville Vaaran–miehen–tämän miehen, Jane Smithin–rouva Jane Smithin–naisen–tuon naisen, Tapanin–Tapani Salosen–pojan–suomalaisen pojan, Leenan–Leena Niemisen –tytön–tuon suomalaisen tytön

8) Helsingin kartta on halpa. Pojan kamera on kallis. Pienen tytön nukke on uusi. Mikä tämän ulkomaalaisen nimi on? Rouva Korhosen osoite on Kauppakatu 5. Presidentti Kekkosen etunimi on Urho. Englantilaisen naisen sukunimi on Smith. Kenen puhelinnumero on ......?

9) Mikä (teidän) nimenne/(sinun) nimesi on? Mikä puhelinnumeronne/numerosi on? Mikä osoitteenne/osoitteesi on? Paljonko (= kuinka paljon) tämä kartta maksaa? Mikä tuon kirjan hinta on? Millainen kirja se on?

10) etunimenne–sukunimesi–puhelinnumeroni–osoitteeni–paljonko–hinta–kallis

Lesson 4. 2) kadulla–tuolla/vanhalla/pienellä/kauniilla kadulla, tiellä–tällä/hyvällä/uudella/kauniilla tiellä

3) Missä bussi on? Millä kadulla yliopisto on? Onko auto/nne(-si) tällä kadulla? Onko hotelli/nne(-si) Kalevankadulla? Millainen ilma tänään on?

4) ilma–esitellä–tiellä–missä–vasemmalla–mutta

Lesson 5. 1) Se on Suomessa–Norjassa–Irlannissa–Kanadassa–Puolassa–Neuvostoliitossa –Unkarissa–Sveitsissä–Italiassa–Belgiassa–Englannissa–Ranskassa–Intiassa–Japanissa–Kiinassa

2 a) autossa–kaupassa–saunassa–ravintolassa. Ei ole, hän on postissa. Ei ole, se on Aasiassa. Ei, hän on teatterissa. b) tässä/vanhassa/huonossa autossa, tuossa/isossa/suomalaisessa kaupassa, tässä/pienessä/suomalaisessa saunassa, mukavassa/kalliissa/helsinkiläisessä ravintolassa

3) kadulla–kaupungissa–Lontoossa–Mannerheimintiellä–metsässä, Suomessa–Euroopassa–Keskuskadulla–Turuntiellä–tässä maassa–tuossa ravintolassa–tuolla kadulla–tällä tiellä–Englannin pääkaupungissa

6) syön–opiskelen, syömme–opiskelemme, syö–opettaa, syövät–opiskelevat, opiskelen

7) Tuolla asuvat Millerit–Oksat–Lahtiset–Aaltoset–Kekkoset–Korhoset

9) perheet asuvat–pojat opiskelevat–opettajat opettavat–naiset maksavat–tytöt puhuvat –turistit syövät–ulkomaalaiset oppivat–miehet kirjoittavat

10 a) Missä mies syö? Missä turisti on? Missä Juan opiskelee? Missä James opettaa? Missä te asutte? Missä te olette/sinä olet? Missä kotinne/kotisi on? Missä hyvä ystävänne/ystäväsi Timo asuu? b) Onko suomi helppo vai vaikea kieli? Syöttekö kotona vai ravintolassa? Opiskeletteko/opiskeletko suomea vai ruotsia? Onko herra L. vanha vai nuori? Asuuko tämä perhe Helsingissä vai ......? Maksaako tuo kirja paljon vai vähän? Onko James hyvä vai huono opettaja? Onko asuntosi/asuntonne kallis vai halpa?

11 a) syön–opiskelen–on–asuvat–ravintolassa/ niin–suomea/niin–amerikkalainen/niin –Sipit/niin b) asuu–oppii–olemme–maksaa kyllä–niin asuu–niin oppii–niin olemme–niin maksaa

12) pääkaupunki–asumme–syötte–vai–tavallisesti–opiskelija–tiedä–teet–koulussa–opettaja–toivon

Lesson 6. 1)lihaa–kalaa–leipää–voita–jäätelöä–maitoa–olutta–vettä–kahvia–teetä

2) kahvia–maitoa–viiniä–kaakaota–mehua–hyvää olutta

3) (left:) kahvia–maitoa–jälkiruokaa–jäätelöä–voita–suklaata–tuota lihaa–tätä leipää; (right:) as they are

4) hyvää/kylmää maitoa, hyvää/samaa/tuota/tätä leipää, samaa/ranskalaista/tuota viiniä, tätä/suomalaista/tanskalaista olutta, tätä/suomalaista/englantilaista suklaata, kuumaa maitoa/vettä, lämmintä ruokaa/vettä

5) Mikä tämä on? Se on kirja. Mitä tämä on? Se on leipää. Mitä tämä on? Se on lihaa. Mikä tämä on? Se on lautanen. Mitä tämä on? Se on paperia. Mitä tämä on? Se on kalaa. Mikä tämä on? Se on kala. Mitä tämä on? Se on voita. Mikä tämä on? Se on pullo. Mitä tämä on? Se on ruokaa. Mitä tämä on? Se on kahvia.

6 a) lämmin–huono–iso–vanha, lämmintä–huonoa–kallista–hyvää b) hyvää/huonoa/kallista/halpaa, kuumaa/kylmää, kuumaa/lämmintä/kylmää/hyvää

7. vapaa–ruokalista–ensin–lihaa–voi–saanko–merkkiä–jäätelöä–sanoo–laskun

Lesson 7. 1 a) pöydälle–pöydällä, torille–torilla, Mikonkadulle–Mikonkadulla, Hämeentielle–Hämeentiellä, oikealle–oikealla, tälle tuolille–tällä tuolilla, suomen kurssille–suomen kurssilla b) myyjälle/tälle myyjälle/lihakaupan myyjälle, nti Vaaralle/rva Saloselle/tuolle ostajalle, koiralle/kissalle/perheelle, minulle/sinulle/hänelle/meille/teille/heille

2 a) kuppia–lasia–pulloa b) tulppaania–ruusua–hyasinttia–narsissia c) litra–kiloa–tölkkiä–grammaa–pakettia–kahvia–pulloa–munaa–nakkia–isoa tomaattia–pientä kurkkua

3) autoa–bussia–katua, pankkia–kauppaa–ravintolaa, teatteria–museota–koulua–hotellia, poikaa–tyttöä–miestä–naista, kissaa–koiraa–henkilöä

4) pöytää–isoa/pientä/hyvää pöytää, omenaa–isoa/pientä/kaunista omenaa, kurssia–helppoa/vaikeaa/sopivaa/suomen kurssia, suomalaista/ulkomaalaista/amerikkalaista/neuvostoliittolaista, turistia–englantilaista/afrikkalaista turistia, sanakirjaa–halpaa/kallista sanakirjaa

5) autoja/pulloja/tyttöjä/kouluja/katuja, busseja/kuppeja/tuoleja/turisteja/pankkeja/banaaneja/appelsiineja/tulppaaneja, kauppoja/kissoja/herroja/kaloja/saunoja, koiria/kukkia/rouvia/kuvia/munia, leipiä/myyjiä/ystäviä/hedelmiä, televisioita/museoita/valtioita/numeroita/henkilöitä/perheitä/rypäleitä/viipaleita, naisia/suomalaisia/venäläisiä/lontoolaisia/ulkomaalaisia/puhelimia

6) omenia–banaaneja–appelsiineja–munia–tomaatteja–rypäleitä

8) hyviä/isoja/tanskalaisia omenia, hyviä/vanhoja/halpoja/suomalaisia kirjoja, suomalaisia/englantilaisia/kauniita tyttöjä, paistettuja/keitettyjä munia

9) poikia–opiskelijoita–ulkomaalaisia–hedelmiä–kaupunkeja–Euroopan maita

10) poika–pojan–poikaa–poikia, perhe–perheen–perhettä–perheitä, nainen–naisen–naista–naisia, hauska kirja–hauskan kirjan–hauskaa kirjaa–hauskoja kirjoja

11) Kuinka monta (= montako) ostajaa kaupassa on? Montako bussia kadulla on? Montako nakkia rva Y. ostaa? Montako lasia olutta Pekka juo? Montako laskua maksat/maksatte? Kenelle rouva L. ostaa lihaa? Kenelle myyjä antaa omenia? Kenelle maksatte/maksat 50 mk? Kenelle hän kirjoittaa tänään?

12) vuoro–pala–liian–sopiva–muuta–tölkki–paketti–kissalle–antaa–menen/lähden–vihanneksia–hedelmiä–kukkia–lopussa–katselen–lähden

Lesson 8. 1 a) Töölöön–Käpylään–Tapiolaan–Haagaan–Munkkiniemeen–Lauttasaareen–Munkkivuoreen–Westendiin, Turkuun–Poriin–Kuopioon–Jyväskylään–Ouluun–Mikkeliin –Lahteen b) Ruotsiin–Tanskaan–Islantiin, Sveitsiin–Itävaltaan–Jugoslaviaan, Kiinaan–Intiaan–Pakistaniin, Pariisiin–Roomaan–Moskovaan–Leningradiin c) hyvään/kuumaan/tuohon saunaan, isoon/mukavaan/tähän ravintolaan, samaan/tuohon kauppaan, vanhaan/tähän/pieneen kaupunkiin, vanhaan/huonoon/tuohon raitiovaunuun

2) autoon–autossa, raitiovaunuun–raitiovaunussa, Englantiin–Englannissa, Suomeen–Suomessa, Helsinkiin t. Turkuun–Helsingissä t. Turussa, työhön–työssä

3) pysäkille–keskustaan, halliin–kauppatorille, pankkiin–Senaatintorille, Pohjantielle–Tapiolaan, Töölöön–Töölönkadulle

6 b) Minun täytyy olla kotona. Minun täytyy kirjoittaa Liisalle. Sinun täytyy saada rahaa. Sinun täytyy syödä ravintolassa. Hänen täytyy oppia ruotsia. Hänen täytyy juoda vettä. Meidän täytyy tulla suomen kurssille. Meidän täytyy nousta bussiin. Teidän täytyy

vaihtaa raitiovaunua. Teidän täytyy mennä Turkuun. Heidän täytyy antaa rahaa sinulle. Heidän täytyy ostaa ruokaa. Liisan/Kalle Oksasen/ulkomaalaisen/miehen/pojan täytyy mennä työhön.

7) Mihin J. menee? Mihin te menette? Mihin ystäväsi/ystävänne lähtee? Mihin tämä vaunu menee? Mihin teidän/sinun täytyy mennä? Mihin tytön täytyy mennä? Missä opiskelija nousee vaunuun? Missä hänen täytyy vaihtaa? Millä pysäkillä minun/meidän täytyy vaihtaa? Mikä raitiovaunu menee Töölöön? Mikä bussi menee Lauttasaareen?

8) Meneekö–täytyy–kuinka mones–matka–täynnä–seisoa

Lesson 9. 2) ei ole poikaa–perhettä–ruokalistaa–suomalais-englantilaista sanakirjaa–raitiovaunulippua–ruotsin opettajaa–vaimoa

4) Sinä olet ulkomaalainen. Minulla on vähän rahaa. Teillä on paljon kirjoja. Te olette helsinkiläinen. He ovat Suomessa. Heillä on kaksi poikaa. Kuka hra K. on? Kenellä on 50 pennin postimerkki? Liisa on kaunis tyttö. Liisalla on mukava poikaystävä. Perheellä on sauna. Perhe on saunassa. Rva H. on suomalainen kotirouva. Rva Halosella on kaunis pieni koti. Tuo mies on yliopiston opettaja. Tuolla miehellä on paljon työtä.

5 a) Nuo naiset ovat–ne ovat–nämä hedelmät maksavat–nuo ravintolat ovat–ne ovat–nämä ulkomaalaiset syövät–nuo virkailijat myyvät– b) Nuo ovat suomalaisia. Ne ovat autoja. Nämä ovat miehiä. Nuo ovat naisia. Ne ovat appelsiineja. Nämä ovat poliiseja. Nuo ovat hyviä kirjoja. Ne ovat hyviä kuvia. Nämä ovat postikortteja. Nuo ovat laatikkoja. Ne ovat isoja.

6) yksi kolmenkymmenen pennin merkki, kaksi neljänkymmenen pennin merkkiä, kolme viidenkymmenen pennin merkkiä, kaksi kuudenkymmenen pennin merkkiä, yksi seitsemänkymmenenviiden pennin merkki, kaksi markan merkkiä

7) onko teillä–kuoria–valitettavasti–toimisto–lähellä–eteenpäin–ymmärrä–nopeasti–nälkä–kuuma–silmät–korvat–jalkaa–rikki–vika

Lesson 10. 1 a) tarjoilijalta–hra Suomelalta–hyvältä ystävältä–Jorma Kiviseltä–torilta–oikealta–miltä kadulta–Sepänkadulta b) tuolta/tältä/pieneltä pöydältä, tältä/nuorelta/suomalaiselta tarjoilijalta, vanhalta/englantilaiselta/parhaalta ystävältä, tuolta/jokaiselta pikku pojalta

2) tuolille, tuolilla–tuolilta–sohvalle, sohvalla–sohvalta–matolle, matolla–matolta–lattialle, lattialla–lattialta–pöydälle etc.

3) Jussilta–Eerolle, vanhalta ystävältä–hänelle, Liisalta–Liisalle, Seijalta–hänelle, minulta–sinulle

4 a) tuota jäätelöä–sitä kirjepaperia–tätä leipää–tuota lihaa–sitä kalaa–tätä olutta–tuota mehua–sitä limonaatia b) noita banaaneja–niitä perunoita–näitä rypäleitä–noita tomaatteja–niitä kirjekuoria–näitä savukkeita–noita hedelmiä–niitä kukkia

5) vapaita–hengen–soittaa–voinko–tavarataloja–kerroksessa–pihan–savukkeita–tulitikkuja

Lesson 11. 1) kukkakaupasta–Brasiliasta–Suomesta–Kokkolasta–Lontoosta–Helsingistä–bussista–lihakaupasta–hallista

2) Espanjasta, Sevillan kaupungista–Tansaniasta, Dar-es-Salaamin kaupungista–Irlannista, Dublinin kaupungista–Romaniasta, Bukarestin kaupungista–Hollannista, Haagin kaupungista–Sveitsistä, Geneven kaupungista–Minä olen kotoisin ...... sta, ...n kaupungista.

4) hotellista–maitokauppaan, maitokaupassa–maitokaupasta–lihakauppaan, lihakaupassa–lihakaupasta–postiin, postissa–postista–ravintolaan, ravintolassa–ravintolasta–bussiin, bussissa–bussista–asuntoon

5) pöydällä–pöydältä–pöydälle, laatikossa–laatikosta–laatikkoon, autotallissa–tallista–talliin, Mikonkadulla–kadulta–kadulle, kaupungissa–kaupungista–kaupunkiin, pysäkillä–pysäkiltä–pysäkille, torilla–torilta–torille, koulussa–koulusta–kouluun

6) maanantaista perjantaihin–lauantaina–sunnuntaina, maanantaista keskiviikkoon–kahdeksasta kolmeen–torstaista lauantaihin–kolmesta yhdeksään–sunnuntaina–kymmenestä viiteen, joka torstai–viikolla–torstaina

7) Mistä Ville on kotoisin? Mihin (= minne) olet/olette menossa? Mistä olet/olette tulossa? Milloin he menevät maalle? Milloin kaupat ovat auki ja milloin kiinni? Mitä 'dog' on suomeksi? Miksi Ahoset menevät kesämökille autolla? Miksi nti Y. menee tuohon kauppaan ostoksille?

8) menossa–kiinni (= suljettu)–että–huomenna–maalle–mökki–rannalla–joka–kilometriä–terveisiä–hauskaa–samoin

Lesson 12. 1) en tee–en opi etc., en juo–en pidä etc., en kuuntele–en ymmärrä etc.

2 a) ei katso–eivät katso–emme katso–en katso–emme lähde–ei lähde–eivät lähde–en lähde–en ota–ei ota–emme ota–eivät ota–emme ota–en lue–emme lue–ei lue–eivät lue b) en puhu–en asu–en opiskele–en seiso–emme pane–emme kirjoita–emme kävele–emme tiedä–emme opi–emme anna–et puhu–ette ole–et kävele–ei kuule–ei näe–ei pidä–ei nuku–eivät ymmärrä–eivät näe–eivät pidä–eivät nuku

3 a) ette ymmärrä–ei lue–eivät kuuntele–et tiedä–emme tapaa–ei auta–ei ole b) etkö lähde–etkö tiedä–etkö pidä–etkö juo–ettekö maista–ettekö ymmärrä–ettekö kuule–ettekö näe–eikö Bill pidä–eivätkö tytöt mene–eivätkö he ole

4) kahvista–teestä–maidosta–oluesta–viinistä–suklaasta–kaakaosta–teatterista–oopperasta–baletista–pop-musiikista–jazzista–televisiosta–klassisesta musiikista–suomalaisesta saunasta–Helsingistä–suomalaisesta ruuasta–suomen kielestä

5) Mihin aikaan nouset/nousette? Mihin aikaan syötte aamiaista? Mitä Antti syö aamiaiseksi? Miksi hän ei juo kahvia? Kuinka kauan olet/olette työssä? Mitä teet(te) päivällisen jälkeen? Mitä teette illalla? Pidät(te)kö teestä? Pitääkö Eeva teestä? Nousetteko sunnuntaina aikaisin?

6) aamiaista–lounasta–päivällistä–koskaan–jälkeen–paitsi–luen–kuuntelen–levysoitin–kylään–vieraita–myöhään–aikaisin

7 a) autan–autat–auttaa–autamme–autatte–auttavat, pidän–pidät–pitää–pidämme–pidätte–pitävät, teen–teet–tekee–teemme–teette–tekevät, annan–annat–antaa–annamme–annatte–antavat b) kauppa–kaupat–kaupan–kauppaa–kauppoja–kaupassa–kaupasta–kauppaan, pöytä–pöydät–pöydän–pöytää–pöytiä–pöydällä–pöydältä–pöydälle

8 a) lakin–lait–sodat–Pentin–papit–pavut–kengät–lennämme–piirrät–kullan b) serkku 'cousin', hattu 'hat', Hanko, silta 'bridge', tahtoa 'to want', kylpeä 'to take a bath', ääntää 'to pronounce', aikoa 'to intend'

Lesson 13. 1 a) ei kirjoita kirjettä–eivät ota taksia–emme löydä kantajaa–ei vie pakettia–ei anna ruokalistaa–ei syö pihviä–ei maksa laskua–en ymmärrä tätä sanaa–ei osta tuota sanakirjaa–en tapaa sitä miestä b) ostamme television–löytää postitoimiston–panen kirjan–haluavat kissan–varaa lipun–viettää tämän illan–kantaa matkalaukun–viemme Matin

3 a) televisiota–kirjan, kirjaa–lehden, lehteä–postikortin, postikorttia–kirjeen, kirjettä–paketin, pakettia–teatterilipun, teatterilippua–elokuvalipun, elokuvalippua–omenan, omenaa–voileivän b) postikortit, postikortteja–lehdet, lehtiä–savukkeet, savukkeita–tulitikut, tulitikkuja–hedelmät, hedelmiä–kukat, kukkia–tomaatit, tomaatteja–appelsiinit, appelsiineja–omenat

4 a) kauniit–tuossa uudessa–tavallista–vapaata–hyviä–tästä amerikkalaisesta nuoresta –modernia–klassisesta–kalliin–halvan–lämpimät–lyhyelle–paremman–parhaat b) Tytöt ovat nuoria. Miehet ovat jo vanhoja. Pojat ovat suomalaisia. Lapset ovat pieniä. Kesäpäivät ovat lämpimiä. Yöt ovat kylmiä. Kirjat ovat hauskoja. Tiet ovat huonoja. Kielet eivät ole helppoja. Junaliput ovat halpoja. Huoneet eivät ole vapaita. Lentomatkat ovat kalliita.

5) matkustaa–matkatavaraa–rautatie–saapuvat–aikataulu–makuu(vaunu)–loppuunmyyty–luokan

Lesson 14. 1) menin–ostin etc., tein–ymmärsin etc.

2) saavuin–saapui, lähdimme–lähti, näin–näkivät, pidittekö–pitikö, lähetin–lähetti, kirjoititko–kirjoittivat, otin–otti, annoimme–antoi, vaihdoit–vaihtoivat, autoin–kannoin–kantoi, söi–joi, toi–vei, tiesin–oli–tiesivätkö–löysimme–löysi

3) nousin–söin–join–lähdin–olin–tulin–tapasin–sanoin–ostin–soitin–tuli–kävin–otin–luin–sain–maksoin–halusin–kävelin–oli–täytyi–katselin–pidin–kirjoitin–vein–katsoin–näin–oli–tulin–oli–join–ajattelin–opiskelin–oli–menin–nukuin

4) käy saunassa–käyn teatterissa–käy työssä–käy tässä museossa–käyvät maalla–käyttekö Turussa–käyvät elokuvissa–käy Tampereella–käydä hyvässä suomalaisessa ravintolassa

5) Milloin (= koska) matkustitte Tukholmaan? Mihin (= minne) matkustitte viime viikolla? Kuinka (= miten) matkustitte sinne? Kuinka kauan matka kesti? Mitä te teitte siellä? Oliko teillä kivaa?

6) sinulle–erikoista–toissapäivänä–kesti–hauskaa–itse–kävimme–eräässä–vieraskin

Lesson 15. 1) aion lähteä–aikoo lähteä, haluamme ottaa–haluaa ottaa, tahdon ajatella–tahdomme ajatella, voin antaa–en voi nähdä, saanko panna–saanko soittaa, osaatko ajaa–osaatteko puhua

2) saanko–osaa–haluatteko (tahdotteko)–voitteko–aion (haluan)–saa–aikoo–voi (saa)–haluatteko (tahdotteko)–osaatko–osaa–osaa

3) Minkälaisia (= millaisia) tunteja haluatte? Montako tuntia viikossa haluaisitte? Milloin haluaisitte tunnit? Mihin saakka olette työssä? Mitä kieliä osaatte (puhua)?

4) hitaasti–rauhallisesti, vilkkaasti, ystävällisesti, helposti, mukavasti–kalliisti, kylmästi, lyhyesti, mahdollisesti

5) tavattavissa–puhelimessa–häiritsen–asiaa–eikö niin–keskustelu–kertaa–sopiiko–sovi –saakka (= asti)–aloittaa–haen–stipendiä–tarvitsen–todistus–mahdollista–lähi–asiaan–jättäkää–yhteyttä

Lesson 16. 1 a) osoitteeni etc., tuttavani etc., vanha tätini etc.; b) kirjani–huoneeni–perheeni, nimesi–veljesi–lapsesi, puhelimensa–avaimensa–levysoittimensa, aamiaisemme–päivällisemme–lounaamme, todistuksenne, kokouksensa

2 a) asunnossani–kaupungissamme–maassanne–kodissasi–toimistossansa (= toimistossaan)–isoäidillemme–perheellensä (= perheelleen)–kissallensa (= kissalleen)–työstänne –levysoittimestansa (= soittimestaan)–koulustansa (= koulustaan)–äidilläsi–pojallanne–

isällänsä (= isällään)–ystävältäni b) ystävämme–ystävämme–ystävämme, serkkuni–serkkuni–serkkuni, poikansa–poikansa–poikansa

3 a) auta–mene–tee–ota–lue–ajattele–käy–soita–katsele–sano–anna–vastaa–jätä–ota b) älä juo–älä puhu–älä nuku–älä häiritse–älä aloita–älä hae–älä jää–älä kerro–älä lainaa–älä ole

4) Kuinka vanha (= vanhako) Timo on? Milloin (minä vuonna) hän on syntynyt? Elääkö Villen isä? Kenen kanssa Kaisa menee naimisiin?

5) täti–setä–eno–takana–tunne–rakastan–kihloissa–ilmoitus–vuotias–syntynyt–lainata

Lesson 17. 1 a) auttakaa–menkää–tehkää–ottakaa–lukekaa–ajatelkaa–käykää–soittakaa–katselkaa–sanokaa–antakaa–vastatkaa–jättäkää–ottakaa b) älkää juoko–älkää puhuko–älkää nukkuko–älkää häiritkö–älkää aloittako–älkää hakeko–älkää jääkö–älkää kertoko–älkää lainatko–älkää olko

2) iso (suuri)–nuori (uusi)–huono (paha)–kallis–vaikea–lämmin (kuuma)–lyhyt–nopea–rikas–ahkera–kevyt–tumma–laiha (hoikka)–valkoinen–kotimainen–raskas (painava) –pieni –vanha–laiska–pitkä–vaalea–kylmä–halpa–köyhä–hyvä–musta–ulkomainen–hidas–lihava –pieni–helppo–kylmä–hyvä–kevyt

4) suurempi–kalliimpi–halvempi–tavallisempi–rakkaampi–lämpimämpi–hauskempi–nuorempi–parempi–vaikeampi

6) suomalaisen–suomalaisesta–suomalaista–suomalaisia, punaista–punaisia–punaisesta –punaisessa–punaiseen, tavallisen–tavallista–tavallisia, Oksaselle–Oksaselta–Oksasen–Oksasta

7) hoikka–lihava–koettaa (sovittaa) –sopivan–vähemmän–puseron–hintainen–kassaan

Lesson 18. 4) lähellämme–kanssani–yläpuolellasi–jälkeensä–edessänne

5 a) lentokoneeseen–Lontooseen–Porvooseen–tuohon liikkeeseen–olohuoneeseen–ruotsinkieliseen perheeseen b) tähän maahan–työhön–teehen(ne)–perjantaihin–mihin kouluun

6) epäsiisti–epäkodikas–epäselvä–epävarma–epäromanttinen–epäystävällinen–epäsuora–epänormaali

7) keittiö–hella (= liesi)–kaappi–komeroita–astianpesukonetta–ulkopuolella–makuuhuoneen–epämukavat–huonekalut–kunnossa–vuokra

Lesson 19. 1) en kuunnellut etc., en tavannut etc., en noussut etc.

2) en noussut–en juonut–en mennyt–en tehnyt–en lähtenyt–en käynyt–en tavannut–en ostanut–en syönyt–ei ollut–en soittanut–en kuunnellut–en pitänyt–en katsonut–en nähnyt–en lukenut–en kirjoittanut–ei tapahtunut

3) ymmärtänyt–muistaneet–koettanut–juoneet–pitänyt–vastanneet

4) enkö ollut–enkö kertonut asiaa–etkö löytänyt–etkö huomannut–eikö hän nähnyt–emmekö arvanneet–ettekö pesseet ikkunoita–ettekö menneet–ettekö aikoneet–eikö heillä ollut

5) puhuivat–auttoivat–näin Suomelat–tiesi–kävi–maksoi–kuunteli–olimme–ymmärsi asian–tarvitsimme

6) Riitta V., jonka äiti on –Kuopio, jossa voi–poliisi, jolta kysyin–tuoli, josta pidämme–isoäitini, jota rakastan–laivoja, joita katselen–lapset, jotka juoksevat

7 a) kertomus–aikomus–toivomus–hakemus–sopimus b) lähtö–lento–soitto–näkö–kuulo–meno–tulo–luulo–olo

8) odotat–hymyilkää–nuorehko–joko Jaakko tai Lassi–vihainen–huusi–pelkään–sijaitsee–myöhemmin

Lesson 20. 1) perheen–perhettä–perheessä–perheitä, savukkeita–savukkeet, vaatteita, käsineitä, hametta, parveketta–parvekkeella, kirjettä–kirjeitä, huoneesta–olohuoneessa–makuuhuoneeseen–huonetta, astetta–asteita, lentokoneita–koneeseen, osoitteenne, kiire(ttä)

2) Ei ole hyvä syödä liikaa sokeria. Lokakuussa sataa paljon. Lapissakin on joskus kuuma. On mahdollista, että Helsingissä kestää kauan (aikaa), ennenkuin löytää sopivan asunnon. Voi tehdä mitä todella tahtoo (haluaa). Kaikkea ei voi saada. Jos rakastaa, antaa anteeksi.

3 c) maanantaina–viikolla–talvella–joulukuussa–keväällä–syksyllä–kesällä–lokakuusta toukokuuhun

4 a) halusi, eikö halunnutkin–arvasi, eikö arvannutkin–varasi, eikö varannutkin–häiritsi, eikö häirinnytkin–valitsi, eikö valinnutkin–tapasi, eikö tavannutkin–pelkäsi, eikö pelännytkin–huomasi, eikö huomannutkin–tarvitsi, eikö tarvinnutkin b) vastatkaa, teidän täytyy vastata–vuokratkaa, teidän täytyy vuokrata–pakatkaa, teidän täytyy pakata–korjatkaa, teidän täytyy korjata–lainatkaa, teidän täytyy lainata–avatkaa, teidän täytyy avata–varatkaa, teidän täytyy varata–tilatkaa, teidän täytyy tilata–huomatkaa, teidän täytyy huomata

5) kostea–sumua–meren–syksyllä–lunta–räntää–monesko–kevät–sulaa–paistaa–astetta–astetta lämmintä–hiihtämään–pelkään–paratiisi

Lesson 21. 2) suuri–suurempi–suurin, pieni–pienempi–pienin, nuori–nuorempi–nuorin, lämmin–lämpimämpi–lämpimin, pitkä–pitempi–pisin, vanha–vanhempi–vanhin, vilkas–vilkkaampi–vilkkain, kaunis–kauniimpi–kaunein, kallis–kalliimpi–kallein, halpa–halvempi–halvin, hyvä–parempi–paras

3) kaikkein hauskin–vaikein–sopivin–ystävällisin–raskain/painavin–komein–tärkein–valoisin–kodikkain–lyh(y)in–nopein

4) Esplanadia–satamaa–mitä–ystäviä–neljää–tuota suurta tavarataloa–minua–rautatieasemaa–aseman–Helsinkiä

5) torni–näköala–lahti–satamaan–tuomio–vastapäätä–alas–kulkevat–pitkin–kohti–eläimiä–eläintarha–ylös–ympäristössä–Pohjois–Etelä–Itä–Länsi

Lesson 22. 1) hänet–häntä, heitä–heidät, häntä–hänet, heitä–heidät, hänet–häntä, heidät–heitä

2) teidät–minut–meidät–sinut–kenet–minutko–minua–teitä–teidät

3) minun täytyy mennä–teidän täytyy antaa–Liisan oli pakko hymyillä–meidän pitää panna–hänen pitää tarjota–jokaisen on pakko kuolla–tuon miehen pitää juoda–tarvitseeko sinun olla

4 a) sinun ei pidä luulla–käsittää–sairastua–vaivata, teidän ei pidä vuokrata–seurata–lukea–nukkua b) sinun ei tarvitse lähteä–arvata–pestä–juosta, teidän ei tarvitse sanoa–ottaa–huutaa–kirjoittaa

5) kulta–näytät–voit (jaksat)–väsynyt–kipeä–nuha–kuumemittarin–kuumeen–varovainen–liikkeellä–apteekkiin–vasta–aikaisemmin

Lesson 23. 2) tänään olen hiihtänyt–aurinko on paistanut–olen tainnut (taitanut)–työ on maistunut–minua on väsyttänyt–olemme suunnitelleet–olemme jatkaneet–ovat aloittaneet–oletko voinut tänään hyvin–oletko ajatellut asiaa, tällä viikolla on satanut–olemme etsineet–olemme nousseet–lumi on alkanut–oletko tavannut tällä viikolla tuttavia–oletko ollut, tänä vuonna olen asunut–olemme käyneet–oletko opiskellut ahkerasti tänä vuonna–oletko viettänyt

3) Viihdyn, mutta en ole aina viihtynyt. Ymmärrän, mutta en ole aina ymmärtänyt. Tulen, mutta en ole aina tullut. Tiedän, mutta en ole aina tiennyt (tietänyt). Seuraan, mutta en ole aina seurannut. Poltan, mutta en ole aina polttanut. Osaan, mutta en ole aina osannut. Pesen, mutta en ole aina pessyt.

4 a) pääkaupunkeja–saaria–(ihmisen) nimiä t. etunimiä–huonekaluja–eläimiä–hedelmiä –kukkia–värejä–viikonpäiviä; vanhoja–kylmiä–korkeita–isoja–kalliita ja epäkodikkaita–kalliita–laiskoja–hienoja b) kuumaa–hyvää t. huonoa–valkoista–sinistä–kylmää–vaikeaa t. helppoa–kauheaa t. ihanaa

5 a) opiskelijoita–nuoria–ujoja–vilkkaita–kalliita–pieniä–lämpimiä–siistejä–hyviä–huonoja–lentoemäntiä–hauskannäköisiä b) puhtaat–kylmät–pienet–harmaat–siniset–kauniit–likaiset

6) viihdyt–ikävää–mieltä–sujuvasti–harrastanut–kirjeenvaihdossa–(koti)ikävä

Lesson 24. 1) Ostan leipää. Ostan leivän. Söimme kalaa. Söimme suuren kalan. Herra Yrjölä osti maata. Hän osti maan, mutta ei taloa. Tarvitsen kirjepaperia. Menen nyt ostamaan paperin. Kylän lähellä näimme ihmisiä ja eläimiä; näimme ihmiset ja eläimet kaukaa. Tapaan usein Helsingissä amerikkalaisia. Tunnen nuo amerikkalaiset tuolla. James lukee suomalaisia lehtiä. Hän lukee usein aamulehdet kirjastossa. Äiti kirjoittaa aina kirjeitä. Hän kirjoitti kaikki nämä kirjeet tänään. Pakkasitko jo matkalaukut? En vielä, pakkaan laukkuja juuri nyt.

2 a) sen–se–jonkin hauskan jutun–jokin hauska juttu–tuo lehti–tuo lehti–tuon lehden–pöytä–pöydän–pöytä–pöytää b) hattua–kauniin hatun–tuota pukua–tätä villatakkia–ketä–Helsinkiä–Messuhallin–radiota–toisen sinfonian–tuota näyttelijää–maalaiselämää–liikaa kiirettä–stressiä

3) ettekö haluaisi–etkö lepäisi–emmekö odottaisi–etkö toisi–enkö saisi–eikö James voisi–etkö kertoisi–eivätkö Suomelat tulisi

4) Jos minulla olisi aikaa, kirjoittaisin–kutsuisin–nukkuisin–soittaisin–valitsisin–menisin–keskustelisin–ottaisin–katsoisin–tekisin–maksaisin–harrastaisin–tapaisin–uisin

5) jos söisit, et sairastuisi–jos aurinko paistaisi, lumi sulaisi–jos en olisi, kävisin–jos sairastuisivat, ei voisi–jos lähtisimme, emme myöhästyisi–jos he asuisivat, he eivät tarvitsisi–jos tarvitsisin, pyytäisin

6 a) nukun mielelläni myöhään–maistan m. uusia ruokia, hiihtää mielellään–ajaa m. polkupyörällä, autamme sinua mielellämme–käymme m. autokilpailuissa, tekevät mielellään automatkoja–istuvat m. ravintolassa, käytkö mielelläsi kylässä–oletko m. kotona, lennättekö mielellänne–seuraatteko m. maailman tapahtumia

7) korjaus–kirjoitus–selitys–opetus–merkitys–ymmärrys–ehdotus–varaus

8) mielelläni–mieluummin–riippuu–pitkään aikaan–näyttämöllä–esitys (näytös)–näyttelijä–lauluja–kuulostaa–mielelläni–hölmö–torstaisin

Lesson 25. 2) olin kirjoittanut–olin juossut–olit polttanut–oli käyttänyt–olimme ajatelleet–olivat toivoneet; olivat käyneet–oli jättänyt–oli soittanut–oliko D. tullut–oliko D. odottanut –oliko D. pelännyt–oliko hänellä ollut–olivatko hänen liikeasiansa olleet

3) a) kaupungeissa–rakennuksissa–asunnoissa–huoneissa–kaapeissa–laatikoissa–albumeissa–valokuvissa; perheillä–ystävillä–lapsilla–opettajilla–oppilailla–tovereilla–serkuilla –tuttavilla

b) pitää nuorista ja vanhoista/komeista miehistä/vanhoista naisista/pienistä tytöistä/villeistä pojista/koirista ja kissoista/hassuista vaatteista

c) tutustua kouluihin ja yliopistoihin/liikkeisiin ja tehtaisiin/vanhoihin kyliin/uusiin kaupunkeihin/linnoihin ja hotelleihin/historiallisiin paikkoihin/suomalaisiin

d) teimme kysymyksiä maalaisille ja kaupunkilaisille/köyhille ja rikkaille/professoreille ja opiskelijoille/myyjille ja asiakkaille/liikemiehille ja kotirouville/poliiseille ja koululaisille/taksinkuljettajille ja turisteille

e) saimme vastauksia elokuvatähdiltä ja pop-laulajilta/ministereiltä ja pankinjohtajilta/postivirkailijoilta ja talonmiehiltä/vuokralaisilta ja vuokraemänniltä

f) keskustelimme maalaisten ja kaupunkilaisten/köyhien ja rikkaiden/professorien ja opiskelijoiden/myyjien ja asiakkaiden/liikemiesten ja kotirouvien/poliisien ja koululaisten/taksinkuljettajien ja turistien kanssa

4) miesten–naisten–lasten, ihmisten, suomalaisten–ruotsalaisten, eteläeurooppalaisten–pohjoiseurooppalaisten

5) pöydillä–pöydiltä–pöydille, tuoleilla–tuoleilta–tuoleille, junissa–junista–juniin, autoissa–autoista–autoihin, busseissa–busseista–busseihin, lentokoneissa–lentokoneista–lentokoneisiin, puissa–puista–puihin, pöytien–tuolien–autojen–huoneistojen–hotellihuoneiden –hedelmien–savukkeiden hinta on . . ., näiden teiden kunto on hyvä

6) poikansa–poikiensa, sisarelleen–sisarilleen, tyttäreltään–tyttäriltään, toverillaan–tovereillaan, ystäväänsä–ystäviään, ongelmastaan–ongelmistaan, suunnitelmassaan–suunnitelmissaan

7) kampaamo–korjaamo–vuokraamo–pakkaamo–katsomo

8) täyttää–onneksi olkoon–lahjoja–leikkimään–leivottua–kahvileipää–asemasta–ongelmista–piirakkaa–sulaa suussa

5. Alphabetical word list

aamiainen 12
aamu 8
aamupäivä 12
ahkera 15 B
ai 3 C
aika 12; (= melko) 5 B
aikaisemmin 22
aikaisin 12
aikataulu 13
aikoa 15 A
aikuinen 25
aina 6 B
ainakin 16 A
aine 17 X
aivan 6 B
aivan niin 6 B
ajaa 14
ajatella 13
ajatus 16 B
alas 21
alennusmyynti 11
alhaalla 21 X
alkaa 13
alkoholi 18 B
alku 23
aloittaa 15 A
alue 21
alusvaate 17 A
Amerikka 2 A
amerikkalainen 2 A
amme 18 A
anglosaksi 19 A
ankka 25 X
antaa 7 A; 21
anteeksi 3 A
appelsiini 7 A
apteekki 22
apulainen 15 B
arki(päivä) 11
arkkitehti 12 X
arvata 18 B
asema 10
asia 13
asiakas 6 B
aste 20
astia 18 A
asua 5 A
asunto 5 A
auki 11
aurinko 20
auto 1 A
autotalli 11 X
auttaa 12
avain 10
avata 18 B

baletti 12 X
banaani 7 B
bussi 1 A

demokraattinen 25

edelleen 12
edessä 16 A
eduskunta 21
ehdottaa 24
ehkä 10
ei 1 B
eikö niin 15 A
eilen 14
elintaso 25
elokuu 20
elokuva 12
eläin 21
eläintarha 21
elämä 16 X
elää 16 A
emäntä 23
en 2 A
enemmän 20
Englanti 2 B
englantilainen 2 B
ennen kuin 10
ensi 10
ensi-ilta 24
ensimmäinen 8
ensin 6 A
entä 6 A
enää 16 A
pä- 18 A
epäkunnossa 18 B
eri 12
erikoinen 14
erilainen 17 B
erittäin 15 B
eräs 14
esimerkki 15 A
esine 18 B
esitellä 4
esittää 24 X
esitys 24
eteenpäin 9 A
eteinen 18 A
etelä 20
etsiä 18 B
että 11
etukäteen 18 B
etunimi 3 A

filmi 9 B
firma 15 B
fysiikka 16 X

gramma 7 A
greippi 7 B

hakea 15 B
halli 7 B
halloo 15 A
halpa 3 C
haluta 8
hame 17 B
-han 15 A
harmaa 17 A
harrastaa 23
harvoin 20
hassu 16 B
hattu 15 X
hauska 5 A; 14
he 5 A
hedelmä 7 B
hei 2 B
hella 18 A
helmikuu 20
helppo 5 B
henki 10
henkilö 3 A
henkilötieto 3 A
herra 3 A
heti 6 A
hetki(nen) 6 A
hevonen 21 X
hidas 3 X
hieno 17 A
hiihto 20
hiihtää 20
hiiri 25 X
hiljaa 18 B
hiljainen 25
hillo 25 X
hinta 3 C
hintainen 17 A
hirveä 25
hissi 10
hitaasti 3 C
hoikka 17 A
hotelli 4 X
housut 17 A
huhtikuu 20
hullu 19 B
humala 18 B
huomata 19 A
huomenna 11 A
huomenta 4
huone 10
huoneisto 18 A
huonekalu 18 A
huonekalusto 18 X
huono 1 B
huume 25
huutaa 19 A
huvitella 24
hyasintti 7 X
hylly 18 A
hymy 19 A
hymyillä 19 A

hytti 19 B
hyvin 2 A
hyvä 1 B
hyvästi 6 B
häiritä 15 A
hän 1 B
häät 16 B
hölmö 24

ihailla 24
ihan 16 B
ihana 10 X
ihminen 12
ikkuna 13
ikä 17 X
ikäinen 17 X
ikävä 23
illallinen 24
ilma 4
ilman 18 B
ilmasto 20
ilmoittaa 18 B
ilmoitus 16 B
ilo 20 X
iloinen 20
ilta 6 A
iltapäivä 12
insinööri 15 B
irtisanomisaika 18 B
iso 1 B
isoisä 16 A
isoäiti 16 A
istua 13
isä 16 A
isäntä 23
itkeä 19 B
itse 9 B
itä 21

ja 2 A
jaksaa 22 X
jalan 14 X
jalka 9 B
jano 9 X
jatkaa 21
jo 5 B
johtaa 24
johtaja 15 B

joka 10; 18 B
jokainen 10
joki 14 X
jokin 14
joko ... tai 19 A
joku 15 A
jonkinlainen 23
jos 9 B
joskus 5 A
joulukuu 20
juhla 21
juna 13
juoda 6 A
juoma 6 X
juttu 19 B
juuri 17 A
juusto 7 A
jäljellä 13
jälkeen 12
jälkiruoka 6 A
jännittävä 25
järkevä 18 B
järvi 11
jättää 15 B
jää 18 A
jäädä 16 B
jääkaappi 18 A
jääkarhu 25
jäätelö 6 A

kaakao 6 X
-kaan 18 B
kaappi 18 A
kaasu 18 A
kaataa 25
kahdeksan 3 A
kahdeksas 8
kahdeskymmenes 8
kahdestoista 8
kahvi 6 A
kahvileipä 25
kai 6 B
kaikkein 21
kaikki 5 A
kaksi 3 A
kaksikymmentä 3 A
kaksio 18 X
kaksitoista 3 A

kala 6 A
kallis 3 C
kamera 3 X
kampaamo 11
kana 21 X
kanadalainen 2 B
kansa 21
kanssa 16 B
kantaa 13
kantaja 13
kapea 18 A
kappale 9 A
kartta 3 C
kasetti 18 B
kassa 17 B
kasvaa 21
katsella 7 B
katsoa 9 B
katsoja 24 X
katsomo 24 X
katto 21
katu 1 A
kauan 12
kauas 16 B
kauhea 18 A
kaukana 9 A
kaunis 1 A
kauppa 1 A
kauppatori 7 A
kaupunginosa 21
kaupunki 5 A
kaveri 14 X
keitetty 7 X
keittiö 18 A
keitto 6 A
keittää 18 B
kello 11
keltainen 17 A
kenen 3 C
kenkä 17 A
kerho 11
kerma 7 A
kerran 13
kerros 10
kerta 8
kertoa 16 B
kertomus 19 A
keskellä 16 A

keski- 20
keskikaupunki 23
keskiviikko 11
keskusta 8
keskustella 15 A
keskustelu 15 A
kestää 14
kesä 11
kevyt 13 X
kevät 20
kieli 5 B
kihloissa 16 B
kiinni 11
kiinnostunut 25
kiire 9 B
kiitoksia 4
kiitos 2 A
kilo 7 A
kilometri 11
kilpailu 21
kiltti 22
-kin 10
kinkku 7 A
kioski 10
kipeä 22
kirja 3 C
kirjasto 18 X
kirje 9 A
kirjeenvaihto 23
kirjekuori 9 A
kirjoittaa 3 C
kirjoituspöytä 18 A
kirkas 17 B
kirkko 12
kissa 7 A
kiva 11
kivi 23
klassinen 12 X
-ko (-kö) 1 B
kodikas 18 B
koettaa 17 B
kohta 23
kohteliaisuus 18 B
kohtelias 19 A
kohti 21
koira 7 A
koko 8; 17 A
kokoinen 17 X

kokonaan 24
kokous 14
kolmas 8
kolme 3 A
komea 16 B
komero 18 A
kone 14 X
kongressi 21
konsertti 4 X
korjata 18 B
korkea 15 B
korkeakoulu 15 B
kortti 9 A
korva 9 B
koska 8
koskaan 12
koski 14 X
kostea 20
koti 3 B
koti-ikävä 23
kotimainen 17 A
kotona 22
kotoisin 11
kotoa 5 A
koulu 5 B
kova 6 B
kovaa 18 B
kovin 12
kreppinailon 17 A
kuin 17 B
kuinka 3 A
kuinka mones 8
kuitenkin 16 B
kuitti 13
kuiva 20
kuka 2 B
kukka 7 B
kukkia 20 A
kukko 21 X
kuljettaja 13
kulkea 19 B
kulma 9 A
kulta 22
kulttuuri 25
kumi 17 A
kun 12
kuolema 16 X
kuollut 16 A

kuppi 6 A
kurkku 7 B
kurssi 5 B
kuten 11
kutsu 25
kutsua 23
kutsut 25
kuu 15 A
kuudes 8
kuukausi 18 B
kuulemiin 13
kuulla 9 B
kuulostaa 24
kuulua 2 A
kuuluisa 24
kuuma 6 B
kuume 22
kuumemittari 22
kuunnella 12
kuusi 3 A
kuva 1 A
kuvitella 25
kyllä 2 B
kylmä 4
kylpyhuone 18 A
kylä 12
kymmenen 3 A
kymmenes 8
kynä 3 X
kysymys 10
kysyä 15 A
-kä 19 A
käsi 9 B
käsine 17 A
käsittää 18 B
käsitys 25
kävellä 7 B
käydä 14
käyttää 18 A
kääntyä 7 X
köyhä 16 B

laaja 21
laatikko 9 A
laatu 17 A
lahja 25
lahti 8 X
laiha 17 B
lailla 22
lainata 16 B
lainkaan 23
laiska 5 B
laituri 13
laiva 14 X
lakka 25 X
lakki 17 A
lammas 21 X
lamppu 18 A
lapsi 12
lasi 6 A
laskea 9 A
lasku 6 A
lastenhuone 18 A
lattia 10 X
latu 20 X
lauantai 11
laukku 10
laulaa 24
laulu 24
lautanen 6 B
lautta 14 X
lehmä 21 X
lehti 12
leijona 21 X
leikkiä 25
leipoa 25 X
leipä 6 A
leivottu 25
lentokone 14 X
lentoposti 9 A
lentotoimisto 13
lentää 13
levy 12
levysoitin 12
levätä 12
liha 6 A
lihava 17 B
liian 7 A
liike 10
liikenne 14
liikkeellä 22
liikkua 9 B
likainen 22
limonaati 6 X
linja-auto 8 X
linna 14

lintu 15 X
lippu 3 X
lisää 25
litra 7 A
loma 16 B
loppu 7 B
loppua 20
loppuunmyyty 13
lopuksi 7 B
lopulta 19 A
lounas 12
lukea 12
lukija 25
lumi 20
luokka 13
luo(kse) 25
luona 18 A
lupaava 24
luulla 11
lyhyt 8
lähellä 9 A
lähes 22
lähettää 13
lähetystö 21
lähiaikoina 23
lähin 4
lähipäivinä 15 B
lähteä 7 A
lähtien 23
lähtö 13
lämmin 6 B
länsi 21
lääke 22
lääkäri 22
löytää 13

maa 5 A
maailma 21
maalaistalo 18 X
maaliskuu 20
maanantai 11
maata 18 X
mahdollinen 15 B
mahdollisuus 24
mahdoton 23
maistaa 7 B
maisteri 16 A
maistua 22

painaa 13
painava 13 X
paino 13 X
paistaa 20
paistettu 6 A
paisti 7 A
paita 17 A
paitsi 12
pakaste 18 A
pakastin 18 A
pakata 13
paketti 7 A
pakkaamo 17 B
pakkanen 20
pala 7 A
palata 15 B
paljon 3 C
paljonko 3 C
palkka 15 B
pallo 3 X
palvelu 24
pankki 4 X
panna 7 A
paperi 6 X
paperikauppa 9 A
paras 10
parempi 7 A
pari 7 X
parveke 18 A
pelätä 19 B
penkki 19 A
penni 3 C
perhe 5 A
perjantai 11
peruna 7 B
pestä 18 B
pesu 18 A
pesula 18 B
pian 15 A
pianisti 24
pieni 1 A
piha 10
pihvi 6 B
piirakka 25
pikajuna 13
pikku 3 B
pikkuisen 22
pikkuleipä 25

pilvi 20 X
pimeä 18 B
pippuri 10 X
pitkin 21
pitkä 8
pitää 12; 22
pohjoinen 20
poika 1 A
pois 6 B
polkupyörä 14 X
polttaa 18 B
porras 21 X
portieeri 10
posti 4
postimerkki 9 A
puhdas 22 X
puhelin 3 A
puhua 2 A
puisto 21
puku 17 B
pulla 25
pullo 6 A
punainen 17 B
puoli 7 A
puolitoista 7 B
puolueeton 25
puolukka 25 X
pusero 17 B
puu 17 X
puutarha 21 X
puuvilla 17 A
pyhä(päivä) 11
pysäkki 8
pyytää 22 A
päin 10
päivä 2 A
päivällinen 12
päivää 2 A
pää 5 A
pääkaupunki 5 A
päänsärky 22
päättää 19 B
pöytä 6 A

radio 1 A
raha 8
rahastaja 8
raitiovaunu 8

rakas 16 A
rakastaa 16 A
rakennus 21
rakkaus 16 B
rannikko 21
ranta 11
raskas 13 X
rautatie 13
ravintola 5 A
riippua 24
riittää 25
rikas 16 B
rikki 9 B
risteys 19 B
rivitalo 18 X
romaani 16 B
romanttinen 16 B
rouva 3 C
ruma 18 A
ruoka 6 A
ruokalista 6 A
Ruotsi 2 A
ruskea 17 A
ruuhka 14
ruusu 7 X
rypäle 7 B
räntä 20

-s 7 B
saada 4
saakka 15 A
saapas 17 A
saapua 13
saari 8 X
saaristo 21
saaste 25
sadas 8
sade 20 X
sairaala 22
sairas 22
sairastua 22
salaatti 7 B
sama 5 A
samanlainen 17 A
samoin 11
sana 3 C
sanakirja 3 C
sanoa 6 A

sanomalehti 16 B
sarja 25
sarjakuva 25 X
sata 3 A
sataa 20
satama 21
sateenvarjo 20 X
sauna 5 X
sauva 20 X
savu 18 B
savuke 10
se 1 A
seinä 18 A
seisoa 8
seitsemän 3 A
seitsemäs 8
selittää 16 A
selvä 13
semmoinen 24
serkku 16 A
setä 16 A
seura 23
seuraava 8
seurata 20
shekki 10
siellä 5 A
sievä 17 B
siinä 18 B
siirto 8
siis 16 A
siisti 14
siitä 12
sijaita 19 B
sika 21 X
silloin 15 A
silmä 9 B
silta 21
sinappi 10 X
sinfonia 24
sininen 17 A
sinne 11
sinä 2 B
sinun 3 B
sisar 16 A
sisko 16 A
sisä- 20
sisällä 13 X
sisään 13

sitruuna 10 X
sitten 3 B; 19 B
sitäpaitsi 22
sohva 10 X
soida 15 A
soittaa 10
sokeri 7 A
solisti 24
solmio 17 A
sopia 15 A
sopiva 7 A
so 16 X
sovitushuone 17 B
stipendi 15 B
stipendiaatti 15 B
suhde 25
suihku 18 A
sujuva 23
sukka 17 A
suklaa 6 X
suksi 20 X
suku 16 A
sukulainen 16 A
sukunimi 3 A
sulaa 20
suljettu 11
sumu 20
sunnuntai 11
suola 10 X
suomalainen 2 A
suomeksi 11 X
Suomi 1 A
suomuurain 25 X
suora 9 A
suoraan 9 A
suru 20 X
surullinen 20
suu 9 B
suunnitella 23
suuri 10
syntymä 16 X
syntyä 16 A
syyskuu 20
syödä 5 A
sähkö 18 A
sänky 18 A
särky 22
sää 20

taas 11
tabletti 22
tai 3 C
taikka 20
taitaa 20
takaisin 14
takana 16 A
takki 17 A
taksi 10
talli 11 X
talo 1 A
talonmies 18 A
talvi 17 A
tammikuu 20
tanssi 12 X
tanssia 12
tapa 12
tapahtua 11
tapaus 22
taputtaa 24 X
tarjoilija 6 A
tarkoittaa 20
tarmokas 15 B
tarpeeksi 15 A
tarvita 15 B
tasan 15 A
tavallinen 9 A
tavallisesti 5 A
tavara 7 A
tavaratalo 10
tavata 11
tavaton 23
tavattavissa 15 A
tietysti 15 A
te 2 A
teidän 3 A
teatteri 4 X
tee 6 X
tehdas 14
tehdä 5 B
tehdä työtä 12
teknikko 18 B
tekni(lli)nen 15 B
televisio 1 A
teollisuus 21
terve 5 B
tervehtiä 23
terveiset 11

tervetuloa 10
tie 4
tiedustella 13
tienviitta 19 B
tieto 3 A
tietää 5 B
tiistai 11
tila 18 B
tilata 7 X
tilava 18 X
todella 11
todistus 15 B
tohtori 22
toimi: tulla toimeen 15 B
toimia 9 B
toimisto 9 A
toinen 7 A
toissapäivänä 14
toistaa 9 A
toivoa 5 B
toivottavasti 22
tomaatti 6 A
tori 7 A
torni 21
torstai 11
tosi 16 B
totta 16 B
totta kai 16 A
toukokuu 20
toveri 14
tuhannes 8
tuhat 3 A
tukka 18 B
tuli 10
tulitikku 10
tulla 6 A
tulli 21
tulo 11
tulppaani 7 X
tumma 17 A
tunnettu 21
tuntea 16 A
tunti 12
tuo 1 A
tuoda 6 A
tuoli 6 B
tuolla 4
tuomiokirkko 21

tuonne 11 X
tuossa 16 A
tupakka 10
tupakkavaunu 13
turisti 4 X
turkki 17 B
tutkia 24
tuttava 14
tutustua 25
tuuli 20
tuulla 20
tykätä 18 B
tyttö 1 A
tytär 16 B
tyypillinen 19 A
työ 5 B
työntekijä 20
työpaikka 8
tähti 25
tällainen 17 B
tämä 1 A
tänne 11 X
tänään 4
tärkeä 16 B
tässä 9 A
tästä 8
täti 16 A
täynnä 8
täyttää 25
täytyä 8
täällä 4
täältä 11
tölkki 7 A

uida 20
ujo 25
ukkonen 20
ulkomaa 11 X
ulkomaalainen 2 A
ulkomailla 16 B
ulkomainen 17 X
ulkona 12
ulkopuolella 18 A
ulos 13 X
unelma 24
unohtaa 25
urheilu 21
usea 21

6. Index